AS VIDAS DE CHICO XAVIER

MARCEL SOUTO MAIOR

AS VIDAS DE CHICO XAVIER

NOVA EDIÇÃO AMPLIADA E ATUALIZADA

Copyright © Marcel Souto Maior 1994, 2003, 2022
Copyright © Editora Planeta do Brasil, 1994, 2003, 2022
Todos os direitos reservados.

Preparação: Wladimir Araujo
Revisão: Cláudia Renata Gonçalves Costa, Rita Gorgati e Carmen T. S. Costa
Projeto gráfico e diagramação: Fabio Oliveira
Capa: Fabio Oliveira
Imagem de capa: Flávio Florido/Folhapress

Dados Internacionais de Catalogação na Publicação (CIP)
(Angélica Ilacqua CRB-8/7057)

Maior, Marcel Souto
   As vidas de Chico Xavier / Marcel Souto Maior. – 3. ed. ampl. e rev. - São Paulo: Planeta do Brasil, 2022.
   256 p.

ISBN 978-65-5535-725-7

1. Xavier, Francisco Cândido, 1910-2002 – Biografia 2. Médiuns – Biografia – Brasil I. Título

22-1628   CDD 920.913391

Índice para catálogo sistemático:
1. Xavier, Francisco Cândido, 1910-2002 - Biografia

Ao escolher este livro, você está apoiando o manejo responsável das florestas do mundo.

2022
Todos os direitos desta edição reservados à
EDITORA PLANETA DO BRASIL LTDA.
Rua Bela Cintra 986, 4º andar – Consolação
São Paulo – SP CEP 01415-002
www.planetadelivros.com.br
faleconosco@editoraplaneta.com.br

A Anabela, Antônio, Isadora, Tomás e Bernardo

SUMÁRIO

Introdução à nova edição: O homem que falava com os mortos 8

"Morre um capim, nasce outro" 11

O menino mal-assombrado 19

Muito prazer, Emmanuel 37

A pele do rinoceronte 45

Onde a grande certeza principia 53

Primeira entrevista com o além 58

O aprendiz de curandeiro 63

Humberto de Campos, o escândalo 89

Chuva de pétalas 123

A nova atração de Uberaba 141

Os mortos estão vivos 154

A vida desapropriada 176

Diante da morte 214

Epílogo 243

Agradecimentos 247

Bibliografia 249

INTRODUÇÃO À NOVA EDIÇÃO

O HOMEM QUE FALAVA COM OS MORTOS

Há quase 30 anos, em 1994, desembarquei em Uberaba, interior de Minas Gerais, decidido a escrever a biografia de Chico Xavier. Meus colegas de profissão, repórteres do *Jornal do Brasil*, onde eu trabalhava, estranharam — e muito — o tema do meu primeiro livro.

— Chico Xavier? — perguntavam. E brincavam:

— Não é o Chico Buarque, o Chico Anysio, o Chico Mendes, o Chico César?

Hoje brinco que até o Chico Bento, personagem matuto do Maurício de Souza, parecia mais biografável na opinião dos meus amigos céticos, nada identificados com um personagem vinculado a espíritos e a fenômenos do além.

E eu? Como eu reagia a essas brincadeiras? Com bom humor. Até mesmo porque eu era um cético, agnóstico também, sem vínculos com qualquer corrente religiosa.

Mas então por que decidi ir em frente e, contra todos os preconceitos (inclusive os meus), escrever a biografia de Francisco Cândido Xavier?

Minha resposta é bastante simples: por interesse jornalístico.

O que me moveu, desde o início, foi um resumo de três linhas que coloquei no papel quando fiz as primeiras pesquisas sobre "o homem que falava com os mortos", "a principal antena entre dois mundos: o físico e o invisível".

O resumo que fiz de sua trajetória foi o seguinte:

Chico Xavier escreveu mais de 400 livros (*naquela época*), vendeu mais de 30 milhões de exemplares e doou toda a renda dos direitos autorais a instituições beneficentes. "Os livros não me pertencem. Eu não escrevi nada. Eles, os espíritos, escreveram" — ele dizia.

Este enigma me levou adiante: "Eles, os espíritos, escreveram!".

Como assim?

Que território era esse onde vivos e mortos se encontravam?

Como explicar o fato de alguém que só estudou até o quarto ano primário ter colocado no papel poemas, romances, contos, crônicas, com teor religioso, científico, filosófico, atribuídos aos mais diversos autores, dos consagrados, como Castro Alves e Olavo Bilac, aos desconhecidos, todos mortos?

Comunicação com o além? Imitação pura e simples de estilos alheios? Autossugestão? Telepatia? Fraude ou fenômeno? Foram muitas e muitas as teses sobre a origem de seus textos — contra e a favor.

Foram muitos os fãs e seguidores incondicionais e muitos os detratores implacáveis, adversários a quem Chico definia como "nossos companheiros estimulantes e desafiadores".

Ao mergulhar na trajetória de Chico, descobri uma saga repleta de altos e baixos, obstáculos e superações.

O mesmo homem indicado ao Prêmio Nobel da Paz foi vítima de atentados, inclusive à faca, e de insultos de quem não recebeu mensagens de entes queridos mortos e não se conformou com a justificativa dada por Chico:

— O telefone só toca de lá para cá.

O mesmo homem considerado santo por centenas de milhares de admiradores foi levado aos tribunais em processo por direitos autorais movido pela família de um dos "autores espirituais" psicografados por ele, o jornalista e acadêmico Humberto de Campos.

O mesmo homem admirado por sua simplicidade e falta de vaidade apareceu diante das câmeras de um programa de TV, o fenômeno de audiência *Pinga-Fogo*, com a calvície encoberta por uma peruca, para surpresa do público.

Como resistir a um personagem como este? Por que resistir? Por preconceito?

Hoje — quase 30 anos depois do lançamento da primeira edição desta biografia, que também virou filme dirigido por Daniel Filho, com o estupendo Nelson Xavier no papel-título — olho para trás e revejo Chico como uma mistura de monge budista e filósofo estoico, um mestre na arte da serenidade e da disciplina.

Aos que diziam que mais cedo ou mais tarde ele cairia desmascarado como fraude, por exemplo, Chico dizia:

— Não vou cair porque nunca me levantei.

Aos que apostavam que, mais cedo ou mais tarde, ele aceitaria uma das muitas ofertas de doação que poderiam tornar sua vida mais confortável, ele erguia as mãos aos céus e agradecia:

— Graças a Deus aprendi a viver apenas com o necessário.

Morreu na cama estreita de seu quarto humilde em Uberaba, aos 92 anos, no dia 30 de junho de 2002.

E é neste ano em que se completam duas décadas da morte de Chico Xavier que *As vidas de Chico Xavier* ganha esta nova edição, revista e ampliada.

O que Chico tem para nos contar? O que podemos aprender com a trajetória de quem se doou tanto, apesar de todos os ataques e perseguições, nesta fase tão dura da nossa história?

Muito. E, por isto, é tão importante ver *As vidas de Chico Xavier* de volta à Editora Planeta neste ano tão desafiador para todos nós, porque foi aqui, nesta casa editorial, que o livro alcançou seu maior público leitor, há duas décadas.

Tempo que voa... e que precisamos aproveitar ao máximo, dia a dia, como recomendava (e praticava) Chico.

Esta é uma de suas lições: "Cuida desta vida. Esquece as outras. Esta vida já dá trabalho demais".

Conselho dele a quem buscava informações privilegiadas sobre vidas passadas ou futuras.

Chico sempre surpreendeu... e vai continuar surpreendendo.

"MORRE UM CAPIM, NASCE OUTRO"

Eram pouco mais de 19h30 de domingo — 30 de junho de 2002 —, quando o coração de Chico Xavier parou.

Chico tinha acabado de deitar-se na cama estreita de seu quarto acanhado para mais uma noite de sono. Pouco antes de dormir, ergueu as mãos para o alto, como sempre fazia, e rezou pela última vez.

Chico morreu em casa, como queria, sem dor nem sofrimento.

Poucas horas antes, ele chamou o enfermeiro que sempre o acompanhava. Precisava de ajuda para fazer a barba, mas Sidnei tinha viajado. A reação de Chico, ao saber da viagem, foi rápida e intrigante:

— Não vai dar tempo.

Nos últimos dias, a cozinheira da casa, Josiane Alberto, estranhou o comportamento de Chico. Bastava ela trazer um copo de água para Chico agradecer:

— Jesus vai te abençoar. Muito obrigado.

Passou a semana agradecendo. Era como se estivesse se despedindo.

Foi esta a sensação que teve o médium César de Almeida Afonso ao visitá-lo na semana anterior.

— Agora vieram todos — Chico disse ao vê-lo, depois de uma sucessão de visitas de outros médiuns.

O líder espírita morreu exatos oito dias antes da data em que seria alvo de uma série de homenagens e comemorações: os 75 anos de sua mediunidade.

Para os amigos mais íntimos, a morte, naquele momento, o poupou de novos desgastes com eventos e compromissos.

Chico planejou, com cuidado, a própria despedida.

Uma de suas principais preocupações era impedir que impostores divulgassem, após sua morte, supostas mensagens transmitidas por ele. Temia que, em busca de projeção, médiuns se apresentassem como porta-vozes de seu espírito.

Para evitar fraudes, Chico combinou um código secreto com três pessoas de sua confiança: o médico e amigo Eurípedes Tahan Vieira, o filho adotivo Eurípedes Higino dos Reis e Kátia Maria, sua acompanhante nos últimos anos de vida. Três informações deveriam constar da primeira mensagem enviada do além.

Na tarde anterior à própria morte, Chico confirmou o código com Eurípedes Tahan e avisou:

— Vocês saberão quem sou eu.

Traduzindo: depois de morto, Chico revelaria um dos seus segredos mais bem guardados — quem ele teria sido na última encarnação.

Ele pensou em cada detalhe. Seu corpo deveria ser velado no Grupo Espírita da Prece durante 48 horas, para que todos tivessem tempo de se despedir, sem confusão.

O enterro seria feito no cemitério São João Batista, em Uberaba, a cidade que o acolheu em janeiro de 1959, quando Chico deixou para trás a família e os amigos da cidade natal, a também mineira Pedro Leopoldo.

Foram feitas, é claro, as suas vontades.

Quando a notícia sobre a morte dele se espalhou, fogos de artifício ainda espocavam nos céus de Uberaba e do Brasil. O país festejava a conquista do pentacampeonato da Copa do Mundo de futebol. O jogo decisivo aconteceu na madrugada de sábado para domingo.

Mas a principal notícia em Uberaba logo se tornou Chico Xavier. Repórteres, fotógrafos e cinegrafistas correram para a casa dele. O corpo do médium saiu de casa por volta das 23h30 pelo portão dos fundos rumo ao Grupo Espírita da Prece, o centro fundado por ele em 1975. Aplausos o saudaram na saída de casa e na chegada ao Centro.

Uma fila de admiradores logo dobrou o quarteirão e se prolongou dia e noite, por dois dias. A Polícia Militar e o Corpo de Bombeiros foram mobilizados e, de todo canto do país, chegaram os devotos de Chico Xavier.

Mães e pais que perderam filhos e foram consolados por ele; pobres que teriam morrido de fome ou de frio sem a ajuda dos mutirões que ele promovia; espíritas e não espíritas de todo o país, que aprenderam a ter fé com a ajuda de Chico.

As 48 horas de velório foram suficientes para que as caravanas de ônibus chegassem em paz. A Polícia Militar fez as contas: 2.500 pessoas por hora, em média, se despediram de Chico no Grupo Espírita da Prece. Ao todo, 120 mil pessoas. A fila para ver o corpo atingiu quatro quilômetros e chegou a exigir uma espera de aproximadamente três horas.

Coroas de flores foram enviadas de todo o país por políticos, artistas, admiradores anônimos, enquanto o prefeito decretava feriado na cidade, o governador anunciava luto oficial por três dias, e o presidente Fernando Henrique Cardoso divulgava uma mensagem sobre a importância do líder espírita para o país e para os pobres.

Em frente ao cemitério, uma de suas admiradoras, a florista Isolina Aparecida Silva, atravessou a rua, foi até a cova onde Chico seria enterrado e jogou lá no fundo, sem que ninguém visse, uma carta de agradecimento por tudo o que o médium fez por ela e pelo Brasil.

Isolina, 56 anos, tornou-se devota de Chico aos catorze, quando ele curou a sua enxaqueca crônica apenas com o toque das mãos.

Isolinas de todo o Brasil rezaram para Chico Xavier naqueles dias de despedida e conversaram com ele, nas breves passagens pela beira do caixão, como se Chico estivesse ouvindo cada palavra de saudade e de gratidão.

Na terça-feira — 48 horas depois da morte —, um carro do Corpo de Bombeiros estacionou em frente ao Grupo Espírita da Prece para transportar o corpo de Chico até o cemitério. Os cinco quilômetros do trajeto demoraram uma hora e meia para serem percorridos.

Mais de 30 mil pessoas acompanharam o cortejo a pé. O trânsito parou e um clima de comoção tomou conta da multidão.

A pedido de Chico, as flores das coroas — mais de cem, no total — foram distribuídas a quem acompanhava o corpo.

Na porta do cemitério, o caixão foi recebido com uma chuva de pétalas de 3 mil rosas lançadas de um helicóptero da Polícia Rodoviária Federal, ao som de músicas como "Nossa Senhora", o canto de fé de Roberto Carlos, e "Pra não dizer que não falei das flores", canção de protesto de Geraldo Vandré.

O corpo permaneceu na entrada do cemitério mais quarenta minutos antes de ser levado para a sepultura. Chico queria se despedir de todos. E se despediu como planejou, depois de construir uma trajetória única: a do menino pobre e mulato, nascido no interior de Minas, filho de pais analfabetos, que se transformou em mito, venerado, idolatrado, atacado, perseguido – um ídolo popular.

Foi a história dessa metamorfose que decidi contar quando desembarquei em Uberaba com uma tarefa ambiciosa: receber um sinal verde do próprio Chico Xavier para escrever sua biografia.

Na época, eu não tinha a menor ideia do quanto seria espinhosa, ou quase impossível, esta missão.

Aos 81 anos, atormentado por sucessivas crises de angina, abatido por duas pneumonias graves e castigado por uma catarata crônica, Chico vivia em repouso e — por recomendação médica — já não participava de sessões espíritas havia quase nove meses.

Eu teria de contar com o apoio de seu filho adotivo, Eurípedes, para conseguir visitá-lo em casa nas reuniões para poucos amigos aos sábados à noite. Não consegui passar pelo portão. Eurípedes preferiu preservar o pai de qualquer desgaste, e eu decidi iniciar a reportagem sem autorização de ninguém — nem do possível biografado.

Para romper o cerco, recorri a um artifício que não usaria hoje: uma, digamos, inverdade.

Telefonei para o outro filho adotivo de Chico, Vivaldo, responsável pela catalogação da obra do líder espírita, e me apresentei com uma história mal contada:

— Vivaldo, sou jornalista lá do Rio de Janeiro, de passagem aqui por Uberaba, e estou escrevendo uma reportagem sobre a história do espiritismo no Brasil. Você me receberia?

Vivaldo me convidou para uma visita e, solícito, ajudou-me, sem saber, a vencer os bloqueios iniciais: ele morava em um anexo nos fundos da casa de Chico e foi lá que eu entrei na noite seguinte com gravador e bloco à mão para a primeira entrevista.

Com a hospitalidade dos anfitriões mineiros, tratou de servir café enquanto eu despejava sobre ele as primeiras perguntas — as mais leves — sobre a obra de Chico e a responsabilidade dele, Vivaldo, de datilografar, classificar e arquivar os romances, poemas e crônicas vindos do além.

Eram quase quatrocentos livros e mais de 25 milhões de exemplares vendidos na época, de clássicos como *Parnaso de além-túmulo* (o livro de estreia) a *best-sellers* como *Nosso Lar* (o campeão de vendas, com mais de 1 milhão de exemplares distribuídos). Todos, sem exceção, segundo Chico, tinham sido transmitidos a ele por espíritos.

A pauta da conversa estava prestes a entrar nas perguntas mais complicadas — sobre a personalidade e a intimidade de Chico — quando uma campainha soou na sala.

— É meu pai. Ele tem um interruptor ao lado da cama. Deve estar precisando de ajuda. — pediu licença e se retirou.

Mal Vivaldo sumiu pela fresta da porta, senti um calor insuportável tomar conta da minha mão direita. Era como se ela estivesse pegando fogo. Uma sensação tão clara, que joguei a caneta sobre o sofá, saltei até a porta, girei a maçaneta e corri para o quintal.

Era noite fria em Uberaba e fiquei ali, sacudindo a mão de um lado para o outro, até Vivaldo reaparecer no alto da varanda, com a expressão contrariada.

— Parabéns, meu pai mandou dizer que seu livro vai ser um sucesso.

Só deu tempo de eu subir as escadas, me desculpar, buscar o gravador e o bloco na sala, me despedir e desaparecer.

De volta ao hotel, sentei no chão, entre as duas camas de solteiro do quarto simples, e liguei para a minha mulher na época, jornalista também, que, como meus colegas de redação do *Jornal do Brasil*, estranhava o tema do livro.

— Você não vai acreditar... — disse e comecei a contar o episódio da "mão que pegou fogo, talvez porque eu tivesse contado uma mentira"...

Ela ouviu tudo em silêncio e encerrou a conversa com uma observação e um conselho:

— Você saiu daqui completamente cético há dois dias e hoje sua mão já está pegando fogo?! Chega, né? Muda de assunto!

Tudo o que eu queria era não desistir. E o dia seguinte, sábado, não era um dia qualquer em Uberaba. Era dia de sessão no Grupo Espírita da Prece. Uma oportunidade de estudar o ambiente, anotar detalhes sobre o centro fundado por Chico na cidade, entrevistar os frequentadores mais assíduos, tirar fotos, ganhar tempo e, talvez, a confiança dos dirigentes da casa espírita, entre eles Eurípedes, que conduziria a sessão.

E lá fui eu. Dava para contar nos dedos o número de participantes do culto reunidos na casa simples, com piso de cimento e telhas descascadas no teto. Éramos catorze — todos sentados a dois metros de distância da mesa comprida onde, até o ano anterior, Chico Xavier causava comoção ao fechar os olhos e pôr no papel mensagens de mortos a suas famílias na Terra.

Com a ausência de Chico nas sessões dos últimos meses, as multidões do ano anterior reduziram-se até chegarem naquele punhado de gente disposta a acompanhar a leitura do Evangelho Segundo o Espiritismo, de Allan Kardec, e a análise de temas como compaixão e solidariedade.

Sentei no banco de madeira em frente à mesa ocupada pelos dirigentes da sessão e, minutos depois, levei um susto quando vi surgir, do lado esquerdo do salão, em um terno largo demais para o corpo frágil, a figura alquebrada de Chico Xavier.

Com um sorriso sereno, amparado por dois assistentes, ele caminhou a passos lentos em direção à cabeceira da mesa e tomou seu lugar, diante de um copo de água, para ouvir em silêncio, de olhos fechados, a leitura de trechos de obras de Kardec. Em seguida, rezou um pai-nosso com um fio de voz.

Durante todo o tempo, eu só pensava em questões práticas: em como me aproximar, como me apresentar e como conseguir sua autorização para escrever a biografia. Emoção? Nenhuma, além de tensão. Enquanto ensaiava meu discurso, comecei a sentir gotas e mais gotas caírem sobre minha camisa. Olhei para o teto em busca de alguma goteira e nada. Nem chovia em Uberaba.

Demorei a entender e a acreditar no que estava acontecendo. As gotas caíam dos meus olhos. Eram lágrimas, que escorriam à minha revelia, sem nenhum controle, aos borbotões. Jorros sem emoção nem consciência. Como nunca tinha acontecido antes nem aconteceria depois.

Só depois de alguns minutos, a "chuva" parou e eu pude "ensaiar" melhor a minha apresentação, em silêncio, mentalmente, até que chegasse a hora. E chegou.

No fim da sessão, eu me aproximei de Chico e fui direto ao assunto com a desinibição e arrogância típicas dos jovens jornalistas:

— Chico, trabalho no *Jornal do Brasil*, no Rio de Janeiro, e vim pedir autorização para escrever sua biografia.

Chico me surpreendeu com uma resposta bem mineira.

Nem sim, nem não:

— Deus é quem autoriza.

E agora? Pensei rápido e reagi com uma pergunta bem carioca:

— E Deus autoriza?

Chico ficou em silêncio — dois, três segundos —, olhou para o alto e respondeu com um meio sorriso de quem exercitou, ao longo de toda a vida, a bendita paciência:

— Autoriza. Conversa com meus amigos, com minha família. Eu falo por último, porque estou doente e preciso me tratar.

Era tudo o que eu precisava ouvir.

Ao longo dos 92 anos de vida — 74 deles dedicados a servir de ponte entre vivos e mortos —, Chico escreveria mais de 500 livros, venderia mais de 50 milhões de exemplares e doaria toda a renda, em cartório, a instituições de caridade:

— Os livros não me pertencem. Eu não escrevi livro nenhum. "Eles", os espíritos, escreveram — repetiria, sem cessar, para admiração de muitos e desconfiança de outros tantos.

Em fevereiro do ano 2000, Chico foi eleito o Mineiro do Século em votação que mobilizou a população de todo o estado de Minas Gerais e o consagrou, mais uma vez, como fenômeno popular. Couberam a ele exatos 704.030 votos — o suficiente para derrotar concorrentes poderosos como Santos Dumont (segundo colocado), Pelé, Betinho, Carlos Drummond de Andrade e Juscelino Kubitschek (o sexto colocado).

Recluso, doente, afastado dos holofotes, Chico continuava vivo, firme e forte, na lembrança do público.

No ano seguinte, ele foi internado com pneumonia dupla, em estado grave, num hospital de Uberaba. Ao gravar imagens da fachada do prédio, um cinegrafista registrou uma aparição inusitada: um ponto luminoso vindo do céu se deslocou em alta velocidade na direção da janela do quarto onde Chico estava.

O médico Eurípedes Tahan Filho acompanhava o paciente e diagnosticou: logo depois desta aparição, o quadro clínico de Chico mudou. "A febre desapareceu, a respiração melhorou e ele ficou mais alerta." Dois dias depois, Chico teve alta.

As imagens foram exibidas no programa *Fantástico*, da Rede Globo, logo após a morte do médium. Reflexo na lente da câmera? Fraude? Ajuda espiritual? Milagre? Engenheiros entrevistados descartaram a hipótese de adulteração da imagem e não conseguiram explicar a origem da luz. Mais um mistério em torno de Chico.

Numa das últimas conversas que tive com ele, toquei num tema delicado: sua sucessão. Haveria um novo Chico Xavier?

Chico, que se definia como um "Cisco", encerrou o assunto com poucas palavras:

— Morre um capim, nasce outro.

Ele falava sério.

"Suas crenças
não fazem de você
uma pessoa melhor.
Suas atitudes sim."

Chico Xavier

O MENINO MAL-ASSOMBRADO

O pai, João Cândido Xavier, balançava a cabeça e resmungava.
— É louco.
A madrinha, Rita de Cássia, reagia às alucinações do menino com golpes de vara de marmelo. Entre uma surra e outra, enterrava garfos na barriga do afilhado e berrava:
— Este moleque tem o diabo no corpo.
Nem o padre Sebastião Scarzello conseguiu fazer de Chico Xavier um garoto "normal".
Após as confissões, preces e penitências, Chico tagarelava com a mãe já morta, via hóstias cintilantes na comunhão, escrevia na sala de aula textos ditados por seres invisíveis e tornava-se, assim, o assunto mais exótico da cidade. Na empoeirada e católica Pedro Leopoldo, a 35 quilômetros de Belo Horizonte, era difícil encontrar quem apostasse na sanidade de Chico Xavier.
Para espantar o diabo e pagar os pecados, o garoto seguia à risca as receitas paroquiais. Chegou a desfilar em procissão com uma pedra de quinze quilos na cabeça e a repetir mil vezes seguidas a ave-maria. Rezava e contava. Não foi fácil. Um espírito desocupado fazia caras e bocas para atrapalhar seus cálculos. Na igreja, assombrações flutuavam sobre os bancos e beijavam os santos.

Chico divulgava estas e outras histórias do outro mundo para os adultos. Resultado: mais surras e mais risco de ser transferido de Pedro Leopoldo para Barbacena, a capital dos hospícios. João Cândido estudava com carinho a hipótese de internar o filho. Uma ideia antiga.
A Primeira Guerra Mundial começava a assombrar o mundo, e Chico já estava às voltas com fantasmas. Uma noite, seu pai conversava com a mulher, Maria João de Deus, sobre o aborto sofrido por uma vizinha, e desancava a moça. O filho interrompeu o julgamento e, do alto de seus quatro anos, proferiu a sentença:
— O senhor está desinformado sobre o assunto. O que houve foi um problema de nidação inadequada do ovo, de modo que a criança adquiriu posição ectópica.

Naquela casa pobre de Pedro Leopoldo, a frase soava tão fora de propósito quanto a notícia de que, na longínqua Europa, a Alemanha acabava de declarar guerra à Rússia.

João Cândido arregalou os olhos e balbuciou:

— O que é nidação? O que é ectópica?

Chico não sabia. Tinha repetido palavras sopradas por uma voz.

Os amigos da família Xavier, aqueles que desconheciam o discurso médico feito pelo menino aos quatro anos, arriscavam uma explicação para as alucinações de Chico: a morte da mãe, quando ele tinha cinco anos. Maria João de Deus foi embora cedo demais e, ao se despedir, deixou em casa um garoto ao mesmo tempo magoado e impressionado. Pouco antes de morrer, ela pediu ao marido que distribuísse os nove filhos pelas casas de amigos e parentes. Só assim João Cândido, vendedor de bilhetes de loteria, conseguiria viajar pelas cidades vizinhas em busca de dinheiro.

No pé da cama onde a mãe agonizava, atormentada por crises de angina, Chico cobrou:

— Por que a senhora está dando seus filhos para os outros? Não quer mais a gente, é isso?

Maria explicou que iria para o hospital e garantiu com voz firme:

— Se alguém falar que eu morri, é mentira. Não acredite. Vou ficar quieta, dormindo. E voltarei.

Chico acreditou. No dia seguinte, a mãe morreu e João Cândido entregou à madrinha, Rita de Cássia, um menino com ideias estranhas.

Depois do enterro de Maria João de Deus, em 29 de setembro de 1915, o garoto teve que esticar as pernas para acompanhar a madrinha. Na volta do cemitério, ela não encurtou os passos para andar de mãos dadas com o afilhado, como fazia a mãe dele. Ofegante, o menino alcançou Rita, mas o esforço foi um desperdício. Sua mão ficou balançando à procura dos dedos da madrinha.

— Ainda hoje sinto no braço a sensação do vazio, da procura inútil — lamentou Chico, 65 anos depois, já conformado. — Foi minha educadora.

Se a dor ensina, Rita de Cássia foi mesmo uma professora exemplar. Chico Xavier recebeu aulas diárias durante os dois anos em que morou com ela e o marido, o comerciante José Felizardo Sobrinho, sempre ausente. Logo nos primeiros dias, enfrentou o primeiro teste. Bastou uma ida ao banheiro para encontrar, na volta, a cama ensopada de urina. A madrinha perguntou o que tinha acontecido. Chico, sem culpa no cartório e com a cabeça cheia de sermões católicos, nem titubeou. Jogou a culpa no diabo. A surra foi demorada. Ele nem imaginava, mas o responsável pela sujeira tinha sido seu vizinho de cama, Moacir, de doze anos, sobrinho tratado como filho por Rita. O garoto tinha derramado um penico sobre o lençol.

Chico apanhava e queria rezar. Aos cinco anos, já sabia o pai-nosso de cor. Foi criado em meio a preces. Quando ele tinha dois anos, Maria João de Deus já apontava o céu estrelado e dizia:

— Foi Deus quem fez tudo isso.

Às vezes, exibia um retrato de Jesus e alertava:

— A maior ofensa que podemos fazer à nossa consciência é negar a existência de Deus.

A mãe reunia os filhos para a oração da noite, confessava aos sábados, comungava aos domingos.

Na casa da madrinha, as rezas eram raras e as surras, fartas.

Numa delas, Rita se empolgou e enfiou com força demais o garfo na barriga do afilhado. A ferida demorou a cicatrizar e, para evitar o atrito da pele com a roupa, a madrinha obrigou o menino a usar uma espécie de camisola conhecida como mandrião, vestida por meninas e confeccionada com tecido de ensacar farinha. Para piorar, o pano ainda tinha listras azuis. Os vizinhos se divertiram com a fantasia. Nos anos 1950, foi apontado por alguns amigos como o precursor da moda saco, um sucesso na época.

O menino não conseguia achar graça. Chorava muito e só tinha sossego quando a madrinha tomava o rumo da estação para ver o trem de luxo passar. Ela adorava admirar os passageiros da primeira classe. Tão chiques, tão *belle époque*.

Numa das escapadelas de Rita, Chico correu para o quintal e se ajoelhou embaixo de uma bananeira. Repetia o pai-nosso quando, de repente, viu na sua frente Maria João de Deus. Até que enfim. Ela cumpriu o prometido. Adeus surras e garfos. Chico se agarrou à recém-chegada e pediu socorro.

— Carregue-me com a senhora, não me deixe aqui, eu estou apanhando muito.

A aparição desfez as ilusões do desesperado.

— Tenha paciência. Quem não sofre não aprende a lutar. Se você parar de reclamar e tiver paciência, Jesus ajudará para que estejamos sempre juntos.

Em seguida, evaporou. Chico ficou ali, no quintal, sozinho, gritando pela mãe. Daquele dia em diante, apanhou calado, sem chorar, para desespero da madrinha, que adotou um novo grito de guerra:

— Além de louco, é cínico.

O menino se defendia da acusação com um argumento absurdo. Toda vez que suportava as surras em silêncio, com paciência, via sua mãe. A vara de marmelo zunia, Chico engolia o choro e depois se refugiava no quintal para ouvir os surrados conselhos maternos: era preciso sofrer resignado, era fundamental obedecer sempre, porque logo um anjo bom apareceria para ajudá-lo. O menino ficava esperando.

Numa tarde, a "educadora" Rita de Cássia brindou o aluno com uma prova surpresa.

Moacir, primo de Chico, apareceu com uma ferida na perna esquerda. Fleming ainda não tinha descoberto a penicilina e o machucado não cicatrizava. A madrinha, preocupada com o sobrinho, mandou chamar dona Ana Batista, uma benzedeira de Matuto, hoje Santo Antônio da Barra, cidade vizinha de Pedro Leopoldo. A curandeira examinou o ferimento e aviou a receita. Só uma simpatia daria jeito.

— Uma criança deve lamber a ferida três sextas-feiras seguidas, pela manhã, em jejum.

— Chico serve? — perguntou a madrinha.

O garoto ficou em pânico. Correu para debaixo das bananeiras e ouviu o repetido conselho materno:

— Você deve obedecer. Mais vale lamber feridas que aborrecer os outros. Você é uma criança e não deve contrariar sua madrinha.

— E isso vai curar o Moacir?

— Não, porque não é remédio. Mas dará bom resultado para você, porque a obediência acalmará sua madrinha.

Chico perdeu a paciência. Por que sua mãe não voltava para casa? Onde estava o tal anjo bom? A aparição acalmou o menino:

— Seja humilde. Se você lamber a ferida, faremos o remédio para curá-la.

No dia seguinte, pela manhã e em jejum, Chico iniciou a missão. Fechava os olhos, pedia forças à mãe e lambia a perna do garoto. O gosto era amargo e ele só queria ter a língua maior para acabar logo com o suplício. Na terceira sexta-feira, o ferimento estava cicatrizado. Pela primeira vez, Rita de Cássia elogiou o afilhado:

— Muito bem, Chico. Você obedeceu direitinho. Louvado seja Deus.
O menino não sabia, mas passaria a vida lambendo feridas alheias.

As aulas na casa de Rita de Cássia terminaram dois meses depois, quando João Cândido Xavier se casou com Cidália Batista. A primeira medida da mulher foi recolher os nove filhos do primeiro casamento do marido, dispersos pelas casas de parentes e amigos.

Chico chegou por último. Quando apareceu, enfiado num camisolão, foi recebido com curiosidade por Cidália. Ela reparou na barriga inchada do menino e tentou levantar sua roupa para examinar o abdômen. Não conseguiu. Chico, então com sete anos, se desvencilhou, tímido. Havia gente demais em volta.

Cidália o pegou pela mão e o tirou da sala, a passos lentos, no ritmo de Maria João de Deus. A sós, a mulher de João Cândido levantou o camisolão do garoto e levou um susto ao deparar com a ferida aberta a garfadas.

— Enquanto eu viver, ninguém mais vai pôr as mãos em você.

Diante da promessa, Chico teve certeza: aquele era o tal anjo anunciado pela mãe.

Após reunir as crianças, Cidália decidiu colocá-las no colégio. Não seria nada fácil. O salário mal dava para o indispensável. Como comprar caderno, lápis, livros? Pediu a ajuda de Chico. Plantaria uma horta, e ele venderia os legumes.

O menino abriu um sorriso e arregaçou as mangas. Sempre descalço, carregou baldes com água, encheu balaios com esterco colhido no campo e, em poucas semanas, já percorria as ruas da cidade com um cesto de verduras a tiracolo. Cada maço de couve ou cada repolho valia um tostão. Até dezembro de 1918, de tostão em tostão, eles conseguiram juntar 32 mil-réis. Em janeiro, Chico já estava matriculado no Grupo Escolar São José.

Mas as alucinações persistiam. O menino se levantava da cama no meio da noite, batia papo com fantasmas e, muitas vezes, estragava o café da manhã do pai com notícias de parentes mortos e descrições de viagens por cenários fantásticos. Cidália escutava, não entendia, mas jurava acreditar no garoto.

— Um dia, quem sabe, vai aparecer alguém que entenda você e explique suas visões e as vozes que você escuta — dizia para Chico. Mas ela estava preocupada. O menino deveria poupar o pai de suas histórias. Para ele, o filho estava mesmo endemoniado. Talvez Deus desse um jeito. João Cândido levou o "aluado" até o padre Sebastião Scarzello.

O menino ajoelhou-se no confessionário e desfiou seu rosário de histórias mirabolantes. Nas missas, pela manhã, figuras reluzentes transformavam as hóstias em focos de luz e defuntos conhecidos de Pedro Leopoldo reapareciam com rosas nas mãos.

Contra delírios tão estapafúrdios, só mesmo uma saraivada de rezas, uma série de novenas pelo descanso dos mortos e muito trabalho. Foi o padre Scarzello quem livrou o menino do risco de ser internado como louco. A salvação não veio com as mil ave-marias ou com as pedras equilibradas na cabeça por Chico durante as procissões. Veio com o salário. A fábrica de tecidos estava empregando crianças para o turno da noite e o padre aconselhou Chico a se candidatar à vaga. Só assim o pai tiraria aquela ideia da cabeça. Melhor um filho com dinheiro para ajudar em casa do que um maluco hospitalizado.

Com nove anos, Chico começou a trabalhar como tecelão. Entrava às 3h da tarde, saía à 1h da manhã, dormia até as 6h, ia para a escola, saía às 11h, almoçava, dormia uma hora depois do almoço, entrava de novo na fábrica. Nem parecia aquele menino mal-assombrado.

Era só fachada.

Depois do trabalho, corria para o quintal. Ia conversar com Cidália, sempre debruçada sobre a roupa suja no tanque. Nesses encontros, ele costumava enxergar, próximas ao varal, figuras cobertas com mantos coloridos. Perguntava à segunda mãe quem era aquela gente e ficava sem resposta.

Um dia, o garoto arriscou uma tese, baseado na profusão de azuis, vermelhos, verdes e amarelos.

— Acho que eles moram no arco-íris.

Cidália desconversava:

— Sou muito ignorante, mas acredito em você. Só não entendo direito.

O padre Scarzello decidiu ser mais rigoroso e aconselhou o pai a afastar Chico da má influência dos livros, revistas e jornais. João fez uma fogueira com as páginas proibidas. Inconformado com o pai e o padre, Chico recorreu à mãe invisível.

— Eles estão contra mim. Acham que estou perturbado.

Ouviu mais um conselho:

— Aprenda a calar-se. Quando se lembrar, por exemplo, de alguma lição ou experiência recebida em sonho, fique em silêncio. Mais tarde talvez você possa falar.

Chico calou-se. Restringiu seus desabafos à confissão. Azar dele. O padre Scarzello decidiu, a pedido do pai do menino, ter uma conversa mais dura com o garoto. E renegou os pretensos bate-papos entre Chico e a mãe.

— Ninguém volta a conversar depois da morte. O demônio procura perturbar-lhe o caminho.

— Mas, padre, foi minha mãe quem veio.

— Foi o demônio.

À noite, depois de muito choro, Chico sonhou que encontrava Maria João de Deus. Foi a segunda despedida deles. A mãe lhe cobrou obediência a João Cândido e ao padre, pediu que não brigasse por sua causa e avisou que sumiria de vista.

Chico acordou sacudido por soluços e enxugou os olhos, resignado. Só a veria de novo sete anos depois.

Na escola, fatos estranhos aconteciam. Muitas vezes, o menino sentia mãos inexistentes sobre as suas, guiando seus movimentos. Os colegas se chateavam com as visões do filho de João Cândido e, durante o recreio, tentavam colocar, a socos e pontapés, um pouco de juízo naquela cabeça dura. Intimidado, Chico abriu mão do descanso entre as aulas.

Em 1922, o país comemorava o centenário da Independência. O governo de Minas instituiu vários prêmios de redação para alunos da quarta série primária. Chico estava prestes a começar o texto quando viu um homem a seu lado ditando o que ele deveria escrever. Perguntou ao companheiro de banco se ele estava vendo algo. O colega negou.

Chico pediu licença à professora, Rosária Laranjeira, uma católica fervorosa, aproximou-se do estrado onde ela ficava e lhe contou o que estava acontecendo.

— O que o homem está mandando você escrever?

Chico repetiu a frase:

— O Brasil, descoberto por Pedro Álvares Cabral, pode ser comparado ao mais precioso diamante do mundo, que logo passou a ser engastado na coroa portuguesa...

Dona Rosária disse que não era nada normal que ele visse pessoas que ninguém via, garantiu que ele deveria estar ouvindo a si mesmo e mandou-o de volta à carteira. Não importava se o texto fosse ditado ou não por algum homem invisível. O importante era concluí-lo.

Algumas semanas depois, a Secretaria de Educação de Minas divulgou os resultados do concurso, disputado por milhares de estudantes. Chico Xavier, de Pedro Leopoldo, recebeu menção honrosa. A turma ficou dividida. Colegas espalharam o boato de que o garoto tinha copiado o trecho premiado de um livro qualquer. Outros, a minoria, apostaram nos dons, mediúnicos ou literários, do amigo. Os grupos se formaram e alguém, na sala, lançou o desafio. Se o texto dele foi ditado por alguma pessoa do outro mundo, por que esse homem não reaparecia para escrever sobre algum assunto proposto pelos colegas?

No exato momento do desafio, Chico viu a assombração pronta para escrever e comunicou o fato à professora. Ela resistiu à ideia, mas a pressão dos colegas foi mais forte. Enquanto Chico caminhava até o quadro-negro, uma das alunas, Oscarlina Lerroy, propôs o assunto: areia.

— Tenho carregado muita areia para ajudar meu pai numa construção.

As gargalhadas ecoaram na sala. O tema era insignificante, ridículo. Chico pegou o giz. Silêncio absoluto. Palavras inusitadas se arrastaram pelo quadro-negro: "Meus filhos, ninguém escarneça da criação. O grão de areia é quase nada, mas parece uma estrela pequenina refletindo o sol de Deus". Após o espetáculo, dona Rosária proibiu qualquer comentário na sala de aula sobre pessoas invisíveis.

Chico concluiu o primário em 1923, após repetir a quarta série. A repetência não foi provocada por falta de estudo, mas de saúde. O menino enfrentava problemas respiratórios. Seu pulmão sofria com a poeira do algodão na fábrica de tecidos. A professora se apegou tanto a ele que, quando foi transferida para Belo Horizonte, pediu a João Cândido para levar o garoto com ela. O pai não autorizou. Precisava do salário de Chico.

No ano seguinte, por recomendação médica, o garoto trocou a tecelagem pelo Bar do Dove, de Claudomiro Rocha. Varria o chão, lavava a louça, cozinhava e continuava mal-assombrado. Quando já tinha quinze anos, pediu socorro ao padre Scarzello. Em meio a uma crise de choro, Chico se queixou do assédio incessante de um espírito sofredor. O padre, impressionado com a devoção do rapaz a Jesus, lhe disse para não se desesperar com as vozes e visões.

— Se elas vieram da parte de Deus, ele irá te abençoar e te dar forças para fazer o que deve ser feito.

Após o discurso, saiu com o garoto da igreja e lhe comprou um par de sapatos. Chico deixou de andar descalço.

O salário do Bar do Dove era miserável e, depois de dois anos de dificuldades, o garoto se mudou para o armazém de José Felizardo Sobrinho, o ex-marido de Rita de Cássia, já morta e substituída por Júlia Antônia de Carvalho. Com um facão afiado na mão, o garoto estava sempre pronto a cortar toucinho para o freguês e ficava feliz da vida quando o patrão vendia fiado. Atrás do balcão, pesava o arroz, cortava a linguiça, arrumava as prateleiras. Atendia a todos, paciente, das 6h30 da manhã às 8h da noite. No final do mês, recebia 13 mil-réis. Uma ninharia. Mas não reclamava. Seu único drama era vender cachaça. O sujeito bebia e Chico tinha que carregar.

Nessa época, ele fez amizade com a nova mulher de Felizardo. Bordava com ela e ensaiava, a seu lado, pinceladas sobre panos presos a arcos de madeira. Namoradas? Nenhuma. Só se permitia arroubos apaixonados por encomenda, quando, a pedido dos amigos, escrevia cartas de amor às namoradas deles. O rapaz era esquisito mesmo. Comungava, confessava, ia à missa, acompanhava procissões e trabalhava muito. Além do normal.

Em 1927, uma das irmãs de Chico, Maria Xavier, ficou doente. Delirava, arregalava os olhos, se contorcia, suava frio, urrava impropérios. Médico nenhum deu jeito. A situação era tão dramática que João Cândido decidiu passar por cima do padre e apelar para um casal de amigos espíritas. Foi até a Fazenda de Maquiné, em Curvelo, a cem quilômetros de Pedro Leopoldo, e voltou de lá com José Hermínio Perácio e sua mulher, Carmem.

Pela manhã, em 7 de maio de 1927, o casal atacou com passes e rezas a doença: um "espírito obsessor". Chico acompanhou o ritual e participou, assim, de sua primeira experiência no espiritismo. Nesse dia, recebeu de José Hermínio Perácio explicações sobre os fantasmas que o cercavam desde menino, foi apresentado ao *Evangelho segundo o espiritismo* e ao *O livro dos espíritos*, de Allan Kardec, e conheceu uma palavra-chave: mediunidade. O médium seria um intérprete dos espíritos na Terra.

A irmã melhorou e, no dia seguinte, embarcou com José Hermínio e Carmem para a fazenda deles. Precisava de tratamento prolongado. Na mesma semana, Chico voltou à igreja. Mas apenas para se despedir do padre. Mais uma vez, se ajoelhou no confessionário e contou tudo: o tratamento da irmã, sua melhora, a sessão de passes, as ideias de Kardec, sua intenção de se dedicar à mediunidade. Scarzello disse que não conhecia o espiritismo e, por isso, não podia julgar. Sabia apenas que a Igreja rejeitava o espiritismo e que Chico era jovem demais para assumir compromissos e tomar decisões. O rapaz estava irredutível e o padre ficou em silêncio.

Chico não queria deixar o ex-confessor contrariado e pediu a ele sua mão. O padre estendeu a mão direita. Depois de beijá-la, o ex-católico fez mais um pedido. Queria ser abençoado. Scarzello atendeu:

— Seja feliz, meu filho. Rogarei à Mãe Santíssima para que te abençoe e proteja.

Chico levantou-se e saiu. Quando chegou à porta, olhou para trás. O padre o acompanhava com os olhos e sorria. Nunca mais se viram.

No dia 21 de junho de 1927, Chico já ajudava na fundação do primeiro centro espírita da cidade, num barracão onde morava o irmão dele, José Xavier. O dono da casa assumiu a presidência, Chico ficou como secretário e seu patrão, José Felizardo, virou tesoureiro. Faltava o nome do centro. Todos pensaram, pensaram e decidiram: Luiz Gonzaga. Uma homenagem ao aviador Charles Lindbergh, que tinha atravessado o oceano Atlântico, sem escalas, a bordo de seu avião, o *Spirit of St. Louis*.

Ninguém ali sabia, mas o piloto quis homenagear, com o nome da aeronave, o rei da França e não São Luiz Gonzaga. De qualquer forma, o batismo do centro não foi tão despropositado assim. O monarca francês tinha protegido Allan Kardec, o codificador da doutrina espírita, no século passado e, portanto, merecia algum respeito.

Em julho, menos de três meses após a primeira sessão de rezas e passes, a irmã de Chico voltou para casa sã e salva. Na noite do dia 8 de julho, todos se reuniram para agradecer a cura. Carmem Perácio, que acompanhou Maria Xavier até Pedro Leopoldo, participou da sessão e ouviu uma voz aconselhando Chico a tomar o lápis.

Ele obedeceu e, de repente, se sentiu fora de seu corpo. As paredes desapareceram, o telhado se desfez e, no lugar do teto, ele viu estrelas. Olhando em volta, notou uma assembleia de "entidades" que o fitavam. Para ele, eram os habitantes do arco-íris. Naquela noite, Chico preencheu dezessete páginas. Sem rasuras, sem borracha, em velocidade. Quem assinou foi um "amigo espiritual". Quando o rapaz pôs o ponto-final tinha as pernas trêmulas e o coração acelerado.

Dois dias depois, Carmem e o marido convidaram Chico a passar uns dias na fazenda. Eles rezavam quando Carmem, mais uma vez, ouviu uma voz suave. Era um tal de Emmanuel, "amigo espiritual" de Chico. Depois do som, veio a imagem. Um jovem imponente, com vestes sacerdotais e aura brilhante.

— Irmã, fale ao Chico para ele tomar papel e lápis.

Chico Xavier não viu nem ouviu nada. Buscaram o material, ele segurou o lápis e as frases começaram a se espalhar pelas páginas. No texto, referências ao tratamento da irmã, detalhes sobre a vida dos irmãos e um recado pessoal: "Eis que nos achamos juntos novamente. Os livros à nossa frente [*O evangelho segundo o espiritismo* e *O livro dos espíritos*] são dois tesouros de luz. Estude-os, cumpra seus deveres e, em breve, a bondade divina nos permitirá mostrar a você seus novos caminhos". A assinatura não era de Emmanuel, mas de Maria João de Deus. Após sete anos de ausência, ela dava novos sinais.

No fim daquele ano, havia muitos candidatos à mediunidade no Centro Luiz Gonzaga. Uns queriam receber recados do além, outros estavam loucos para incorporar espíritos. O entusiasmo era contagiante quando, em outubro, desembarcaram em Pedro Leopoldo quatro moças ensandecidas, todas filhas de Rita Silva. Vinham da região de Pirapora. A mãe estava desesperada. E não era para menos: o quarteto se mordia, se debatia, gritava. Uma das vítimas precisou ser acorrentada para chegar até ali inteira.

Chico, mais uma vez, lançou sobre o papel mensagem assinada por Maria João de Deus: "Meus amigos, temos desejado o trabalho e o trabalho nos foi enviado por Jesus. Nossas irmãs doentes devem ser amparadas aqui no centro. A fraternidade é a luz do espiritismo. Procuremos servir com Jesus".

Era uma noite de segunda-feira. Quando chegou a reunião de sexta, sobraram na sala José, Chico e as loucas. Mais ninguém. Eles rezaram, rezaram, leram o Evangelho, tentaram conversar com os "obsessores", ou melhor, com as assombrações responsáveis pelos tormentos das coitadas, e nada. O tratamento seria longo.

Numa das noites, a situação piorou. José teria que viajar a serviço — era seleiro — e, para não deixar Chico sozinho com as moças "obsediadas", pediu ajuda a um recém-chegado, o Manuel. Segundo os vizinhos, ele era capaz de acalmar os espíritos das trevas. O forasteiro aceitou o convite e, na hora combinada, apareceu no Centro Espírita Luiz Gonzaga armado com uma Bíblia puída.

A sessão começou pacífica. Como sempre, depois das preces, Chico emprestou seu corpo aos habitantes do além. Primeiro, veio um "espírito amigo" para orientar Manuel:

— Quando o perseguidor se apossar do médium, aplique o Evangelho com veemência.

Não demorou muito e um novo visitante do outro mundo apareceu. Estava descontrolado. Manuel nem pensou duas vezes. Tomou a Bíblia e bateu com ela muitas vezes sobre a cabeça de Chico, gritando, irritado:

— Pois tome Evangelho, tome Evangelho.

O tal espírito perseguidor desapareceu, a sessão foi encerrada e Chico sofreu violenta torção no pescoço. Mais tarde, ele se divertiria com a história, certo de que foi uma das poucas pessoas no mundo a levar surra de Bíblia. Só com muito custo, após muita reza, as quatro irmãs voltaram para casa sem a companhia de assombrações.

As histórias se espalhavam, viravam lenda. De Belo Horizonte, começavam a aparecer curiosos. Um deles, em um carro novo em folha, estacionou perto de Chico e perguntou ao rapazola de calças curtas onde morava o tal Chico Xavier. O rapaz ficou sem graça. Teria que decepcionar o forasteiro.

— Sou eu.

O visitante encarou os sapatos puídos e enlameados do rapaz, engatou a primeira e acelerou após se despedir:

— Se você não arrumou nem pra você, imagine pra mim.

No final do ano, em 29 de outubro de 1928, o Centro Espírita Luiz Gonzaga mudou de endereço: saiu do barracão de José Xavier e se espalhou por uma sala alugada na casa de José Felizardo Sobrinho. Ganhou até um novo estatuto. Quem assinou a "acta de installação" foi o secretário Francisco Xavier:

> Aos vinte e nove de outubro de mil novecentos e vinte e oito, às oito horas da noite, foi reorganizado o Centro Espírita Luiz Gonzaga. Ficou decidido entre todos os presentes que ficasse estabelecida a mensalidade de um mil-réis e que fosse alugado a vinte mil-réis mensais o salão da residência do senhor José Felizardo Sobrinho para que aí fique installada a sede interina da associação...

A programação no centro seria intensa. Às segundas, quartas e sextas-feiras, sessões públicas de estudo e divulgação da doutrina "espírita-scientifica-christã". Às quintas, sessões privadas e de caridade. "Para todos os effeitos, firmo a presente acta que assigno".

Menos de três meses depois, em 18 de janeiro de 1929, uma sexta-feira, Carmem Perácio viu cair do teto, após a sessão evangélica, uma chuva de livros sobre a cabeça de Chico. Contou a visão ao rapaz e ele tratou de dispensar o presente dos céus.

— Não mereço que os espíritos me tragam *lírios*.

Não entendeu direito. Mais uma vez, não viu nem ouviu nada.

Logo ele começou a cobrir páginas e páginas com poemas. Alguns ele assumia como seus. Como o dedicado ao amigo José Tosta, logo após a morte dele, em 27 de abril de 1929. A primeira estrofe estava longe de ser divina: "Companheiro que à Pátria regressaste/ entre auréolas de luzes majestosas/ a levar tantas flores perfumosas/ a Jesus, tanto amor, que tanto amaste". Nessa época, ele ainda era o "poeta espírita que desabrocha em Pedro Leopoldo", como definiu Pereira Guedes, um dos divulgadores do espiritismo que o ajudaram a se lançar.

Os melhores poemas escritos por Chico eram obras sem dono. O poeta negava a autoria dos versos. Eles apareciam quando o rapaz, aflito, sentia uma pressão na cabeça — como se um cinto de chumbo comprimisse seu cérebro — e um peso no braço direito, como se ele se transformasse numa barra de ferro e fosse arrastado por forças poderosas. Os textos se acumulavam anônimos e repetiam a mesma cartilha: amor, compreensão, tolerância.

Os companheiros do centro liam a papelada e sugeriam a publicação. Só havia um problema. Quem assinaria as obras? Chico consultou o irmão, José Cândido, e eles decidiram pedir conselhos ao diretor do jornal espírita carioca *Aurora*, Inácio Bittencourt. O jornalista convenceu o rapaz de Pedro Leopoldo a colocar seu nome embaixo dos poemas. "F. Xavier" começou a aparecer em várias publicações com o consentimento dos escritores invisíveis.

Chico nunca se esqueceu de como o soneto "Nossa Senhora da Amargura" chegou às suas mãos e se espalhou pelo papel. Uma noite, ele rezava quando viu aproximar-se uma jovem reluzente. Pediu papel e lápis e começou a escrever. A aparição chorava tanto que Chico começou a se debulhar em lágrimas também. No final das contas, ele já não sabia se os seus olhos eram os dela ou vice-versa. Muito mais tarde identificaria a dona daquelas pupilas: a poeta Auta de Souza, do Rio Grande do Norte, que morreu em 1901, com 24 anos. Na época, ele assinou embaixo — F. Xavier — e se sentiu culpado quando recebeu de um crítico português uma carta recheada de pontos de exclamação e adjetivos entusiasmados.

— Recebi elogios por um trabalho que não me pertence.

Em 1931, Chico já não sentia a pressão alucinada na cabeça nem o enrijecimento doloroso no braço. Tinha aprendido a se entregar, a não criar resistência. Às vezes, um volume imaterial aparecia diante de seus olhos e era dali, daquelas páginas invisíveis, que Chico copiava os textos do outro mundo. Em outras ocasiões, escrevia como se alguém lhe ditasse as mensagens e, enquanto colocava as palavras no papel, experimentava no braço a sensação de fluidos elétricos e, no cérebro, vibrações indefiníveis. De vez em quando, esse estado atingia o auge e Chico perdia a sensação do próprio corpo. Sem medo, já podia ser o instrumento passivo dos mortos-vivos.

Um feiticeiro. Um maluco incapaz de separar o sonho da realidade. Os rumores persistiam na cidade. Um padre de Belo Horizonte fez um discurso inflamado na igreja de Pedro Leopoldo contra o espiritismo e encerrou o sermão mandando Chico Xavier para o inferno. O rapaz, impressionado, correu para o colo invisível da mãe, contou seu drama e ouviu dela o muxoxo:

— E daí? Ele te mandou para o inferno, mas você não vai. Fique na Terra mesmo...

Poucas semanas depois, um intelectual, também de Minas, desembarcou na cidade. Chico vestiu sua melhor roupa e, com a pasta de poemas debaixo do braço, foi levado por um amigo até o forasteiro. O literato passou os olhos pelos versos, classificou tudo como "bobagem" e, com os olhos fixos no autor, encheu a boca:

— Este rapaz é uma besta.

O amigo de Chico defendeu a inteligência dele, sua dedicação aos espíritos, seu cuidado com os poemas vindos do outro mundo. O intelectual reviu seu julgamento.

— É uma besta espírita.

Chico, inconformado, buscou abrigo, mais uma vez, sob as saias de Maria João de Deus.

— Viu como eu fui insultado?

Ouviu mais um muxoxo materno:

— Não vejo insulto algum. Acho até que você foi muito honrado. Uma besta é um animal de trabalho. E é valioso e útil, a serviço do espiritismo, quando não dá coices.

Preocupado com a própria "rebeldia" e em estado de depressão, Chico teve mais uma visão. Um burro teimoso atrelado a uma carroça carregada de documentos puxava a carga e encarava com inveja os companheiros livres no pasto. De vez em quando, enquanto era alimentado com água e alfafa, assistia, de longe, às brigas violentas entre os colegas. Uma sucessão de coices sanguinolentos. Chico olhou aquele burro e pensou: talvez fosse melhor estar sob freios do que estar solto no pasto da vida para escoicear e ser escoiceado.

— Aprendi a lição — disse ele, pronto para receber os arreios.

Chico já estava cansado. Trabalhava, lutava no centro, fazia caridade, escrevia quase por compulsão e continuava desacreditado. Ele reclamava dos incrédulos, se queixava dos comentários envenenados e se entregava à reza. Após uma das várias orações, Maria João de Deus voltou à cena e, em vez de um conselho, sugeriu um remédio.

— Meu filho, para curar essas inquietações, você deve usar água da paz.

Chico saiu à procura do remédio em todas as farmácias de Pedro Leopoldo. Nada. Recorreu a Belo Horizonte. Nada de novo. Ao fim de duas semanas, comunicou à mãe o fracasso da busca. A aparição ensinou:

— Não precisava viajar. Você poderá obter o remédio em casa mesmo. Pode ser a água do pote.

— Como assim?

— Quando alguém lhe fizer provocações, beba um pouco de água pura e conserve-a na boca. Não a lance fora nem a engula. Enquanto persistir a tentação de responder, guarde a água da paz banhando a língua.

Chico engoliu a lição do silêncio. E digeriu.

Nessa noite, sentiu o braço movido por alguém. Tomou o lápis e despejou os versos: "Meu amigo, se desejas/ paz crescente e guerra pouca/ ajuda sem reclamar/ e aprende a calar a boca". Dessa vez, o recado veio com assinatura: Casimiro Cunha, poeta de Vassouras, morto em 1914.

As visitas do outro mundo começaram a se identificar a partir de 1931. Uma tarde, Chico regava os canteiros de alho na horta de José Felizardo, quando uma voz lhe pediu que ouvisse com atenção um poema inédito: "Vozes de uma Sombra". O dono da voz e dos versos se anunciou como Augusto dos Anjos. E começou a lançar no ar palavras insólitas. "Donde venho? Das eras remotíssimas/ Das substâncias elementaríssimas/ Emergindo das cósmicas matérias". Chico ouvia, regava o alho e perdia o fio da meada. "Venho dos invisíveis protozoários/ Da confusão dos seres embrionários/ Das células primevas, das bactérias..."

A voz pedia toda a atenção. Precisava recitar os versos naquele momento, durante o entardecer, e naquele cenário. Tudo o inspirava. Chico deveria ouvir as palavras, familiarizar-se com elas e decifrá-las para mais tarde colocar as rimas no papel sem dificuldade. Corpos multiformes, vultoso abdômen, intensas torpitudes, larvas rudes, animáculo medonho, fótons, galáxias. O rapaz tropeçava nas sílabas e nos significados daquele palavrório. E, com o regador a tiracolo, parecia um imenso ponto de interrogação.

O poeta invisível perdeu a paciência com a dificuldade do matuto de Pedro Leopoldo em entender os versos e entregou-se a Deus:

— Quer saber de uma coisa? Vou escrever o que puder, pois sua cabeça não aguenta mesmo.

O poema foi destaque do primeiro livro publicado por Chico Xavier, *Parnaso de além-túmulo*, ao lado de outros 56 atribuídos a catorze poetas, todos enterrados. Para não se perder em meio às palavras desconhecidas, Chico costumava recorrer ao dicionário. Só assim descobria o sentido de algumas delas e corrigia a ortografia de outras.

Os poemas saíam de sua mão acompanhados de assinaturas inacreditáveis: Castro Alves, Alphonsus de Guimaraens, Olavo Bilac. Até Dom Pedro II tomou coragem e arriscou versos sobre um Brasil "triste e saudoso", que rimava com "bonançoso", e sobre uma "alma torturada", que combinava com "pátria idolatrada".

Chico aproveitava cada minuto livre para escrever. E, no início, quando a eletricidade nem tinha chegado a Pedro Leopoldo, era surpreendido por acidentes estranhos. Enquanto prestava atenção aos ditados do além ou sentia as mãos guiadas à revelia, ventos súbitos lançavam velas acesas sobre as mensagens e derrubavam o tinteiro sobre o papel. O rapaz encarava os obstáculos como provação e seguia adiante.

A notícia de suas estripulias lítero-espirituais começou a correr. Por essa época, Chico estava no enterro de um amigo, quando um jovem padre se aproximou e perguntou se era verdade que ele recebia mensagens do outro mundo. Chico confirmou. E o padre aconselhou cautela.

— Os espíritos das trevas têm muita astúcia para seduzir para o mal.

— Mas os espíritos que se comunicam através de mim só ensinam o bem.

Diante da resposta, o padre lançou o desafio. Puxou um papel em branco do bolso e perguntou se ali, naquele momento, no cemitério, haveria um espírito disposto a se manifestar. Chico, sem hesitar, pegou o papel, se concentrou e, minutos depois, escreveu um soneto intitulado "Adeus". A primeira das quatro estrofes: "O sino plange em terna suavidade/ no ambiente balsâmico da igreja/ entre as naves, no altar, em tudo adeja/ o perfume dos goivos da saudade". Assinado: Auta de Souza.

Numa noite de 1931, quando escrevia mais um dos poemas de seu livro de estreia, Chico sentiu o olho esquerdo invadido por fragmentos de areia. Esfregou os grãos imaginários, mas a coceira continuou. Experimentou fixar a lâmpada com a pupila incomodada, mas em vez da luz acesa viu um foco difuso. Mal conseguia enxergar os versos recém-escritos e assinados por Casimiro de Abreu. O rapaz ficou assustado e rezou mais uma vez.

O dr. Bezerra apareceu para ele, tateou o olho e diagnosticou:

— Sua vista amoleceu por razões que não podemos saber agora. Prepare-se para ir a tratamento em Belo Horizonte, para que sua família não diga que você ficou sem se tratar por nossa causa.

Dois dias depois, um amigo o levou à capital mineira e o oftalmologista diagnosticou:

— Isso é um tipo de catarata obscura e inoperável.

Chico nunca mais se livrou dos grãos de areia e ficou desconfiado de ter sido atacado por "falanges das trevas" interessadas em prejudicar sua tarefa mediúnica. Desde então, todos os dias, ele medicaria o olho doente com colírios à base de cortisona e cloranfenicol.

Na época em que sofria com os primeiros sintomas da catarata, Chico recebeu mais um pedido de socorro no Centro Luiz Gonzaga: um cego, guiado por um bêbado, tinha despencado de uma altura de quatro metros. Desmaiado e ensanguentado, já estava havia horas embaixo de um viaduto da cidade.

O rapaz correu para ajudar. Alugou um quarto num velho pardieiro para o homem e conseguiu um médico de graça. Mas o doente precisava de companhia durante o dia, enquanto Chico trabalhava no bar de José Felizardo. O caixeiro publicou um anúncio no jornal semanal da cidade pedindo socorro. Seis dias depois, duas moças apareceram dispostas a ajudar o enfermo durante o dia. Trabalhavam à noite: eram prostitutas. A recuperação do doente durou um mês. Após acompanhar as rezas de Chico, as duas decidiram mudar de vida. Foram para Belo Horizonte. Uma se empregou numa tinturaria, a outra tornou-se enfermeira.

Foi o primeiro de uma série de encontros entre Chico e as "nossas irmãs que comercializam a força sexual", segundo um dos eufemismos usados por ele. Meses depois, um amigo de seu pai o convidou para dar um passeio à noite e o levou ao bordel. Chico não se apavorou nem se inibiu. Perguntou o porquê daquele programa. O acompanhante confessou: estava atendendo a um pedido do pai de Chico, preocupado com a virgindade tardia do filho. O rapaz perdeu a paciência e, rispidamente, disse que se quisesse ir até ali não precisaria de guia.

Ao entrar no salão, ele foi reconhecido.

— Vejam quem está aqui... Vamos fazer uma prece juntos.

As mulheres não estavam brincando. De repente, o bordel virou um centro espírita improvisado. Preces, passes, "uma grande alegria cristã", segundo Chico. "Uma chatice", segundo quatro candidatos a uma noitada nada católica.

O rapaz saiu de lá intacto.

MUITO PRAZER, EMMANUEL

O ano de 1931 foi movimentado para Chico. E triste. Cidália morreu em março. Pouco antes de ir embora, chamou o enteado e fez um pedido: ele deveria evitar que João Cândido se desfizesse, novamente, dos filhos — seis dela e nove do primeiro casamento.

— Ah, mãe, fique despreocupada. Eu prometo que, enquanto minha última irmã não estiver casada, minha missão no lar não terá acabado.

Depois da promessa, o apelo.

— Não vá embora, não. Com quem vou conversar sobre minhas visões? Quem vai acreditar em mim?

Num último esforço, Cidália o consolou.

— Tenho fé de que você ainda há de encontrar aquelas pessoas do arco-íris e elas vão te entender mais do que eu.

Chico se sentia sozinho apesar das visitas esporádicas da mãe e das sessões no Centro Luiz Gonzaga. Para escapar do coro dos céticos, ele arrastava os pés pelas ruas de terra do arraial e, com os sapatos sempre frouxos, tomava o rumo do açude. Aquele era seu refúgio. Ali, ele se encolhia à sombra de uma árvore, na beira da represa, encarava o céu e rezava ao som das águas. Em 1931, o bucolismo da cena deu lugar ao fantástico.

O rapaz teve sua conversa com Deus interrompida pela visita de uma cruz luminosa. Franziu os olhos e percebeu, entre os raios, a poucos metros, a figura de um senhor imponente, vestido com túnica típica de sacerdotes. O recém-chegado foi direto ao assunto.

— Está mesmo disposto a trabalhar na mediunidade?

— Sim, se os bons espíritos não me abandonarem.

— Você não será desamparado, mas para isso é preciso que trabalhe, estude e se esforce no bem.

— O senhor acha que estou em condições de aceitar o compromisso?

— Perfeitamente, desde que respeite os três pontos básicos para o serviço.

Diante do silêncio do desconhecido, Chico perguntou:

— Qual o primeiro ponto?

A resposta veio seca:

— Disciplina.
— E o segundo?
— Disciplina.
— E o terceiro?
— Disciplina, é claro.

Chico Xavier concordou. E o estranho aproveitou a deixa:
— Temos algo a realizar. Trinta livros para começar.

O rapaz levou um susto. Como iria comprar tinta e papel? Quem pagaria a publicação de tantos títulos? O salário de caixeiro no armazém de Felizardo mal dava para as despesas de casa, os 13 mil-réis mensais eram gastos com catorze irmãos; seu pai era apenas um vendedor de bilhetes de loteria.

Chico arriscou uma previsão.
— Papai vai tirar a sorte grande?

O forasteiro encerrou as apostas:
— Nada, nada disso. Sorte grande mesmo é o trabalho com fé em Deus. Os livros chegarão por caminhos inesperados.

O roteiro estava escrito. Restava ao matuto de Pedro Leopoldo seguir as instruções. Seus passos, tropeços e quedas, muitas quedas, seriam acompanhados de perto por aquele estranho a cada dia mais íntimo. O nome dele: Emmanuel, o mesmo que tinha se apresentado a Carmem Perácio quatro anos antes. A missão: guiar o rapazote e evitar que ele fugisse do *script* traçado no além. Chico deveria colocar no papel as palavras ditadas pelos mortos e divulgar, por meio do livro, a doutrina dos espíritos.

O ex-aluno do Grupo São José ganhou de presente um professor particular constante e rigoroso. Nessa trama insólita, ele assumiu "o papel de um animal freado, irrequieto". Emmanuel segurou as rédeas e estalou o chicote. Chico disparou. E levantou poeira. Quem seria, afinal, este Emmanuel?

Poucos meses após o encontro no açude, chegou às livrarias o primeiro título da série inicial de trinta: *Parnaso de além-túmulo*. Um escândalo.

Parnaso de além-túmulo era quase um sacrilégio. Arrancava da sepultura poetas tão célebres quanto mortos. Augusto dos Anjos, enterrado em 1914, aos trinta anos, voltava à tona com uma dúvida em "Incógnita":

> *Porque misterioso incompreensível*
> *Vomito ainda em náuseas para o mundo*
> *Todo o fel, toda a bílis do iracundo*
> *Se eu já não tenho a bílis putrescível?*

Após falar de pestilências cadavéricas, de pútridos fedores e emanações pestíferas, o autor de *Eu* exigia em "Voz do infinito":

> *Descansa, agora, vibrião das ruínas*
> *Esquece o verme, as carnes, os estrumes*
> *Retempera-te em meio dos perfumes.*

Muito menos metafísicas eram as rimas de Casimiro de Abreu, morto de tuberculose em 1860, aos 21 anos. Em *Lembranças*, ele ressuscitava com fôlego e certa excitação:

> *Teus lindos pés descalçados*
> *Pisando de manhãzinha*
> *A verde relva dos prados*
> *Moreninha.*

A coletânea de 59 poemas assinados por catorze defuntos ilustres chegou às livrarias em 1932 e provocou alvoroço. Os céticos enfrentavam dilemas. Se os versos foram criados mesmo pelo jovem de Pedro Leopoldo, por que ele não assumia a autoria? Por que trocava a possível consagração como poeta de talento ou como imitador genial pela inevitável suspeita de ser um impostor, um mentiroso?

O escritor Zeferino Brasil, integrante da Academia Rio-Grandense de Letras, traduziu a perplexidade geral numa crônica publicada no jornal *Correio do Povo*, de Porto Alegre: "Ou os poemas em apreço são de fato dos autores citados e foram realmente transmitidos do além ao médium ou o sr. Francisco Xavier é um poeta extraordinário, capaz de imitar os maiores gênios da poesia universal".

Os mais desconfiados folheavam o *Parnaso de além-túmulo* e arriscavam palpites psicanalíticos sobre o autor. O matuto, leitor compulsivo, dono de memória prodigiosa, incorporava o estilo dos poetas inconscientemente. Os versos vinham de seu subconsciente. Chico deveria ser estudado como um caso de esquizofrenia. Outros, menos freudianos, defendiam uma tese simples e direta: o livro era pura jogada de marketing. Francisco Cândido Xavier queria chamar a atenção. Em breve, ele convocaria a imprensa mineira, estufaria o peito e revelaria: "Estes poemas foram escritos por mim mesmo. Sou poeta".

O dia da confissão demorava a chegar. O autor não só insistia em renegar o mérito dos versos como dispensava o dinheiro arrecadado com a publicação. Reverteu todos os direitos autorais para a Federação Espírita Brasileira, responsável pelo lançamento da coletânea, e começou a repetir o bordão que o acompanharia nas seis décadas seguintes:

— O livro não é meu. É dos espíritos.

Em sua defesa, ele escreveu o texto intitulado "Palavras minhas", uma espécie de carta de apresentação incluída na introdução do livro de estreia. Em 140 linhas, Chico descreveu seu "ambiente sobrecarregado de trabalhos para angariar o pão cotidiano, onde não se pode pensar em letras" e fez questão de descartar a intenção de "fazer um nome": "A dor há muito me convenceu da inutilidade das bagatelas que são ainda estimadas neste mundo".

No autorretrato, o jovem de 21 anos admitia seu "pronunciado pendor literário" e reclamava da falta de tempo para os estudos e da ausência de estímulo da família. "Nunca pude aprender senão alguns rudimentos de aritmética, história e vernáculo."

Mas, afinal, os poemas publicados eram mesmo de autoria dos poetas que os assinavam? Nem Chico, em seus parágrafos autobiográficos, garantiu a autenticidade das assinaturas.

— Em consciência, não posso dizer que eles são meus, porque não despendi nenhum esforço intelectual ao grafá-los no papel.

O texto, publicado na primeira edição do *Parnaso de além-túmulo* ao lado de uma foto do autor enfiado numa gravata-borboleta, terminava com um recado do escritor a todos os leitores:

> *Em alguns despertarei sentimentos de piedade e, noutros, risinhos ridicularizadores. Há de haver, porém, alguém que encontre consolação nestas páginas humildes. Um desses que haja, entre mil dos primeiros, e dou-me por compensado do meu trabalho.*

Em meio à polêmica, um dos escritores e jornalistas mais requisitados do país na época decidiu se manifestar. No dia 10 de julho de 1932, o jornal *Diário Carioca* estampou no rodapé da primeira página o artigo

"Poetas do outro mundo", assinado por Humberto de Campos, integrante da Academia Brasileira de Letras.

O "imortal" identificou nos versos escritos por Chico Xavier o estilo frouxo e ingênuo de Casimiro, largo e sonoro de Castro Alves, filosófico e profundo de Augusto dos Anjos. E assinou embaixo:

> *Sente-se, ao ler cada um dos autores que veio do outro mundo para cantar neste instante, a inclinação do senhor Francisco Cândido Xavier para escrever a la manière de ou para traduzir o que aqueles altos espíritos soprarem ao seu ouvido.*

Era quase a consagração. O autor de *Sombras que sofrem* encerrou o artigo com um alerta insólito aos escritores sobreviventes. Era preciso ter cuidado com os poetas mortos:

> *Se eles voltam a nos fazer concorrência com seus versos perante o público e, sobretudo, perante os editores, dispensando-lhes o pagamento dos direitos autorais, que destino terão os vivos que lutam hoje com tantas e tão poderosas dificuldades?*

Antes de pôr o ponto-final, o escritor desafiou os rivais do outro mundo a ressuscitarem: "Venham fazer concorrência em cima da terra, com o arroz e o feijão pela hora da vida. Do contrário, não vale".

Dois anos depois, Humberto de Campos morreria e vestiria a camisa dos espíritos. A segunda edição do *Parnaso de além-túmulo* exibiria logo na introdução um artigo com sua assinatura, acompanhado de uma ressalva entre parênteses: espírito. Ele já havia mudado de time e não achava assim tão desleal a "concorrência" entre vivos e mortos.

Antes de se retirar do planeta, o escritor assinou outra crítica sobre o livro de Chico Xavier, "Como cantam os mortos", também publicada na primeira página do *Diário Carioca*. A manchete do dia — "São Paulo em armas contra a ditadura" — descrevia como o general Isidoro Dias Lopes tinha derrubado, com suas tropas, o interventor de São Paulo, Pedro de Toledo, e colocado no poder uma junta governativa formada por ele próprio, pelo deposto e por Francisco Morato.

O cronista do *Diário Carioca* estava mais preocupado com assuntos do além. Impressionado com os versos do *Parnaso de além-túmulo*, ele pediu uma opinião sobre o livro ao colega de academia e de redação Augusto de Lima e ouviu uma ironia: Chico seria a versão mineira do Barão de

Münchhausen e estaria às voltas com fantasias mirabolantes. Humberto desconsiderou o ceticismo do amigo.

Após esmiuçar os poemas do caipira de Pedro Leopoldo, enterrou de vez a hipótese de Chico escrever *a la manière* dos poetas mortos e convocou outros críticos: "*Parnaso de além-túmulo* merece a atenção dos estudiosos, que poderão dizer o que há nele de sobrenatural ou de mistificação".

A convocação surtiu efeito. O poeta e escritor José Álvaro Santos leu as críticas, comprou *Parnaso de além-túmulo*, analisou os poemas e, em janeiro de 1933, desembarcou em Pedro Leopoldo para conhecer o autor do livro. Encontrou o rapaz atrás do balcão no armazém de José Felizardo Sobrinho, visitou sua casa pobre, repleta de irmãos, e ficou impressionado com a rotina do rapaz. Trabalho braçal das 7h da manhã às 8h da noite por um salário de quarenta mil-réis mensais. O poeta não merecia perder tanto tempo com questões menores.

José Álvaro Santos fez uma proposta a João Cândido Xavier: arrumaria um bom emprego para seu filho em Belo Horizonte. Bastava que Chico o acompanhasse até a capital mineira. Em três meses, no máximo, o rapaz estaria contratado. Os olhos do pai cresceram diante da perspectiva. O dinheiro andava curto demais.

João argumentou com o filho e, mais tarde, Chico recorreu a seu amigo invisível, Emmanuel. Escutou conselho contrário ao do pai — deveria continuar onde estava — e tomou a decisão: ficaria com a família. No dia seguinte, João Cândido voltou a pedir socorro e Chico voltou a pedir uma orientação ao guia. A contraordem veio do além.

— A tentativa é inoportuna e desaconselhável, mas não desejamos que contraries teu pai.

João Cândido conseguiu três meses de licença para o filho no armazém de José Felizardo Sobrinho, Chico se despediu dos companheiros do Centro Luiz Gonzaga e embarcou com o desconhecido em direção a uma chácara a três quilômetros do bairro da Gameleira, em Belo Horizonte.

O autor do *Parnaso de além-túmulo*, mulato, malvestido, com expressão atordoada, virou atração na casa. Intelectuais mineiros se reuniam em torno dele e comentavam, diante de seus olhos arregalados, os estudos de Coorkes e Richet sobre a mediunidade, os pastiches de Paul Reboux, os poemas de Baudelaire, Musset, Bilac, Augusto dos Anjos.

O matuto acompanhava tudo em silêncio. Uma vez ou outra, respondia com monossílabos a perguntas sobre os poemas ditados do outro mundo. Tinha medo de cometer disparates. No meio da noite, sozinho no quarto, respirava aliviado diante das visões do guia e da mãe. As aparições repetiam conselhos sobre a prudência e o respeito aos outros e Emmanuel ainda aproveitava para tirar dúvidas literárias do protegido. Explicava, por exemplo, que Paul Reboux era mestre em imitar o estilo de outros poetas.

Enquanto esperava o serviço prometido, Chico acompanhava, à distância, entre as árvores da chácara, a construção de um sanatório em terreno vizinho. Estava triste, tenso. O hospital, no terreno vizinho, crescia a cada dia e o emprego não saía. Os três meses se esgotaram.

Ele não podia mais ficar à toa. Precisava ajudar a família. Em março de 1933, Chico se despediu de José Álvaro Santos e, sozinho, tomou o rumo da Central do Brasil. Enquanto esperava o trem para Pedro Leopoldo, foi surpreendido por dois amigos de seu ex-anfitrião. Traziam uma ótima notícia: ele estava empregado.

O rapaz se lembrou do pai, da pobreza, dos irmãos e sentiu vontade de abraçar os dois. Quase chegou à euforia quando ouviu as outras boas novas: teria os estudos pagos no melhor colégio da cidade e ainda receberia dinheiro extra para ajudar em casa.

Havia apenas uma condição: Chico deveria assumir a autoria de *Parnaso de além-túmulo* e negar a existência dos espíritos durante duas palestras, uma no auditório da Escola Normal e outra no Teatro Municipal.

O rapaz murchou. Mas ainda teve fôlego para reagir:

— Não posso mentir para mim mesmo. Ouço a voz de minha mãe, escrevo poemas que não são meus. Como posso renegar a verdade?

— Chico, você conhece um passarinho chamado sofrê?

— Não.

— O sofrê é um pássaro que imita os outros. Você nasceu com a vocação desse passarinho entre os poetas. Não acredite em espíritos. Esses poemas que você julga psicografar são seus, somente seus.

Nesse momento, Emmanuel apareceu com um de seus trocadilhos:

— Sim, volte a Pedro Leopoldo e procuremos trabalhar. Você não é um sofrê, mas precisa sofrer para aprender.

O rapaz voltou para casa e foi recebido por um pai inconformado. João Cândido encheu a boca para chamar o filho de ingrato. Chico já esperava aquela reação. Correu para o armazém de José Felizardo Sobrinho, refugiou-se atrás do balcão e sentiu até certo entusiasmo em cortar toucinho para os fregueses e varrer o chão. Estava se sentindo tão à vontade na cidade natal que no dia 23 de setembro daquele ano, às 21h, assinou, como primeiro-secretário, a ata de posse da primeira diretoria do Pedro Leopoldo Futebol Clube. Parecia até um jovem comum. Quem sabe um dia entrasse em campo e marcasse um gol? Quem sabe chegasse a um bar e pedisse uma cerveja bem gelada ou convidasse uma moça para o cinema? Não. Chico tinha mais o que fazer.

A PELE DO RINOCERONTE

Nas noites de segunda e sexta-feira, ele colocava o *Evangelho segundo o espiritismo*, de Allan Kardec, embaixo do braço e ia para o Centro Luiz Gonzaga. Seguia à risca uma instrução ditada por Emmanuel: fidelidade irrestrita a Jesus Cristo e a Kardec, o codificador da doutrina espírita. O guia do outro mundo levava tão a sério este mandamento que um dia chegou a determinar a Chico:

— Se alguma vez eu lhe der algum conselho que não esteja de acordo com Jesus e Kardec, fique do lado deles e procure me esquecer.

Chico demorava na cartilha espírita, praticava as lições de caridade, promovia sessões de desobsessão às quartas-feiras, mas o centro ficava cada dia mais vazio. José Hermínio Perácio e a mulher, Carmem, se mudaram para Belo Horizonte — precisavam ficar mais perto da família. José Xavier teve que trabalhar à noite numa oficina de arreios para pagar uma dívida. De repente, o rapaz se viu sozinho no barracão. Quando pensou em sair de fininho, ouviu a voz de Emmanuel.

— Você não pode se afastar.

— Como? Não temos frequentadores.

— E nós? Nós também precisamos ouvir o Evangelho. Além disso, temos aqui vários "desencarnados" que precisam de ajuda. Abra a reunião na hora marcada e não encerre a sessão antes de duas horas de trabalho.

Chico seguiu as instruções. Às 8h em ponto iniciava a reza de abertura da sessão. Em seguida, abria *O Evangelho segundo o espiritismo* ao acaso e comentava o capítulo em voz alta. Nessa época, começou a ver mortos e a ouvir vozes com maior frequência e nitidez. Os seres invisíveis ocupavam os bancos vazios.

Do lado de fora, vizinhos e parentes acompanhavam aquele espetáculo absurdo: o rapaz falava sozinho, gesticulava, rezava, duas horas seguidas. Uma das irmãs, uma noite, se pendurou na janela para ouvir o monólogo.

— Tenhamos fé em Jesus, minha irmã.

— ...

— Com paciência alcançaremos a paz.

— ...
— Sem calma, tudo piora.
— ...

A espectadora interrompeu a cena insólita:
— Com quem você está conversando?
— Com dona Chiquinha de Paula.
— Ela já morreu, Chico.
— Você é que pensa. Ela está bem viva.

A família ainda pensava em levar o rapaz a um bom hospício.

O padre Júlio Maria, da cidade mineira de Manhumirim, estava disposto a providenciar uma camisa de força para o espírita de Pedro Leopoldo. Todo mês, ele escrevia artigos no jornal local, *O Lutador*, e fazia o favor de enviar suas opiniões pelo correio ao autor do *Parnaso de além-túmulo*. Em nome de Jesus Cristo, os textos excomungavam o espiritismo, reduziam a pó a reencarnação e à piada o porta-voz dos poetas mortos no Brasil. "Francisco Cândido Xavier deve ter pele de rinoceronte para suportar tantos espíritos", escreveu num de seus manifestos.

Chico ficou engasgado e precisou da ajuda de Emmanuel para engolir o comentário.

— Se você não tem pele de rinoceronte, precisa ter, porque, se cultivar uma pele muito frágil, cairá sempre com qualquer alfinetada.

O padre Júlio Maria espetou Chico Xavier durante treze anos. Só parou quando morreu. E, nesse dia, Chico ouviu o vozeirão de seu guia:

— Vamos orar pelo nosso irmão Júlio Maria. Com ele sempre tivemos um cooperador maravilhoso. Dava-nos coragem na luta e concitava-nos a trabalhar.

A cada ataque dos céticos, Chico escutava Emmanuel bater na mesma tecla:

— Não te aflijas com os que te atacam. O martelo que atormenta o prego com pancadas o faz mais seguro e mais firme.

O conselheiro invisível esquecia que martelos também entortam pregos.

Chico sentia os golpes e andava pela cidade arqueado, sob o peso da desconfiança alheia.

Em dezembro de 1934, o rapaz fechou os olhos e fincou o lápis no papel. As frases apareceram velozes e nada evangélicas. Eram endereçadas a ele mesmo.

Meu amigo,
Há mais de um decênio que não me preocupo com as parvoíces da Terra. Nem presumia a possibilidade de enviar novamente para aí a minha futilíssima correspondência, quando alguém me insinuou a ideia de vir ditar-te as minhas sandices. Acometeu-me o desejo incoercível de atirar um dos meus petardos de troça ao gênero bípede e estalar uma boa gargalhada, sonora e sã.
Foi o que fiz. Tentei a prova.
Focalizei no meu pensamento a ideia de vir ter contigo e bastou isso para que as minhas raras faculdades de fantasma me conduzissem a esse maravilhoso recanto sertanejo em que vives, esplendor de canto agreste, quase selvagem... Busquei aproximar-me de tua individualidade.
Vi-te finalmente. Lá surgias ao fim de uma rua bem cuidada, onde se alinhavam casas brancas e arejadas, brasileiríssimas, abarrotadas de ar, de saúde, de sol; vinhas com o passo cansado, pele suarenta a derreter-se dentro de roupas quase ensebadas, com os pés metidos em legítimos socos do Porto, obrigando-me a evocar o cais de Lisboa...
Sem que pudesses observar-me, submeti-te a demorado exame. Procurei a tua bagagem de pensamento, encontrando na tua mocidade tudo quanto a tristeza criou de mais sombrio; em tua alma amargurada, vi apenas porções de sofrimentos, pedaços de angústia esterilizadora, recordações tristonhas, lágrimas cristalizadas...
Vi-te e ri-me. Não de ti. Ri-me da estultice do cérebro desequilibrado do asno humano, com o seu volumoso e pesado arquivo de baboseiras.

Cansado das lamúrias de Chico Xavier, o remetente da carta recomendava o bom humor como arma:

Convence-te de que se comete um ato desarrazoado, uma inqualificável imprudência, em chorar tolamente, em derreter-se inutilmente. Abandona essa exótica preocupação aos mais parvos do que tu. Ri-se o mundo de nós? Riamo-nos dele. Achincalhemos os seus arremedos aos gorilas, ridicularizemos as suas intuições, onde predominam a bandalheira, os seus pulos de cabra-cega; traduzamos a admiração que tudo isso nos desperta com o riso bom, que sempre apavorou os tímidos e insuficientes.

O recado tinha a assinatura de Eça de Queiroz. O escritor português, autor de "pecados" como *O crime do Padre Amaro*, dava mostras não só de sarcasmo como também de boas doses de informação sobre a polêmica em torno do *Parnaso de além-túmulo*.

Após listar a série de teorias usadas pelos críticos para decifrar o enigma Chico Xavier — consciência, mediunidade, psicopatia, loucura, simulação, anormalidade, fenômeno, estupidez, espiritomania —, o autor invisível não resistiu e voltou à boa e velha ironia: "Vai continuando até que te receitem a enxovia ou o manicômio. No cárcere ou no sanatório, alcançarás um período de repouso. Não te apavores".

Semanas depois, o rapaz colocou no papel um alerta sobre os riscos da vaidade e da ambição. Desta vez, quem assinava o texto era Maria João de Deus, sua mãe. Chico Xavier decorou cada palavra. Muitas delas eram golpes secos contra sua autoestima. Para começo de conversa, ele não deveria encarar a própria mediunidade como uma dádiva, porque, imperfeito como era, não merecia favores de Deus. Uma metáfora barroca marcou sua história: "Seja tua mediunidade como harpa melodiosa; porém, no dia em que receberes os favores do mundo como se estivesses vendendo os seus acordes, ela se enferrujará para sempre".

Chico ficou atento às lições e passou a exercitar tanto o bom humor como a humildade ao longo dos anos.

No dia 5 de dezembro de 1934, Humberto de Campos morreu. Três meses depois, Chico teve um sonho. As cenas eram nítidas demais. Ele deparou com um grupo de desconhecidos, embaixo de uma árvore enorme e transparente como cristal, sob um céu muito azul e brilhante. Não havia casas em volta. Um dos estranhos se destacou da multidão, caminhou em sua direção, estendeu a mão e disse: "Você é o menino do Parnaso? Eu sou Humberto de Campos".

As lembranças terminaram aí, mas deixaram o rapaz cismado. Qual o sentido daquele sonho? Três meses depois, ele saberia. Textos assinados por Humberto de Campos cairiam do céu um após o outro. Em março de 1935, a mão de Chico colocou no papel as primeiras linhas assinadas pelo ex-imortal. Sob o título "A palavra dos mortos", o escritor se apresentava como uma testemunha do "trabalho intenso das coletividades invisíveis pelo progresso humano". Nem parecia aquele acadêmico capaz de desafiar os poetas mortos a competir com os vivos de igual para igual, "reencarnados". Do outro lado, ele tratava de defender as mensagens dos espíritos como "um consolo aos tristes e uma esperança aos desafortunados".

Os materialistas que se cuidassem. O texto saía a jato da mão de Chico Xavier. A fé viria mais cedo ou mais tarde, pelo bem ou pelo mal: "Os homens aprenderão à custa das suas dores, com todo o fardo de suas misérias e de suas fraquezas, e as palavras do infinito cairão sobre eles como a chuva de favores do Alto".

O artigo virou introdução do livro *Palavras do infinito*, de Chico Xavier, uma coletânea de ensaios assinados por Humberto de Campos e por outros mortos ilustres.

Cinco dias depois, Chico Xavier cobriria uma página em branco com novas frases assinadas pelo jornalista invisível. Era uma carta de despedida endereçada ao rapaz: "Tive pena quando soube que iam conduzi-lo a um teste. A curiosidade jornalística é agora levantada em torno de sua pessoa. Agora que os bisbilhoteiros o procuram, trago-lhe o meu adeus, sem prometer voltar breve".

O repórter morto saiu de cena e abriu alas para um jornalista vivo.

Em maio, Clementino de Alencar, um correspondente do jornal *O Globo*, desembarcou em Pedro Leopoldo. O carioca estava disposto a desmascarar a "fraude mineira", que ousava imitar o estilo de um colega de profissão recém-falecido. Chegou de surpresa, sem aviso prévio, numa terça-feira, acompanhado de um fotógrafo do jornal.

As primeiras impressões de Clementino sobre o "matuto de Pedro Leopoldo", registradas em sua primeira reportagem, foram estas: baixo, compleição forte, caboclo. Expressão de estranha humildade e doçura. Sorriso leve, ar de ingenuidade no rosto.

Lá longe, na cidade grande, diriam dele: "Um bobo!".

Clementino se apresentou a Chico, falou do interesse por sua história e pelos mistérios do intercâmbio com o além e ouviu do jovem simplório a seguinte resposta:

— Sou um pobre rapaz do mato. Não convém tanta notícia não. Deixem-me assim mesmo na obscuridade.

Nada feito. Diante da insistência do repórter, Chico combinou de se encontrar com ele depois do expediente e foi além: prometeu encaminhar a Clementino, no hotel, a pasta de papelão onde arquivava todos os escritos do "além-túmulo".

A primeira reportagem da série foi publicada na primeira página de *O Globo* no dia 1º de maio de 1935, sob a manchete "Frente a frente com Francisco Cândido Xavier, o homem que afirma receber as crônicas de Humberto de Campos".

No texto, Clementino expõe as próprias dúvidas e emoções, sem censuras. Para ele, Chico é o "caixeiro bisonho".

> *Nossos olhos correm, a um tempo curiosos e ansiosos, sobre aquelas páginas incríveis que o caixeiro bisonho e humilde afirma ter recebido em transe do mundo das sombras invisíveis que ficam para lá dos limites das nossas percepções normais.*

Pelas mãos do caixeiro que pesava arroz na venda do Zé Felizardo, o poeta Augusto dos Anjos afirmava "auscultar a humana dor" e o que ele auscultava não era nada empolgante: "os uivos dos instintos jamais fartos/ as dores espasmódicas dos partos/ a desgraça dos úteros falidos".

Um dos textos mais impressionantes da pasta tinha a assinatura de Emmanuel, o guia espiritual de Chico.

Clementino leu e releu a explicação sobre o "modos operandi" (palavras dele) dos espíritos e sobre como eles atuariam sobre o "médium" e compartilhou com os leitores do jornal esta descrição:

> *Enviam aos homens a sua mensagem luminosa dos cimos resplandecentes em que se encontram e, formulando o desejo de ação nos planos da materialidade, a sua vontade superior atua imediatamente sobre o cérebro visado, o que se encontra em afinidade com as suas vibrações, e, através de forças teledinâmicas, as quais podeis vagamente avaliar com os fluidos elétricos, cuja utilização encetais na face do vosso mundo, influenciam sobre a natureza do sensitivo, afetando-lhe o sensório, atuando sobre os seus centros ópticos e aparelhos auditivos, desaparecendo perfeitamente as distâncias que se não medem; na alma do "sujet" começa então a se operar a série de fenômenos alucinatórios sob a atuação consciente do espírito que o guia dos planos intangíveis.*

Forças teledinâmicas, alma do "sujet", centros ópticos, planos intangíveis. Depois de mergulhar nesta literatura fantástica, Clementino foi à casa onde Chico morava com irmãos e irmãs — quase todos menores —, uma "residência tão pequena e tão pobre no seu mobiliário que ali se não podem realizar as reuniões espíritas".

Chegou às 8h em ponto e, como bom jornalista, passou a conjugar o verbo mais importante da reportagem investigativa: desconfiar. Sua maior preocupação era checar os títulos reunidos na biblioteca de Chico Xavier.

A biblioteca — "o termo torna-se até um pouco impróprio", escreveu Clementino — era um amontoado de revistas e jornais puídos, alguns espíritas, outros leigos, almanaques Bertrand e obras básicas da doutrina espírita como *O evangelho segundo o espiritismo*, de Allan Kardec, e *Depois da morte*, de Léon Denis.

Não. Não havia nas prateleiras nenhum livro dos escritores e poetas ressuscitados em *Parnaso de além-túmulo* e na pasta de papelão de Chico Xavier. O caixeiro de Pedro Leopoldo garantiu ao repórter ter lido uma ou outra página esparsa de alguns deles, encontradas nas revistas, jornais e almanaques da época, e só.

— E os textos de Humberto de Campos? Você já leu? — Clementino perguntou, especialmente interessado nesta parceria improvável entre o "caixeiro bisonho" de Pedro Leopoldo e o acadêmico do Rio de Janeiro.

Chico confirmou. Já tinha lido crônicas de Humberto encontradas naqueles jornais amontoados em casa.

— E os livros?

— Ainda não. Um amigo prometeu me mandar dois volumes.

Juntos, a sós, na sala de piso ladrilhado, o repórter e o matuto tiveram a primeira longa conversa sobre os mistérios da mediunidade e a iniciação de Chico neste universo.

A infância católica, as primeiras vozes e visões, os sonhos.

A impressão de "carregar algo muito estranho" dentro de si.

As lembranças de fatos ocorridos há muito tempo, "antes desta existência".

E a súplica à Virgem, durante procissão, aos 17 anos:

— Curai-me. Minha cabeça não parece minha.

"Aos outros dou o direito de serem como são. A mim dou o dever de ser cada dia melhor."

Chico Xavier

ONDE A GRANDE CERTEZA PRINCIPIA

Dois dias depois de seu desembarque em Pedro Leopoldo, Clementino de Alencar deixou o hotel às 7h30 da noite para enfrentar o que definiu como "a fase mais decisiva" da série de reportagens sobre Chico Xavier.

Naquela noite, ele iria testemunhar a primeira sessão espírita de sua vida. Na casa do irmão José Xavier, o caixeiro da venda de Zé Felizardo se transformaria em porta-voz dos mortos na Terra.

Clementino deixou o hotel acompanhado pelo promotor da comarca, Washington Floriano de Albuquerque, e, no caminho, se encontrou com um engenheiro da Central do Brasil, Andrade Pinto.

Enquanto caminhava rumo à sessão, o engenheiro sugeriu aos companheiros uma medida para afastar o risco de fraude durante a sessão:

— Vamos propor que as páginas grafadas pelo médium sejam rubricadas antes?

Essas rubricas evitariam que as páginas psicografadas na reunião pública fossem substituídas por outras preenchidas antes da sessão.

O próprio engenheiro assumiu o compromisso de ser porta-voz desse pedido dos descrentes, quando o trabalho da noite fosse iniciado.

Pouco depois, os três entraram na casa simples do seleiro José Xavier, já repleta de curiosos.

— A casa já está cheia de vivos — comentou um deles. — Agora faltam os mortos.

Faltava também Chico Xavier, às voltas ainda com suas tarefas no armazém do padrinho.

Às 8h20, ele entrou, pedindo mil desculpas pelo atraso, e Clementino anotou:

É a mesma simplicidade de sempre, com o mesmo sorriso bom e ingênuo, as mesmas calças remendadas. O mesmo caixeirinho humilde de seu Zé Felizardo.

Chico se sentou à mesa, acompanhado pelo grupo que "formava a corrente", e José Cândido, presidente da sessão, pediu a todos calma, silêncio, concentração.

Em seguida, convidou o repórter a se sentar no lado oposto da mesa, coberta com uma toalha branca.

No centro da mesa, diante de Chico, foram colocados dois copos de água e um bloco de papel.

— Em nome de Deus, estão abertos os trabalhos, como, de fato, abertos estão — declarou um José Cândido solene e o repórter de *O Globo* foi tomado por sensações inéditas, descritas por ele na terceira pessoa do singular.

> *Sente o repórter que uma vaga emoção lhe aquece a fronte, afina-lhe os nervos, apalpa-lhe o coração.*
> *O observador abstrato personaliza-se, humaniza-se no alvoroço de sensações.*

Objetividade jornalística? Nenhuma...

> *A vida lança, no silêncio, sua ampla rede preceptora e queda-se, muda e atenta, diante da morte.*
> *Eu — poeira de migalha arrastada no turbilhão das incertezas eternas — escancaro os meus olhos de dúvida para o pórtico das sombras insondáveis e dos esquivos segredos...*

O "silêncio profundo" na casa de José Xavier durou três ou quatro minutos pelas contas de Clementino.

Nesse meio-tempo, o repórter conseguiu controlar a emoção e retomar a posição de observador. "Ponho um olhar furtivo no médium", escreveu.

> *Sua cabeça pende um pouco para frente. Ligeira palidez acentua-lhe o moreno do rosto e, sob as pálpebras semicerradas, percebem-se-lhe os olhos imóveis. A mão inerte, armada de lápis, descansa sobre o papel. No rosto, como de cera, apagou-se o sorriso, já não há uma expressão.*

De repente, o repórter percebeu em Chico uma "ligeira palpitação". Seus lábios se abriram, num sopro, e deixaram escapar a seguinte frase:

— Emmanuel diz que podem rubricar as folhas.

Uma resposta à exigência que ainda nem tinha sido feita.

Clementino procurou com os olhos o engenheiro e o promotor e encontrou neles "leves expressões de surpresa".

José Cândido estendeu ao repórter o bloco de folhas virgens e Clementino rubricou o alto de cada página.

Agora sim. Tudo pronto.

Quando o bloco de folhas virgens voltou ao médium, devidamente rubricado, seu rosto e seus olhos se imobilizaram na "inexpressão". Um minuto de silêncio... e lá foi ele.

A mão de Chico passou a deslizar sobre o papel em velocidade vertiginosa.

São versos. De lá, pois, do mundo misterioso e distante das sombras invisíveis, um poeta de outros tempos desceu e canta agora sobre o silêncio das nossas almas.

Ao redor, tudo era silêncio e imobilidade. E Clementino vibrava.

"Parece que a vertigem aumentou. As páginas se sucedem com rapidez."

Foram três os sonetos escritos nos dez primeiros minutos de sessão. Versos assinados por Antero de Quental, Cruz e Souza e Auta de Souza.

A estrofe de Antero de Quental parecia fazer todo sentido, agora, para o repórter de *O Globo*:

Crê-se na Morte o Nada, e, todavia,
A Morte é a própria Vida ativa e intensa,
Fim de toda a amargura da descrença,
Onde a grande certeza principia

Mas o ponto alto da noite ainda estava por vir... Os 39 minutos seguintes. Tempo em que a mão de Chico deslizou sobre o papel, em fluxo contínuo, quase sem interrupções, e a assinatura ilustre encerrou a longa mensagem: Humberto de Campos.

Ao ver o nome no pé da página, Clementino até tomou fôlego e fez sinal a José Cândido para tentar dar "duas palavrinhas" com o visitante do além, mas chegou atrasado... A cabeça de um Chico exausto já tinha pendido sobre suas mãos e ele já tinha retornado de seu estado de transe...

— Eu perdera a mais sensacional das entrevistas — lamentou o jornalista em sua reportagem.

O que Humberto de Campos teria a dizer ele deixou por escrito em texto que, datilografado, se espalhou por 110 linhas!

O objetivo das "palavras póstumas", segundo o visitante do além, era "demonstrar o homem desencarnado e a imortalidade dos seus atributos". E era também desabafar sobre as agruras da vida do lado de lá, a julgar por um dos muitos parágrafos:

Uma saudade doida e uma ânsia sem-termo fazem um turbilhão no meu cérebro: é a vontade de rever, no reino das sombras, meu pai e minha irmã. Ainda não pude fazê-lo.

Outro trecho de sua correspondência é uma defesa de... Chico Xavier:

O fato é que vocês não me viram. Mas contem lá fora que enxergaram o médium. Não afirmem que ele se parece com o Mahatma Gandhi, pois que lhe falta uma tanga, uma cabra e a experiência do "leadder" nacionalista da Índia. Mas historiem com sinceridade o caso das suas roupas remendadas e tristes de proletário e da sua pobreza limpa e honesta, que anda por esse mundo arrastando tamancos para remissão de suas faltas nas anteriores encarnações.

"Graças a Deus aprendi a viver apenas com o necessário."

Chico Xavier

PRIMEIRA ENTREVISTA COM O ALÉM

Os leitores de *O Globo* se empolgaram com a série de reportagens. E Clementino de Alencar também. Resultado: a viagem, que era para durar apenas alguns dias, se prolongou por todo o mês de maio. Chico que se cuidasse, porque o jornalista passou a aparecer sem avisar, a qualquer hora do dia, e com perguntas-surpresa endereçadas ao além.

Foi o que ele fez quando bateu à porta de José Cândido Xavier no meio da tarde com um "tema da atualidade" para ser debatido com os "Amigos do espaço", por intermédio de Chico:

"Que possibilidades existem e que vantagens ou desvantagens adviriam da implantação de um regime extremista no Brasil?"

O irmão de Chico se recusou a admitir aquela quebra de protocolo.
— Só na quarta-feira, único dia reservado às sessões — disse.
Esta seria uma determinação dos "espíritos protetores" do médium.
Chico acompanhou o impasse em silêncio e, de repente, disse:
— Emmanuel atende.

José Cândido fez uma prece ao Senhor e aos espíritos dos "nossos mortos bem-amados" e, instantes depois, o lápis já deslizava sobre o papel, ligeiro e sem pausas, como de costume.

A escrita durou doze minutos e se encerrou com a assinatura de Emmanuel.

Pelas mãos do "caixeirinho bisonho", vieram o diagnóstico de que a implantação de um regime extremista seria "um grande erro que o sofrimento coletivo viria certamente expiar" e um complemento nada simplório:

De um lado prevalecem as doutrinas dos governos fortes, como a política do "sigma" copiando o fascismo em suas bases. Da outra margem, se encontra o comunismo, inadaptável ainda à existência da nacionalidade, levando-se em conta o problema da necessidade de braços para o trabalho em uma terra vastíssima à espera das iniciativas e cometimentos de progresso preciso.

Doze minutos de escrita ininterrupta transcrita na íntegra por Clementino em reportagem concluída assim:

"Estava conseguida a primeira entrevista com o além."

No dia seguinte, o interrogatório continuou, com uma pergunta elaborada pelo médico Maurício de Azevedo: "O diabetes é uma moléstia microbiana? Em caso contrário, esclarecer as causas possíveis da moléstia".

Dessa vez, Chico não respondeu de imediato. Levou a questão para casa às oito da noite e entregou a resposta a Clementino no hotel duas horas e meia depois. Mais uma longa resposta assinada por Emmanuel.

Síndrome assinalada pela irregularidade da combinação dos hidratos de carbono, trazendo ao sangue o excesso de matérias açucaradas, os menores abalos do aparelho glicorregulador podem produzi-la, como sejam as alterações do funcionamento da glândula abdominal, as afecções do fígado ou da hipófise, ocasionando a ausência do equilíbrio endocrínico.

Este era o primeiro parágrafo, mais tarde analisado pelo médico e corrigido por ele em dois pontos: em vez de "irregularidade da combinação dos hidratos de carbono", o mais correto seria dizer "irregularidade da combustão dos hidratos de carbono". A glândula abdominal citada é o pâncreas.

Segundo Clementino, não havia outros médicos na cidade no período em que Chico escreveu sua resposta. Ele também não tinha acesso ao posto telefônico naquela hora para fazer possíveis consultas a especialistas de fora. E completar uma ligação naquela época era quase um milagre...

Mais fácil talvez fosse mesmo contatar as forças espirituais.

Antes de voltar ao Rio de Janeiro, Clementino participou de outra sessão pública na casa de José Cândido Xavier, mais concorrida ainda do que a primeira. Dessa vez, ele teria uma surpresa no final da sessão, ao ver a mão de Chico contrariar o processo normal da escrita e passar a preencher a página em branco da direita para a esquerda.

— Será árabe? — sussurrou alguém na sala.

A resposta só se revelou na fase final da leitura das mensagens da noite, que incluíram também estes versos de Olavo Bilac endereçados "Aos Descrentes", título do poema póstumo:

Retrocedei dos vossos mundos ocos,
Começai outra vida em nova estrada,
Sem a ideia falaz do grande Nada,
Que entorpece, envenena e mata aos poucos

Mas e a escrita na contramão? O que seria? Árabe? Não... Inglês ao contrário, de trás pra frente, para ser decifrado com a ajuda de um espelho. E com a assinatura de Emmanuel.

My dear spiritualist friends. Men's learning is nothing over against of the death; let you support your cross with patience and courage. The pain and faith are the greater earthly sure and the work is the gold of the life.

Traduzindo:

Meus caros amigos espiritualistas. O conhecimento dos homens é nulo em face da morte; suportai a vossa cruz com paciência e coragem. A dor e a fé são os maiores tesouros terrenos e o trabalho é o ouro da vida.

O repórter apontou o erro de gramática inglesa — o uso do "the" na frase "the gold of the life" — e atribuiu o deslize "à deficiência do aparelho, o médium, que nada sabe daquele idioma"...

Na reportagem publicada no dia 31, Clementino estava quase convertido ao espiritismo:

Sente-se o repórter no dever de anotar, já agora, aqui, esta impressão: torna-se cada vez mais remota a ideia de fraude grosseira que tenha porventura surgido com as primeiras notícias relativas ao jovem médium de Pedro Leopoldo.

O jornalista mudou nesse mês de testes e testemunhos. Emmanuel, citado sempre como o "guia" (entre aspas) de Chico Xavier nas primeiras reportagens, virou o Amigo Invisível (com letras maiúsculas e sem aspas).

O repórter voltou ao Rio de Janeiro convencido da honestidade do autor de *Parnaso de além-túmulo*. E suas reportagens passaram a atrair caravanas de curiosos a Pedro Leopoldo.

"O trabalho engrossa
o fio da vida."

Chico Xavier

O APRENDIZ DE CURANDEIRO

A maioria dos visitantes saía do Rio de Janeiro e de São Paulo atraída pelo porta-voz dos poetas mortos e voltava para casa impressionada com as consultas médicas do dr. Bezerra. Bastava escrever o nome e o endereço numa ficha para receber, no fim da noite, receitas sempre homeopáticas assinadas pelo espírito do médico. Ninguém precisava revelar a doença para ter acesso ao diagnóstico escrito por Chico Xavier.

Muitos, impressionados com os poderes do protegido de Emmanuel, chegavam a oferecer dinheiro ao rapaz pobre como prova de gratidão. Ele recusava:

— Ajude o primeiro necessitado que encontrar.

Outros lhe entregavam presentes. Chico se livrava deles com pressa e discrição. Numa noite, ganhou um relógio de ouro suíço. Na tarde seguinte, visitou uma doente, Glória Macedo. Pobre, ela costumava perder a hora de tomar os remédios receitados pelo dr. Bezerra por falta de relógio. Chico deixou o presente da véspera sobre a mesa da "paciente".

Mas nem todos saíam satisfeitos do Centro Luiz Gonzaga. Alguns ficavam decepcionados com recados médicos vagos como "buscaremos cooperar espiritualmente em seu favor" ou "confiemos na bênção de Jesus". Chico esclarecia, com educação: não fazia milagres. Sua prioridade era o livro e não a cura.

Às vezes Chico decepcionava como "doutor" e repetia sempre:

— Todo médium é falível.

Vulnerável a enganos, ele tratava de tomar precauções: nunca receitava antibióticos e, diante de casos mais graves, aconselhava tratamento médico. Ninguém poderia acusá-lo do exercício ilegal da medicina. Algumas das próprias falas clínico-espirituais ele justificava como decisões estratégicas dos "benfeitores espirituais". Os equívocos serviriam para combater sua vaidade e mostrar seus limites.

Bem ou mal, Chico Xavier atiçava a curiosidade e colocava Pedro Leopoldo no mapa. João Cândido Xavier começou a gostar daquela confusão. Com ares de empresário, sugeriu ao filho:

— Se você construir aí na porta um galinheiro e cada visitante deixar uma galinha, ficaremos ricos...

Chico sacudiu a cabeça e riu. O pai se irritou.

— Ora, Chico, os espíritos mandam você não cobrar nada de ninguém porque não pagam o leite e não têm que comer carne.

João Cândido só faltava bocejar quando o filho abria *O evangelho segundo o espiritismo* e lia a recomendação de Jesus: "Dai de graça o que de graça recebestes". A bênção da mediunidade parecia maldição. O pai ficava impressionado: Chico trabalhava tanto para os outros a troco de quê? A recompensa não vinha.

Nessa época, o rapaz enfrentava dificuldades sérias no armazém de José Felizardo. O patrão tinha sofrido uma trombose cerebral e o salário estava a cada dia mais minguado. Chico teve que recorrer a um bico na Inspetoria Regional do Serviço de Fomento da Produção Animal, na Fazenda Modelo. Nas horas vagas, trabalhava de graça para o doente e fazia companhia a ele.

Em 1935, Felizardo não teve dinheiro para pagar os impostos do segundo semestre, o armazém faliu e o ex-caixeiro entrou para o quadro de funcionários da Inspetoria como escrevente-datilógrafo. Em vez de servir cachaça, ele escreveria relatórios sobre os bois, cavalos e jumentos puro-sangue criados na fazenda do governo e emprestados, para reprodução, a fazendeiros cadastrados no Ministério da Agricultura. Em pouco tempo, seria um especialista em gado zebu.

No escritório, ele encontrou outro "guia", este de carne e osso, disposto a domar com boas chibatadas seus instintos de "besta espírita". O administrador da fazenda, o engenheiro agrônomo Rômulo Joviano, mantinha o rapaz no cabresto. Espírita de carteirinha, ele não só acompanhava de perto os relatórios do empregado como também supervisionava seus "textos do além" e acompanhava as sessões do Centro Luiz Gonzaga, do qual se tornaria presidente. Só era distraído mesmo para promoções, aumentos e folgas.

Chico já estava às voltas com memorandos bovinos quando chegou às livrarias a segunda edição do *Parnaso de além-túmulo*, em 1935. O volume, quase três vezes maior do que o da primeira edição, era festejado no prefácio pelo vice-presidente da Federação Espírita Brasileira, Manuel Quintão. Responsável pela primeira versão do livro, o filólogo espírita festejava as novas aquisições (Olavo Bilac, por exemplo) e transformava em estandarte o texto escrito por Humberto de Campos (espírito). No artigo, intitulado "De pé, os mortos", o escritor reafirmava a autenticidade dos poemas ditados pelos espíritos ao matuto de Pedro Leopoldo.

Quintão estava entusiasmado:

> *O crítico João Ribeiro disse que o médium não traiu nenhum dos poetas. Ora, esta concisa sentença de J. Ribeiro vale por todos os estultilóquios e paparrotadas quejandas, que a crítica de papo-amarelo improvisou a propósito de quanto se afaste do seu clássico palmo de nariz.*

O texto era um panfleto.

A nova edição saiu com um único, e discreto, reparo.

O perfil de Guerra Junqueiro, escrito pelo indignado Quintão em 1932, em introdução aos versos atribuídos ao poeta, mudou de tom. O "bardo" português, definido como "notável por sua hostilidade à Igreja de Roma" na versão original, passou a ser admirável por sua "veia combativa e satírica". Era início da censura na literatura espírita. Era também uma alteração adequada a quem, como Chico, passaria a vida repetindo:

— Não vim para brigar com ninguém. Não vim para dividir.

Mas dividia. O romancista mineiro João Dornas Filho, por exemplo, se irritaria com os poemas assinados por Olavo Bilac na nova edição do *Parnaso*: "Ele, que nunca escreveu um verso imperfeito, nem em sua pior fase, depois de morto ditou ao médium sonetos inteiros abaixo do medíocre".

O ferino Osório Borba, autor de *A comédia literária*, decidiu assistir a uma sessão no Centro Luiz Gonzaga. Sem se identificar, viu Chico espalhar versos pelas páginas em branco em velocidade surpreendente, mas não se convenceu. Após o "espetáculo", ele conversou com o autor do *Parnaso* e foi honesto: duvidava da possibilidade de os espíritos se manifestarem com sua ajuda, mas acreditava na sua honestidade. Chico seria apenas uma vítima inconsciente de fenômenos ainda pouco estudados.

Os poemas e poetas recém-chegados à nova edição do *Parnaso* geraram boatos mirabolantes. Os católicos mais empedernidos chegaram a acusar a Federação Espírita Brasileira de manter uma comissão de escritores encarregada de inventar todos aqueles versos em sigilo absoluto. A causa era nobre: convencer os incrédulos da existência de espíritos. Chico Xavier desempenharia o papel do ignorante sem tempo nem cultura para escrever os poemas, mas capaz de ser porta-voz dos mortos, em troca de dinheiro e em nome da divulgação do espiritismo.

Os rumores eram tão fortes que Chico tratou de arquivar, com cuidado, os originais de todos os textos vindos do "outro mundo". Quando lhe sugeriram transferir a papelada de Pedro Leopoldo para a sede da Federação Espírita, no Rio, ele recusou. Precisava ter seus garranchos sempre à mão para mostrar aos céticos. Fez bem. Mais tarde, ele mostraria suas "provas" a dois padres e três protestantes interessados em desmistificar a "fraude mineira".

Em meio à polêmica, o rapaz de Pedro Leopoldo ficava famoso e virava atração principal em sessões espíritas de outras cidades. Em 1936, enquanto Boris Karloff provocava calafrios no filme *O morto ambulante*, ele roubava a cena na Sociedade Metapsíquica de São Paulo. Na noite de 29 de março, colocou no papel uma mensagem assinada por Emmanuel, em inglês, e escrita de trás para a frente, em papel timbrado da entidade, previamente rubricado com duas assinaturas. A plateia só faltou aplaudir de pé e pedir bis. Após a exibição, foi convidado para um jantar na casa de uma *socialite* espírita.

A dona da casa tinha ímpetos de colocar o "embaixador" dos mortos numa de suas baixelas de prata. Diante dos talheres reluzentes e dos figurinos de gala, o rapaz enrubescia, engasgava. Nunca tinha visto tanta comida junta. Nem sabia por onde começar. Estava paralisado.

De repente, saltou em direção à porta da cozinha e arrancou das mãos de uma jovem uma travessa repleta de arroz. A anfitriã chegou a tempo de evitar o pior. O rapaz estava contrariado.

— A coitadinha é tão frágil. E nós aqui, à toa, vendo-a fazer tudo sozinha.

Foi difícil convencer o matuto de que a coitada era empregada da casa e recebia um salário por aquele serviço. Só após certa disputa pela posse da bandeja, Chico se conformou e foi à mesa se servir.

A dona da casa fez questão de acompanhar o *tour* do pobrezinho em torno do bufê.

— Isto é gostoso, meu filho. Coma, coma, coma um pouco mais.

Com medo de fazer desfeita, o coitado engolia a miscelânea de carnes, massas e saladas. Sempre que levava à boca os últimos vestígios de comida, escutava a voz estridente ao seu lado:

— Coma um pouco mais. O que é isso? Tão pouco...

O prato se esvaziava e logo se enchia de novo. Chico sorria, agradecia, afrouxava o cinto, desabotoava o colarinho, respirava fundo. Quando chegou a sobremesa, sentiu vontade de chorar. A anfitriã cobriu seu prato de doces. Ele comeu. Ao sair, amparado por amigos, escutou o comentário sussurrado pela dona da casa a uma amiga:

— Esse Chico é formidável, mas, puxa, como come...

Chico engoliria muito sapo até aprender a dizer "não".

O aprendizado foi indigesto.

Chico trabalhava como um obcecado e queria mais. Além dos poemas e crônicas, sonhava escrever romances do outro mundo como a médium Zilda Gama. Ele se colocou à disposição de Emmanuel, mas foi desestimulado por ele. O trabalho exigia serenidade e Chico estava longe da tranquilidade, sempre às voltas com os catorze irmãos. O pai desaparecia por algum tempo e a casa ficava por sua conta.

Só dois anos mais tarde, no final de 1938, após assumir com Emmanuel o compromisso de se acalmar, ele começou a preencher as páginas em branco com "lembranças" de 2 mil anos atrás. A primeira cena o pegou de surpresa: dois romanos envoltos em suas túnicas trocavam ideias no jardim, refestelados em longos sofás, quando um temporal desabou. As imagens e sons eram nítidos demais. Chico se sentiu como se estivesse no cinema, ao mesmo tempo como espectador e ator de um filme, dentro e fora da tela. Parou de escrever. E ouviu a explicação de Emmanuel, o autor do romance:

— Você está sob certa hipnose. Você está vendo o que eu estou pensando. Mas não sabe o que eu estou escrevendo.

Chico acompanhou a história como um telespectador diante de novelas. Chegou a torcer por certos personagens. Um deles era o próprio Emmanuel numa de suas vidas pregressas. Na encarnação nada evangélica. Na época de Cristo, ele teria sido não um apóstolo, mas um senador romano orgulhoso chamado Publius Lentulus.

Em 1939, o crítico literário mais rigoroso da época, Agripino Grieco, católico convicto, decidiu conhecer de perto o fenômeno de Pedro Leopoldo. O autor do livro *Francisco de Assis e a poesia cristã* fez o sinal da cruz e foi até um centro kardecista em Belo Horizonte, onde o moço exibiria seus dotes. Chico tinha acabado de lançar um livro com textos de Humberto de Campos (espírito), *Crônicas de além-túmulo* — o quarto da série de trinta títulos —, e Agripino, ex-colega do jornalista e escritor, queria checar a honestidade do mineiro que tinha a petulância de se apresentar como representante do morto.

O salão estava lotado. Os auxiliares de Chico, avisados da presença de crítico tão ilustre, providenciaram uma cadeira para ele ao lado do matuto. O recém-chegado enterrou os olhos no rapaz e registrou, em silêncio, as primeiras impressões: "Um mestiço magro, meão de altura, com os cabelos bastante crespos e uma ligeira mancha esbranquiçada num dos olhos". Em seguida, rubricou, a pedido do orientador da sessão, vinte folhas de papel em branco, destinadas aos garranchos de Chico Xavier. As rubricas afastariam a suspeita de substituição do texto.

Segundos depois, o rapaz fechou os olhos e o lápis disparou sobre a papelada em velocidade impressionante. Primeiro, apareceu um soneto assinado por Augusto dos Anjos. Depois, foi a vez de uma crônica assinada por Humberto de Campos.

O crítico ficou perplexo. Em entrevista ao jornal *Diário da Tarde*, em 31 de julho, confessou: "Tendo lido as paródias de Paul Reboux e Charles Muller, julgo ser difícil levar tão longe a técnica do pastiche. De qualquer modo, o assunto exige estudos mais detalhados, a que não me posso dar agora...".

Cinco dias depois, falou ao *Diário Mercantil* sobre a "profunda emoção" de reencontrar as ideias e estilos do amigo Humberto de Campos. Ainda estava confuso: "Pastiche? Mistificação? Imitação? Não nos reportemos somente a isso. O que não me deixou dúvidas, sob o ponto de vista literário, foi a constatação fácil da linguagem inconfundível de Humberto na página que li...".

No dia 21 de setembro, Agripino dava sinais de perplexidade crônica em entrevista ao *Diário da Noite*:

> *Francisco Cândido Xavier compôs o texto com uma agilidade que não teria o mais desenvolto dos escreventes de cartório. Fiquei naturalmente aturdido. Depois disso, já muitos dias decorreram e não sei como elucidar o caso. Fenômeno nervoso? Intervenção extra-humana? Faltam-me estudos especializados para concluir.*

No fim do ano, cientistas russos se candidataram a estudar o fenômeno mineiro. Fizeram uma proposta a Chico: ele se submeteria a seis meses de testes em Moscou e receberia em troca trezentos contos de réis.

O jovem ficou tentado. O dinheiro era suficiente para construir cinquenta casas populares. Uma fortuna para quem ainda estava às voltas com a primeira das oito prestações de um novo chapéu.

Emmanuel entrou em cena e quebrou as ilusões do candidato a cobaia:

— Se quiser, pode ir. Eu fico.

Chico precisava ter cuidado. A tal "harpa melodiosa" citada por sua mãe poderia enferrujar se ele cedesse à ambição ou ao orgulho. Para evitar o perigo, começou a castigar o próprio ego com golpes diários e contundentes. A autoflagelação partia de um pressuposto simples: ele não era nada, os benfeitores espirituais eram tudo e um pouco mais.

O segredo do sucesso: abrir mão de si mesmo. "Aquele que quiser ser o maior que se faça o servidor de todos", lia no Evangelho. E acatava.

Em sua campanha antivaidade, Chico criou, ao longo da vida, alguns *slogans* para se defender dos elogios. "Sou apenas Cisco Xavier" era um deles. Ele fazia questão de proclamar a própria "absoluta insignificância". Afinal de contas, era um "servidor quase inútil da doutrina espírita", "o mais pequenino de todos", "um nada", "mais imperfeito que os outros". A lista de metáforas autodepreciativas cresceria a cada ano. Chico se apresentaria como um graveto que se confunde com o pó, um animal em serviço, uma besta encarregada de transportar documentos dos espíritos, uma tomada entre dois mundos. Nenhuma das frases de efeito afastava os devotos e os bajuladores.

Um dia, diante de uma mulher quase de joelhos a seus pés, ele apelou:

— Não me elogie assim. É desconcertante. Não passo de um verme no mundo.

No mesmo instante, ouviu a voz de Emmanuel:

— Não insulte o verme. Ele funciona, ativo, na transmutação dos detritos da terra, com extrema fidelidade ao papel de humilde e valioso servidor da natureza. Ainda nos falta muito para sermos fiéis a Deus em nossa missão.

Daí em diante, Chico preferiu se definir, de vez em quando, como subverme.

Para os admiradores, tanta humildade era mais uma prova de santidade. Para os adversários, era pura demagogia, vaidade. Chico lutava para ser "o servidor de todos", ou seja, "o maior".

Um dia, o rapaz se empolgou e apostou nos elogios feitos a ele. Uma carta enviada de um centro espírita de Belo Horizonte definia sua presença numa sessão como "indispensável". Chico pediu a Rômulo Joviano dois dias de licença na Fazenda Modelo e embarcou no trem rumo à capital mineira. No vagão, foi surpreendido pela aparição de Emmanuel:

— Então, você se julga indispensável e, por isso, rompeu todos os obstáculos para viajar como quem realiza uma tarefa fundamental? Já refletiu que o serviço do ganha-pão é indispensável a você?

Chico desceu do trem e tomou outro de volta. Até se aposentar, não faltaria a um dia de trabalho.

Os problemas se sucediam em Pedro Leopoldo. O número de pessoas à procura de Chico Xavier aumentava e muitas delas já iam até a Fazenda Modelo pedir socorro. Rômulo Joviano começou a se irritar. Era preciso encerrar aquela romaria no horário do expediente. Numa tarde, uma mulher desesperada chegou ao escritório e foi barrada pelo patrão de Chico no meio do caminho. Para despachar a visita, ele garantiu que seu empregado estava em casa. A mulher foi até lá e recebeu a informação verdadeira: Chico estava no emprego. Irritada, ela voltou à Fazenda e ouviu outra mentira: o datilógrafo tinha saído a serviço. Após resmungar um palavrão, desapareceu batendo os saltos no chão.

À noite, foi a primeira a entrar no Centro Luiz Gonzaga. Nem pensou duas vezes. Avançou contra Chico Xavier e encheu seu rosto de bofetões. Com a voz e as mãos trêmulas, berrou:

— Está pensando que tenho tempo para andar atrás de você para cima e para baixo? Vá já para aquela sala. Você vai me dar um passe agora, cachorro.

Chico ficou paralisado. Não conseguiria ajudar ninguém. Precisava estar calmo para transmitir energia positiva. Emmanuel apareceu com mais um conselho:

— Converse com ela, mostre compreensão.

Ainda com o rosto ardendo, ele tomou fôlego e começou a se desculpar:

— A senhora me perdoe por ser uma pessoa tão ocupada. Não pude atendê-la em meu emprego porque meu chefe não permite. A senhora compreende. Estou ali para servir à empresa que me paga. Não posso ser demitido porque tenho irmãos para ajudar.

A mulher começou a chorar, Chico voltou ao normal e obedeceu à ordem. Quando ela virou as costas, ele perguntou ao seu companheiro invisível se não teve razão de ficar irritado.

— Você está com a razão, mas ela está com a necessidade.

Para se acalmar, se lembrou de um dos mandamentos ouvidos de Emmanuel:

— Sua missão é formar livros e leitores. Formar leitores é suportar suas exigências, sem censuras. Formar livros é se esquecer de você.

No dia seguinte, quando chegou à Fazenda Modelo, Chico foi recebido pelos olhares inquisidores de Rômulo Joviano. Que inchaço era aquele no rosto do funcionário? Chico disfarçou:

— Bati na porta.

E preferiu o silêncio quando o patrão retrucou:

— Dos dois lados?

Para evitar cenas como essa, José Xavier decidiu ajudar o irmão. Os visitantes poderiam ser encaminhados à sapataria onde ele trabalhava. Conversaria com todos até a hora em que Chico saísse do serviço para atendê-los. Alguns doentes chegavam amarrados, arrastados pela família, para serem submetidos às sessões de desobsessão promovidas por Chico. José atendia aos desesperados com educação e paciência.

Numa noite, Chico foi chamado às pressas pela família. José tinha desmaiado e estava mal. Quando chegou à casa do irmão, o médico lhe deu uma esperança:

— José vai voltar.

A alegria durou segundos. Logo, ele ouviu um desconsolo de Emmanuel:

— Ele vai voltar, mas não vai reconhecer ninguém. Consta de suas provas cármicas que ele deve ficar onze anos num hospício.

Algumas horas se passaram e Chico viu, em volta da cama do irmão, um círculo de espíritos. Era uma assembleia. A explicação veio do amigo invisível:

— José conversou com tantos obsediados estes anos todos... Vamos pedir ao Senhor que sua dedicação seja levada em consideração e, em vez de ficar todos esses anos alienado, ele desencarne já.

Minutos depois, Chico foi surpreendido por outra visão: José se desprendeu do próprio corpo e, como uma cópia de si mesmo, se levantou e sumiu.

O velório foi constrangedor. João Cândido Xavier estava inconformado. Encarava as pessoas, muitas delas em busca das receitas de Chico, e gritava:

— Vieram aqui para se curar? Vocês não enxergam? Ele não cura ninguém. Não curou nem o próprio irmão. Voltem para casa. Deixem de ser idiotas.

João Cândido não entendia, por exemplo, por que o tal dr. Bezerra de Menezes não curava de uma vez a catarata no olho esquerdo do filho. As dores aumentavam, Chico sofria, corria o risco de ficar cego. Onde estavam os milagres? Por que os espíritos viravam as costas para quem os ajudava todos os dias? Era ingratidão demais.

Numa noite, se contorcendo de dor, o próprio Chico tomou coragem e pediu socorro a Emmanuel. Não aguentava mais aquela agonia na vista. Se fosse saudável, poderia aumentar a produção de livros. Ouviu mais uma resposta dura.

— Sua condição não exonera você da necessidade de lutar e sofrer, em seu próprio benefício, como acontece às outras criaturas. Se nem Cristo teve privilégios, por que você os teria?

Chico devia carregar suas cruzes sem resmungos, como um dublê de Jesus.

Seu olho às vezes sangrava. Durante uma das crises, ele ficou dois dias em casa deitado no fim de semana. Teve o repouso interrompido pela aparição de Emmanuel.

— Por que você está aí parado?

— O senhor não vê que meu olho está doente?

— E o que o outro está fazendo? Ter dois olhos é um luxo.

Em pouco tempo, Chico definiria a "enfermidade" como a "melhor enfermeira", agradeceria a Deus por suas dores e abençoaria o sofrimento como forma de evolução, uma maneira de resgatar dívidas de encarnações anteriores e de compensar escorregões da temporada atual. Difícil era se conformar com a falta de apoio de Emmanuel em momentos críticos. Em 1940, ele enfrentou outra prova médica. De repente, deixou de urinar. A bexiga inchou e o doente, como simples mortal, procurou um médico em vez de recorrer aos céus. O diagnóstico não foi nada animador. Se a retenção urinária se prolongasse por mais 24 horas, o ataque de uremia seria inevitável e fatal.

Diante da perspectiva da morte, Chico pediu ajuda a Emmanuel. Dessa vez, nem insinuou um pedido de cura. Queria apenas ser recebido por ele no "outro mundo".

Nada feito. Emmanuel tinha mais o que fazer.

— Estarei ocupado. Mas se você sentir que a hora chegou, recorra aos amigos do Luiz Gonzaga e, depois, não se descuide das sessões de quarta-feira [dedicadas aos espíritos sofredores]. Espere pacientemente a sua vez de ser atendido. Você não é melhor do que os outros.

Chico se livrou da retenção urinária e, aliviado, se animou até a criar uma letra para a marcha composta por seu companheiro de trabalho, Oswaldo Gonçalo do Carmo, autor do hino de Pedro Leopoldo. Escreveu *Nossa festa* e, para evitar o assédio da crítica, atribuiu os versos a uma amiga dos dois, Maria Geralda Carrusca, a Zinha, que tinha ajudado em algumas rimas. Nem sinal de Augusto dos Anjos no poema.

Muita música, maestro
No programa colossal
Todo Sete de Setembro
É nossa data ideal
Cantemos a nossa festa que alegria não faz mal
Pandeiros e tamborins
Cantemos de coração
É mais um ano que passa
De harmonia e vibração
Marchas, sambas, rumbas, foxes
Nossa gente é do barulho
Cantemos a noite inteira
Nosso jazz é nosso orgulho.

Chico tinha pouco tempo para estripulias profanas. Carregava um vulcão na cabeça. As erupções, incessantes, geravam bateladas de livros. Em 1940, ele lançou três novos títulos — ainda faltavam dezenove para ele atingir a cota de trinta combinada com Emmanuel. Mas os romances e poemas do além causavam menos impacto do que os textos que ele começava a escrever em sessões realizadas entre amigos espíritas: os recados enviados do céu por parentes mortos a suas famílias.

Naquele ano, Chico colocou no papel uma carta assinada por um garoto de onze anos, Sílvio Lessa, destinada a seu pai, Amaro. O menino tinha morrido e mandava lembranças do outro mundo. Estava feliz. Sua morte foi útil. Graças ao sofrimento provocado por ela, seu pai se aproximou do espiritismo e passou a ajudar crianças pobres. Sílvio estimulava a caridade paterna no texto escrito por Chico: "Quando for em auxílio dos pequeninos desfavorecidos pelo mundo, o seu coração há de me ver no sorriso de todas as crianças a quem estimar como seus próprios filhos...".

Para os críticos distanciados, o texto pecava por pieguice. Para a família, as frases provavam a sobrevivência do morto e davam novo sentido à vida.

O pai apostou em cada palavra da carta:

— Ela é absolutamente autêntica. Sílvio tocou em pontos absolutamente desconhecidos, mesmo de muitas pessoas de nossa família, cuja realidade é indiscutível.

Em sua carta, o garoto contava uma parábola indiana ouvida no colégio. A história era exemplar: um camponês tentava atravessar um rio com uma vaca e um bezerrinho. Mas a vaca se recusava a fazer a travessia. Ele empurrava, puxava, chicoteava o animal, mas nada. Exausto, após várias tentativas frustradas de mover o bicho, ele segurou o bezerro nos braços e atravessou o ribeirão. Para alcançar o filhote, a vaca finalmente se mexeu e passou de uma margem à outra.

A parábola guardava uma lição dolorosa: o afastamento, ou melhor, a morte de um filho, serviria, muitas vezes, para levar a pessoa ao outro lado da vida. Ao espiritismo, por exemplo. As chamadas "mensagens particulares" ainda eram raras. Só a partir de 1967, após completar quarenta anos de contatos com o além, Chico receberia em sessões públicas, todas as semanas e em série, os recados de mortos para a família. Muitos céticos seriam convertidos.

As sessões com a presença do dr. Bezerra de Menezes e os recados do outro mundo serviam à divulgação do espiritismo. As pessoas chegavam em Pedro Leopoldo em busca de ajuda médica, de conselhos espirituais ou de textos do além e voltavam para casa com livros embaixo do braço. De autógrafo em autógrafo, Chico difundia as lições de Allan Kardec, defendia a vida após a morte, consolava. Mas às vezes ficava inconsolável.

Em 1941, a viúva de José Cândido Xavier, Geni Pena, enlouqueceu. As rezas, os passes, as sessões de leitura do Evangelho no Centro Luiz Gonzaga foram inúteis. Chico teve de internar a cunhada num hospício em Belo Horizonte. Arrasado, ele acompanhou a doente até o quarto, ficou ao seu lado algumas horas e voltou para casa à noite. Estava arrasado. O filho caçula da moça, paralítico, chorava na cama, sozinho.

Chico se ajoelhou e começou a rezar. As lágrimas corriam, ele se lembrava do irmão, se sentia culpado, impotente.

De repente, Emmanuel entrou em cena, incomodado com a choradeira:

— Por que você chora?

Chico contou o drama da cunhada, lamentou a situação do sobrinho e foi interrompido por um sermão do recém-chegado:

— Não. Você está chorando por seu orgulho ferido. Você aqui tem sido instrumento para cura de alguns casos de obsessão, para a melhoria de muitos desequilibrados. Quando aprouve ao Senhor que a provação viesse para debaixo de seu teto, você está com o coração ferido, porque foi obrigado a recorrer à assistência médica, o que, aliás, é muito natural. Uma casa de saúde mental, um hospício, é uma casa de Deus.

Chico ouviu as críticas em silêncio, mas, entre um soluço e outro, pediu a recuperação da cunhada o mais rápido possível. O discurso se estendeu:

— Imaginemos a Terra como sendo o Palácio da Justiça, e a mulher de José como sendo uma pessoa incursa em determinada sentença da justiça. Eu sou o advogado dela e você é serventuário do Palácio da Justiça. Nós estamos aqui para rasgar ou para cumprir o processo?

— Para cumprir — respondeu Chico e, ainda aos prantos, insistiu: — O senhor tem que saber que ela é minha irmã também.

Emmanuel perdeu a paciência de vez:

— Eu me admiro muito, porque, antes dela, você tinha lá dentro, naquela casa de saúde, trezentas irmãs e nunca vi você ir lá chorar por nenhuma. A dor Xavier não é maior do que a dor Almeida, do que a dor Pires, do que a dor Soares, a dor de toda a família que tem um doente. Se você quer mesmo seguir a doutrina que professa, em vez de chorar por sua cunhada, tome o seu lugar ao lado da criança que está doente, precisando de calor humano. Substitua nossa irmã e exerça, assim, a fraternidade.

Chico engoliu o choro, enxugou o rosto e abraçou o sobrinho.

Com os braços e pernas atrofiados, a expressão atormentada, o filho de Geni Pena, Emmanuel Luiz, era o retrato do sofrimento. Revirava-se na cama, contorcia-se em convulsões, sacudia-se em crises de choro. Um amigo de Chico ficou impressionado com o estado da criança. Como Deus, tão onipotente, admitia tanta dor?

A resposta veio de acordo com a lógica espírita: você colhe o que planta. Cada um volta à Terra com as sequelas provocadas por si mesmo em vidas anteriores. Deus não tinha nada a ver com as tragédias alheias. Cada um é responsável pelo próprio céu ou inferno. Emmanuel repetiria a Chico várias vezes:

— O ontem fala mais alto do que podemos admitir no tempo que chamamos hoje.

Na roda-viva das reencarnações, tragédias se sucediam. Chico fazia incursões pelo mundo-cão. De vez em quando, visitava um jovem deformado num barraco à beira de um matagal. Paralítico, ausente, ele vegetava sobre a cama. Sua mãe, doente, já não tinha forças para cuidar dele. O protegido de Emmanuel arregaçava as mangas, ajudava a dar banho no rapaz e a alimentá-lo. Um médico, diante de quadro tão desolador, chegou a sugerir a eutanásia.

Chico mudou de assunto e deu uma explicação estranha para tanto sofrimento. Em sua última temporada no planeta, o infeliz tinha sido responsável pela tortura e morte de uma multidão de inocentes. Sua herança: uma legião de inimigos raivosos, loucos por vingança. Quando ele morreu, suas vítimas o agarraram e o torturaram de todas as maneiras durante vários anos. O corpo disforme e mutilado representava um abrigo contra os inimigos do outro mundo.

Enquanto ele dormia, seu espírito se desprendia do corpo, saía mundo afora e era atacado pelos adversários. Aterrorizado, em pânico, ele voltava para a tranquilidade de seu organismo destroçado e se refugiava ali, entre os próprios escombros. A deformidade funcionava como esconderijo. A debilidade servia como fortaleza.

Chico deixava os amigos boquiabertos com histórias como esta. Para muitos, o autor do *Parnaso de além-túmulo* tinha acesso a dados privilegiados sobre as vidas passadas de cada um. Mas o vidente evitava desperdiçar revelações. Só abria exceções em casos críticos. Como o da mãe desesperada no Centro Luiz Gonzaga, com restos do filho no colo:

— Meu filho nasceu surdo, mudo, cego e sem os dois braços. Agora está com uma doença nas pernas e os médicos querem amputar as duas para salvar a vida dele.

Chico pensava numa resposta, quando ouviu o vozeirão de Emmanuel:

— Explique à nossa irmã que este nosso irmão em seus braços suicidou-se nas dez últimas encarnações e pediu, antes de nascer, que lhe fossem retiradas todas as possibilidades de se matar novamente. Agora que está aproximadamente com cinco anos, procura um rio, um precipício para se atirar. Avise que os médicos estão com a razão. As duas pernas dele serão amputadas, em seu próprio benefício.

A lei de causa e efeito é implacável no espiritismo.

Que o diga Emmanuel. Quem leu o livro *Há dois mil anos* — ditado a Chico por seu tutor invisível oito anos após o primeiro encontro dos dois — levou um susto. O conselheiro do rapaz estava longe de ser santo. Na pele do prepotente senador Publius Lentulus, ele teve um único contato com Jesus. Numa noite, protegido pela escuridão, abriu mão de seu orgulho e correu até as margens do lago Tiberíades para pedir socorro a Cristo. Sua filha, Flávia, sofria com lepra e corria risco de vida.

Jesus atendeu ao pedido, curou a menina e convidou Publius a segui-lo. O pai de Flávia agradeceu o convite, virou as costas e saiu de fininho. Anos depois, abandonou a esposa, Lívia, por suspeitar de sua infidelidade. Cristã, a mulher terminou devorada pelos leões no Circo Máximo, diante dos braços cruzados do ex-marido. Resultado: Publius se deu mal cinquenta anos mais tarde. Voltou à Terra como o escravo Nestório e terminou seus dias entre os dentes e garras dos leões.

Chico Xavier só conheceria o capítulo mais edificante da biografia de seu mestre em 1949. Emmanuel exibia no currículo uma identidade bem mais honrosa: a do padre Manuel da Nóbrega. Ao lado de José de Anchieta, ele teria desembarcado no Brasil no século XVI para implantar o cristianismo no país. Com algum atraso, começou a pagar sua dívida com Jesus.

Poucos sabiam, mas Chico se sentia ainda mais endividado do que Emmanuel. Naquela história de 2 mil anos atrás, ele teria sido Flávia, a leprosa curada por Cristo, a filha de Emmanuel.

O mundo das reencarnações não tem fim nem começo. Alguns espíritas insistem em descobrir quem teriam sido em séculos passados. Chico sempre tentou escapar das especulações com bom humor.

Uma vez, uma senhora chegou perto dele feliz da vida.

Tinha feito uma descoberta.

— Fui mártir. Morri na arena devorada por um leão. E você, Chico?

— Ah, eu fui a pulga do leão.

Ficava cansado daqueles tantos heróis à sua volta. De vez em quando, um amigo abria um sorriso e se apresentava a ele, orgulhoso, como um ex-Napoleão, um ex-rei, um ex-apóstolo. Ninguém enchia a boca para dizer: "Fui um perdedor". Todos tinham histórias edificantes para contar.

Chico ouvia as revelações grandiloquentes e, às vezes, não resistia a uma ironia:

— Eu, aqui, no meio destas cabeças coroadas, com a cabeça decepada.

Ficou feliz da vida quando um vizinho comunicou:

— Lá em casa há mais uma criadinha às ordens. Nasceu uma menina e dizem que é o espírito de uma índia que reencarnou.

Chico quase bateu palmas:

— Graças a Deus. Até que enfim nasceu uma índia.

Só sentia vontade de vaiar quando alguém especulava sobre as vidas passadas dele. Certo, ele teria sido Flávia mesmo. E daí? Qual a importância disso? O tema, para ele, era pura perda de tempo. Cada um deveria se preocupar com esta vida.

Chico precisava trabalhar. E trabalhava muito para cumprir o combinado com Emmanuel. Em 1941, colocou no papel uma de suas obras preferidas, *Paulo e Estevão*, ditada por seu guia. Durante oito meses, ele se trancou no porão da casa do patrão Rômulo Joviano, na Fazenda Modelo, após o expediente. Todas as noites, das 17h15 à 1h, desfilaram, diante de seus olhos, numa tela imaginária, cenas de 2 mil anos atrás, sequências da vida dos apóstolos de Cristo, imagens de Roma antiga.

O trabalho era pesado. Chico preenchia as páginas em branco com textos assinados por seu guia, passava a limpo os originais, datilografava tudo na máquina emprestada pelo patrão e apagava o que tinha escrito a lápis para reaproveitar o papel. O salário continuava curto.

A mulher de Rômulo, Wanda Joviano, mandava uma empregada lhe servir um lanche e escalava um funcionário para deixar o rapaz em casa de charrete. Havia apenas uma condição: ele deveria estar de volta, pontualmente, às 7h30 no dia seguinte.

Enquanto escrevia *Paulo e Estevão*, Chico teve um companheiro constante e compenetrado: um sapo enorme. No início, o rapaz olhou desconfiado para o bicho. Emmanuel acalmou o protegido. O animal também era filho de Deus, uma forma de transição. Chico se acostumou com o espectador, embora o achasse estranho.

Todas as tardes, o bicho o esperava na entrada do porão, acompanhava-o até a mesa e ficava quieto num canto. Quando o escritor saía, ele saía junto e sumia no mato. No dia seguinte, estava lá, a postos, pronto para outra. Chico teve crises de choro durante os oito meses de trabalho. Quando pingou o ponto-final na obra, viu um espírito desmontar uma espécie de painel, que transformava aquele cômodo numa cabine isolada do mundo. Começou a sentir saudades dos personagens do livro, saudades da viagem no tempo, gratidão a Emmanuel. Precisava agradecer.

Correu os olhos pelo quarto subterrâneo e deparou com o sapo. Tudo resolvido. Encarou o animal e garantiu:

— Irmão sapo, a graça divina há também de brilhar para você.

Daquele dia em diante o bicho sumiu. A Roma antiga também, mas outras imagens nítidas entraram em cartaz no cinema particular do ex--matuto de Pedro Leopoldo. Algumas sequências eram assustadoras. Assombrações o ameaçavam de morte, espíritos encapuzados invadiam seu quarto, visitas com pés caprinos chegavam à beira da cama dele. Nem sempre seu guia estava por perto.

Numa das "tardes de folga" de Emmanuel, Chico escrevia um relatório na Fazenda Modelo quando, de repente, seu rosto ficou branco, quase transparente, e se contraiu. O datilógrafo deixou escapar um gemido enquanto lançava a mão sobre o ombro. Parecia infartado. O colega de repartição correu em busca de ajuda e, quando voltou, com um veterinário a tiracolo, encontrou a vítima já recuperada. Quis saber o que houve e escutou uma história mirabolante.

Há dias, dois espíritos ameaçavam matar o autor de *Paulo e Estevão*. Naquela tarde, eles apareceram de supetão. Um deles sacou um revólver e, sem dizer uma só palavra, apertou o gatilho. Ao ouvir o estampido, Chico saltou para o lado, mas não foi ágil o suficiente para impedir que a bala atingisse seu ombro de raspão. Ninguém viu nem ouviu nada e Chico ficou oito dias seguidos com o ombro dolorido.

De vez em quando, o espírita surpreendia os amigos mais íntimos com revelações espantosas. Numa noite, uma jovem aproximou-se dele no Centro Luiz Gonzaga e reclamou de uma dor de cabeça insuportável. Chico pediu para ela acompanhar a leitura do Evangelho. Foi tiro e queda. A moça ficou boa. A cura repentina recebeu uma explicação surpreendente. A tal mulher havia tido uma discussão violenta com o marido e quase foi agredida por ele com uma bofetada. O golpe foi evitado, mas o marido a atingiu "vibracionalmente", provocando uma concentração de fluidos negativos que invadiram seu aparelho auditivo, causando a enxaqueca. Logo que a reunião começou, dr. Bezerra colocou a mão sobre a cabeça dela e Chico viu sair de dentro de seu ouvido um cordão fluídico escuro, negro, responsável pela dor.

O protegido de Emmanuel tinha os poderes cada vez mais afiados. Em 1943, começou a colocar no papel seu *best-seller*, *Nosso Lar*, assinado por um tal de André Luiz. O texto pegou o mineiro de surpresa. Era diferente de tudo o que ele já tinha escrito.

Descrevia o cotidiano numa cidade espiritual próxima à Terra, uma zona de transição fundada por portugueses em algum ponto do espaço, mais perto do Sol do que da Terra, no século XVI. Era para ali, ou para comunidades parecidas com aquela, que muita gente ia após a morte. Nada de céu, de inferno, de purgatório. A população, formada por cerca de 1 milhão de habitantes, vivia às voltas com uma burocracia tão intrincada quanto a terráquea. Os moradores do Nosso Lar se submetiam a regras ditadas por instâncias como a Governadoria Geral, o Ministério da Regeneração, o Ministério do Esclarecimento e o Ministério da Elevação. Mas nem tudo era tédio.

O meio de transporte, por exemplo, era bem divertido: um *aerobus* — carro comprido suspenso a cinco metros de altura que parecia ligado a fios invisíveis. Entre os animais à solta na cidade estavam as aves *ibis viajores*, capazes de devorar as formas mentais odiosas e perversas e de enfrentar, assim, as trevas do Umbral.

O moço de Pedro Leopoldo, acostumado com carroças, charretes e bois, parecia ter se transformado, de repente, em autor de ficção científica.

A trama renderia um bom videogame. Para vencer, basta seguir as instruções: o segredo de sucesso nesta zona de transição é faturar os "bônus-trabalho". Quem quiser alcançar níveis superiores de evolução ou se candidatar a uma nova encarnação deve superar os obstáculos. O principal deles é a preguiça. Uma dica é cumprir a cota mínima diária de oito horas de serviço útil. Os mais empenhados podem fazer quatro horas de serão, no máximo. O esforço vale a pena. Quem acumula tempo de trabalho dedicado à assistência aos outros recebe provisões extras de pão e de roupa e ganha certas prerrogativas, como visitas a amigos e parentes também mortos, acesso a locais de lazer e a palestras nas escolas dos ministérios. Mas todo cuidado é pouco.

O Nosso Lar está longe de ser o céu, e o governador geral, longe de ser um anjo. A cidade já enfrentou conflitos nada celestiais. Um dia, habitantes recém-chegados da Terra se rebelaram contra a escassez de comida e começaram a exigir provisões mais fartas de pão e mais criatividade nas receitas. O clima ficou tenso, a população dividiu-se e abriu espaço para o assédio de multidões de regiões inferiores. Legiões vindas do Umbral aproveitaram brechas nos serviços de Regeneração para invadir a cidade. Resultado: o governador mandou ligar as baterias elétricas das muralhas da cidade, destinadas à emissão de dardos magnéticos, isolou os rebeldes recalcitrantes em calabouços da Regeneração, fechou provisoriamente o Ministério da Comunicação e proibiu temporariamente os auxílios às regiões inferiores. Por mais de seis meses, os serviços de alimentação foram reduzidos à inalação de princípios vitais da atmosfera, através da respiração, e a água misturada a elementos solares, elétricos e magnéticos.

O livro foi um marco para o espiritismo. Ele convenceu muita gente da necessidade de trabalhar, e muito, em favor dos necessitados. Quem se dedicasse à caridade evoluiria mais depressa. Quem ajudasse o outro se ajudaria. A generosidade poderia soar, às vezes, como egoísmo. Mas o discurso deu bons resultados, estimulou o auxílio aos pobres.

Chico Xavier suou para traduzir aquelas lições do outro mundo. Escutava as frases e titubeava com o lápis na mão, perplexo diante do mundo novo. Numa das noites de trabalho, em julho, ele se sentiu fora do corpo e, durante duas horas, ao lado de André Luiz e de Emmanuel, visitou uma faixa suburbana da cidade descrita por ele. Para Chico, a tal viagem, uma das maiores surpresas de sua vida, não ocorreu por merecimento, mas por necessidade: só assim ele conseguiria passar para o papel, sem trair a "realidade", o clima descrito pelo espírito.

O psiquiatra Alberto Lyra arriscou um diagnóstico para casos como esse narrados por Chico Xavier. Em depoimento à revista *Realidade*, afirmou, já em 1971: "Uma pessoa, contando repetidas vezes um episódio e obtendo para ele o consenso de seu meio, acaba acreditando que ele é de fato verdadeiro, e nunca mais duvidará de que assim seja".

Alguns parapsicólogos, como o padre Quevedo, defenderiam a tese de "auto-hipnose", capaz de levar Chico ao próprio subconsciente. Diante dos céticos, o rapaz tentaria manter uma postura: a de respeito. "Ninguém é obrigado a acreditar nos fenômenos", diria aos espíritas indignados com a descrença alheia.

No início, diante das primeiras críticas, ele ficava irritado. Emmanuel deu um jeito nele com algumas frases contundentes:

— Seu ressentimento é pura vaidade. Você não pode exigir que os outros acreditem naquilo em que você acredita. Ninguém precisa seguir a sua cartilha.

Logo após escrever *Nosso Lar*, seu décimo nono livro, o próprio Chico quis estudar Psicografia. Pediu a opinião de Emmanuel e foi atendido com uma metáfora bucólica:

— Se a laranjeira quisesse estudar o que se passa com ela na produção das laranjas, com certeza não produziria fruto algum. Vamos trabalhar como se amanhã já não fosse possível fazer nada. Para nós, o que interessa agora é trabalhar.

Chico trabalhava como um louco. Se estivesse no tal Nosso Lar, teria acumulado bateladas de bônus. O trabalho, para ele, era uma obsessão e uma terapia. Bastava acordar de suas três ou quatro horas de sono diário, quase sempre turbulento, para ser surpreendido por frases e mais frases. Era incontrolável, compulsivo. Com a cabeça cheia, saltava até a escrivaninha, esparramava parágrafos às pressas no papel e corria para a Fazenda Modelo. À noite, ia para o Centro. Não podia perder tempo.

Depois do almoço, costumava passar vinte minutos à toa, à espera da charrete que o levaria de volta à Fazenda Modelo. O charreteiro sempre se atrasava. Numa tarde, ouviu a voz do poeta Casimiro Cunha, morto em 1914. Ele estava disposto a ditar um livro por dia ao datilógrafo nesses intervalos. Chico engolia a comida, corria para o quarto, se debruçava sobre as páginas em branco. Sua irmã fazia discursos sobre os malefícios de ler e escrever após comer e ele colocava no papel seu décimo oitavo livro.

Cabeça vazia, oficina do diabo. Ele apostava no ditado. E, muitas vezes, receitava o trabalho como cura para a ansiedade, anestesia para a solidão, antídoto contra os obsessores e até como forma de adiar a morte.

— O trabalho engrossa o fio da vida — repetiria. O trabalho em favor dos outros era um remédio quase milagroso.

— Quem alivia é aliviado.

Ele estava sempre às voltas com metáforas ouvidas de Emmanuel. As frases de efeito estimulavam o rapaz a dispensar folgas e feriados. Uma delas comparava o médium a um campo de pouso, o espírito a um avião e ensinava:

— Se a pista não estiver cuidadosamente preparada, a máquina não consegue se ajustar ao pouso necessário.

De vez em quando, Chico ouvia o vozeirão de Emmanuel em seus ouvidos:

— Nada se pode fazer de nada.

Chico nunca usou relógio, para evitar o hábito de medir o tempo de trabalho, e sempre se sentiu culpado ao desperdiçar as horas.

Seu protetor fazia questão de repetir:

— Vamos trabalhar como se amanhã já não fosse possível fazer nada.

Emmanuel era implacável. Numa noite, ou melhor, já à 1h da madrugada, Chico voltava exausto de mais uma sessão no Centro Luiz Gonzaga quando abriu a porta de casa e deu de cara com uma cena nada agradável. Os dois gatos tinham sofrido uma indigestão. A sala parecia um chiqueiro. O mau cheiro estava insuportável. Chico sacudiu os ombros. Pediria a uma das irmãs que fizesse a limpeza na manhã seguinte.

Quando estava a caminho do quarto, escutou a voz do guia:

— Você, que vem de uma reunião espírita, está fugindo da sua obrigação? Está exigindo que uma pobre menina, cansada de trabalhar nas panelas e no tanque para que não lhe falte comida nem roupa lavada, limpe esta sujeira? Você vai pegar um pano, vai trazer água, sabão e vamos lavar.

Chico acatou. Só ele lavou. Emmanuel, de braços cruzados, se limitou a "passar sabão" no coitado:

— No espiritismo, a pessoa tem que começar estudando nos grandes livros e também lavando as privadas, trabalhando, ajudando os que estão com fome, lavando as feridas de nossos irmãos. Se não tivermos coragem de ajudar na limpeza de um banheiro, de uma privada, nós estaremos estudando os grandes livros da nossa doutrina em vão.

Durante toda a sua vida, ele conservaria o hábito de varrer seu próprio quarto e limpar seu banheiro.

De vez em quando, Chico desanimava. Numa tarde, ele voltava da Fazenda Modelo, a pé e cabisbaixo, rumo a sua casa. Imaginava quando toda aquela trabalheira, cercada de desconfiança, iria terminar. Emmanuel apareceu com mais uma lição. Apontou um lavrador, que capinava, e usou uma metáfora:

— Reparou? A enxada, guiada pelo cultivador, apenas procura servir. Não pergunta se o terreno é seco ou pantanoso, se vai tocar o lodo ou ferir-se entre as pedras. Nós somos a enxada na mão de Jesus. E a enxada que foge ao trabalho cai na tragédia da ferrugem.

Emmanuel estalava o chicote. Rômulo Joviano fincava as esporas. A rotina de Chico era um massacre. Em dezembro, mês de escrever o balanço anual da Fazenda Modelo para enviar ao governo federal, Chico e seus colegas tinham que trabalhar até mesmo aos domingos. Ele ficava sempre com as prestações de contas mais difíceis. Era o melhor escrevente da repartição. Sabia gramática como ninguém e datilografava os textos em velocidade surpreendente, quase sem rasuras, direto no papel. Fazia apenas algumas anotações numa folha ao lado e seguia em frente. Dava aula aos colegas. Seus discípulos eram promovidos e o "mestre" continuava no mesmo lugar. Chico encarava a falta de promoção como uma lição de humildade, uma prova de sua insignificância.

Mas, num dos domingos de plantão, o jovem perdeu a paciência. A caminho do escritório, viu um grupo em torno de uma mesa de sinuca, cercado de garrafas de cerveja, feliz da vida. Como pode? Era muita falta do que fazer. Os marmanjos tentavam encaçapar bolas e ele trabalhava como um louco. A voz de Emmanuel chegou aos seus ouvidos, bem-humorada:

— Meu filho, Deus colocou o bilhar no mundo para que certas pessoas não se ocupassem de tarefas piores.

Chico fechava os olhos para a diversão, algumas vezes à força. Numa tarde, ele teve sua conversa com amigos interrompida pelo vozeirão irritado de Emmanuel. Já era mais do que hora de ele encerrar aquele bate-papo, que atravessou a tarde inteira, e se trancar no quarto para escrever. Precisava colocar no papel páginas de um novo livro. Chico, animado, pediu mais alguns minutos. Emmanuel encerrou o assunto. Tinha de ser naquele momento, senão ele iria embora. Não podia perder tanto tempo com trivialidades.

— Você fará tudo aproveitando os minutos.

Chico lia, escrevia, estudava, atendia aos doentes no Centro e, todos os sábados, ele e alguns amigos visitavam famílias que moravam embaixo de uma ponte em Pedro Leopoldo. Levavam roupa e comida, comentavam o Evangelho. Um dia, Chico ficou de mãos abanando. Sem donativos, só poderia levar água fluidificada. Os pobres esperavam o pão de toda semana. Chico já estava quase decidido a faltar ao compromisso, quando Emmanuel apareceu e recomendou que ele fosse de qualquer maneira. A ausência dele seria ainda mais frustrante. Enquanto pensava no assunto, indeciso, viu surgir, acima do portal de seu quarto, uma frase resplandecente: "Não vos deixarei órfãos...".

Tomou fôlego, caminhou até a ponte, com o grupo de companheiros, e, desconcertado, explicou aos pobres o problema: só tinham água. Os necessitados tentaram atenuar o constrangimento. Providenciaram uma toalha, estenderam o pano sobre uma laje de cimento e colocaram copos sobre ele. De repente, um senhor apareceu perguntando por Chico Xavier. Um casal de amigos ricos de Belo Horizonte havia mandado donativos. O caminhão estava parado na entrada.

— Onde devo descarregar? — perguntou o recém-chegado. Foi uma festa. Sobrou comida até para os doentes da favela ao lado.

O trabalho de assistência social também dividia opiniões. Chico sofreria críticas durante toda a sua vida. Muita gente acusava o espírita de ser demagogo e de se aproveitar da miséria alheia para divulgar a doutrina. Além disso, as doações eram só um paliativo, apenas remediavam o problema. O governo, e não os espíritas, deveria cuidar dos pobres. Chico engolia em seco e investia na caridade. Só mais tarde, com o discurso mais afiado, ele enfrentaria os ataques com argumentos eficientes:

— Se uma casa está pegando fogo, devo enfrentar o incêndio com alguns baldes de água antes da chegada dos bombeiros ou devo cruzar os braços?

— O banho não resolve o problema da higiene no mundo, mas nem por isto vou deixar de me lavar...

Anos depois, ele reforçaria seu arsenal de argumentos com uma resposta emprestada de madre Teresa de Calcutá. Quando perguntaram a ela se não era melhor ensinar a pescar, em vez de dar o peixe, ela disse:

— Muita gente não tem nem força para segurar a vara.

Chico se sentia sob vigilância permanente. Emmanuel, Rômulo Joviano, os jornalistas acompanhavam seus passos a cada instante. Os espíritas estavam atentos a qualquer tropeço seu. Numa das visitas à cunhada, Geni Pena, no hospício em Belo Horizonte, ele foi visto de braços dados com uma mulher. O boato se espalhou. O autor do *Parnaso de além-túmulo*, porta-voz de Humberto de Campos na Terra, estaria perdendo tempo com um romance! Um médium chegou a divulgar longa carta ditada a ele por um espírito indignado com o namoro de Chico Xavier. O mineiro, então com 32 anos, tinha uma missão — o espiritismo — e deveria se dedicar a ela por inteiro. Uma comissão, formada por três amigos de Chico, foi a Pedro Leopoldo levar conselhos e voltou com uma explicação. A tal mulher, motivo de tanta polêmica, era sua irmã, Zina Xavier Pena. Ele se amparava nela para andar com mais segurança. Seu olho doía demais e ele enxergava cada vez menos.

Naquele tempo, Chico já tinha colocado uma frase atribuída a Emmanuel na cabeça:

— De que vale o perfume preso em um frasco?

Ou seja: de que valeria Chico Xavier preso a uma mulher? Ele deveria se dedicar a multidões. Devia estar à disposição de todos. Sua família era a humanidade. Companheiros dele, bem casados, exigiam sua dedicação absoluta. Em 1940, nada menos que 500 mil pessoas se declararam "espíritas" no censo demográfico. Muitas delas foram convertidas graças ao moço de Pedro Leopoldo. Sua responsabilidade era cada vez maior.

Chico sentia o peso. E as cobranças vindas da família o sobrecarregavam. Por mais que tentasse, seu pai, João Cândido, não conseguia entender por que o filho abria mão de todo o dinheiro gerado pela venda dos livros. Livros que vendiam cada vez mais, como *Brasil, coração do mundo, pátria do evangelho*, de Humberto de Campos.

Atormentado por sucessivas crises de um reumatismo severo, João Cândido precisou se ausentar do trabalho como vendedor de bilhetes de loteria muitas e muitas vezes ao longo dos anos, e foi numa dessas fases de paralisia das pernas e mãos que ele voltou ao assunto com Chico.

— Eu sei que estes livros que saem de você são entregues em benefício das almas, e nós também somos almas — argumentou.

E falou, então, do *best-seller* assinado por Humberto de Campos.

— Dizem que você também entregou este livro em benefício da pobreza, e eu creio que não existem pobres mais pobres do que nós agora.

Nessa época, as duas injeções mensais aplicadas nele contra o reumatismo — apelidadas de "injeções de ouro" — consumiam todo o rendimento da família e eles precisavam contar com o apoio de amigos e parentes e com a compreensão dos comerciantes da cidade para sobreviver.

— Você podia arranjar um livro para nós ganharmos algum dinheiro, porque nós estamos muito atrasados no armazém.

Chico ouviu o pai, acamado, em silêncio e tentou se explicar mais uma vez.

— Papai, vender o trabalho dos bons espíritos, isso não é possível, eles não permitem. Nós devemos estar na mediunidade com absoluto desinteresse. Os livros são deles, não são nossos, e eu peço ao senhor para não pensar nisso não.

João Cândido não se convenceu:

— Meu filho, então seus espíritos estão muito atrasados. Isso é gente que morreu há muitos mil anos, no tempo em que nada tinha preço. Imagina que eles são tão antigos que, em vez de assinarem Manuel, eles assinam Emmanuel. Isso é gente do Egito, é gente que não conheceu rádio, que não conheceu preço de feijão.

João Cândido falava sério:

— Esses espíritos, se eles são caridosos, eles deviam ter dó de nós.

Sem argumentos, com os olhos cheios de lágrimas, Chico foi consolado pelo pai:

— Não fica triste com o que eu te falei não. Segue para a frente com os seus livros, com seus espíritos, porque eu vendo bilhetes de loteria, e, naturalmente, em breve, eu vou partir para o outro mundo, e, na hora em que morrer, meu filho, vou parar a roda da fortuna para você. Quando for o mês de dezembro, você compra o bilhete da Loteria Federal, que eu vou parar a roda ou as bolas para você ganhar.

João Cândido morreria quase duas décadas depois desta conversa, aos 92 anos (mesma idade de Chico), e Chico jogaria na loteria federal, todo Natal, até o fim da vida.

Conversas como esta, toda a pressão em volta e a exposição pública esgotavam o discípulo de Emmanuel. Ele queria atalhos ou, pelo menos, uma estrada menos acidentada, menos estreita. E o guia apareceu com uma nova lição:

— A estrada larga, pavimentada, é mais suscetível a desastres fatais, porque nela a velocidade é ameaçadora. A estrada estreita, entulhada, nos faz caminhar com mais cuidado.

Em 1944, Chico teria a impressão de estar capotando.

"Se uma casa está pegando fogo, você cruza os braços e espera pela chegada dos bombeiros ou ajuda com alguns baldes d'água?"

Chico Xavier

HUMBERTO DE CAMPOS, O ESCÂNDALO

No início do ano, Chico Xavier abriu um envelope enviado pela Oitava Vara Cível do Rio de Janeiro e levou um susto. A viúva e os três filhos de Humberto de Campos moviam um processo contra ele e a Federação Espírita Brasileira. Como titulares dos direitos autorais da obra do escritor, exigiam explicações. As livrarias espíritas expunham nas prateleiras cinco obras "ditadas pelo espírito de Humberto de Campos a Francisco Cândido Xavier", duas delas já em terceira edição sem que ninguém, até aquele momento, tivesse se dignado a conversar sobre dinheiro com eles.

A situação da viúva, Catarina Vergolino, era incômoda: não podia assistir quieta à publicação de livros assinados pelo marido, pois ainda mantinha contrato com a editora da obra produzida por ele em vida — a W. M. Jackson. Diante de seu silêncio, os editores poderiam até pensar que ela lucrasse com os títulos póstumos de Humberto de Campos. Após expor os motivos para o processo, a herdeira do escritor lançou ao tribunal uma questão delicada.

As cinco obras atribuídas ao espírito do escritor foram mesmo ditadas pelo morto? Catarina era exigente. Pedia "todas as provas científicas possíveis", exigia demonstrações mediúnicas para "verificação da sobrevivência e operosidade" do espírito de Humberto de Campos, propunha exames gráficos e estilísticos dos textos escritos por Chico Xavier e requisitava depoimentos dos envolvidos, além de provas testemunhais. Chico ficou em pânico: não poderia convocar espíritos para depor.

A notícia do processo correu por Pedro Leopoldo e desandou em boato: Chico estaria prestes a ser preso. O rapaz teve vontade de correr para o mato e de se esconder atrás da primeira moita. Tremia só de imaginar a cadeia, a humilhação, o escândalo. Rezou, rezou e viu, mais uma vez, Emmanuel. Diante da aparição, iniciou o interrogatório.

— Serei preso aqui, em Belo Horizonte ou no Rio? Se for aqui, talvez sofra menos, porque sou conhecido, mas se for no Rio...

O recém-chegado não conseguiu disfarçar o riso nem evitar as velhas metáforas.

— Meu filho, você é planta muito fraca para suportar a força das ventanias. Tem ainda muito que lutar para um dia merecer ser preso e morrer pelo Cristo.

O processo prometia. Se o juiz renegasse a autenticidade dos textos, Chico e o presidente da Federação Espírita Brasileira estariam sujeitos a pagar indenização por perdas e danos e a ser presos por falsidade ideológica. Se o "meritíssimo" reconhecesse os livros como obras do além, atestaria a existência de vida após a morte e teria de decidir se os direitos autorais deveriam, ou não, ser repassados aos herdeiros do morto-vivo.

A Federação Espírita Brasileira pediu socorro ao advogado Miguel Timponi. A defesa contestou todos os pedidos da acusação. O argumento básico era simples: não era função do Poder Judiciário declarar, por sentença, se uma obra literária foi escrita ou não por um morto. Um veredicto, contra ou a favor do réu, iria ferir a liberdade religiosa garantida na Constituição. Resumindo: "O petitório é ilícito e juridicamente impossível".

Apesar de negar a validade do processo, o advogado aproveitou a deixa de Catarina para defender espíritos e espíritas. Como testemunha em favor dos réus, ele "convocou" ninguém menos do que Humberto de Campos (espírito). O "ex-imortal" parecia ter previsto as futuras complicações jurídicas sete anos antes, quando ditou a Chico Xavier o prefácio de seu primeiro livro espírita, *Crônicas de além-túmulo*. No texto, ele comemorava o fato de estar livre dos contratos com sua editora e festejava os privilégios de escritor-fantasma: "Enquanto aí consumia o fosfato do cérebro para acudir aos imperativos do estômago, posso agora dar o volume sem retribuição monetária".

Até os réus Chico Xavier e Federação Espírita Brasileira mereceram elogios. Os dois, segundo Humberto, eram exemplos de honestidade, generosidade e dedicação à assistência social. O dinheiro arrecadado com o livro seria bem usado.

Timponi não só desencadeou este texto como colocou diante dos olhos do juiz um inédito escrito por Chico Xavier e assinado por Humberto de Campos em meio à pendenga judicial. O escritor dava mostras de cansaço no artigo de 15 de julho. Parecia magoado com os filhos:

Eles não precisavam movimentar o exército dos parágrafos e atormentar o cérebro dos juízes. Que é semelhante reclamação para quem já lhes deu a vida da sua vida? Que é um nome, simples ajuntamento de sílabas sem maior significação?

Em momento algum citava a viúva.

A imprensa abriu espaço para a polêmica. Chico Xavier voltou às páginas dos grandes jornais com estardalhaço ao lado de notícias sobre a Segunda Guerra Mundial. As bombas caíam sobre a Europa e sua mediunidade era vasculhada mais uma vez pelos jornalistas.

O escritor Mário Donato assinou um texto nada imparcial em *O Estado de S. Paulo*, no dia 12 de agosto de 1944. Não tinha dúvidas: "Ou se aceita Humberto subsistindo no outro mundo ou se aceita Chico Xavier valendo por um Humberto e mais meia dúzia de cérebros arquiprivilegiados".

A mãe de Humberto de Campos, Anna Veras, tomou partido do réu em entrevista a *O Globo*:

> *Li emocionada o livro* Crônicas de além-túmulo *e verifiquei que o estilo é o mesmo de Humberto. Se os juízes decidirem que a obra não é dele, mas de Chico, acho que os intelectuais patriotas fariam ato de justiça se aceitassem Francisco Xavier na Academia Brasileira de Letras.*

Um acadêmico, o crítico Raimundo Magalhães Júnior, entrou na roda em *A Noite*. De olho nos poemas de *Parnaso de além-túmulo*, deu o veredicto: "Se Chico Xavier é um embusteiro, é um embusteiro de talento. Para um homem que fez apenas o curso primário, sua riqueza vocabular é surpreendente".

O cronista Edmundo Lins também se debruçou sobre o livro de poemas para julgar a capacidade de Chico escrever ou não textos ditados pelo espírito de Humberto de Campos. Em artigo em *O Globo*, ele confessou-se impressionado com os poemas atribuídos a Belmiro Braga. O poeta de Juiz de Fora passou a vida escrevendo quadrinhas, trovas de sabor popular, e ressuscitou no *Parnaso de além-túmulo* como autor de sextilhas, sem perder o tom lírico e satírico, singelo e espontâneo. Se Chico quisesse imitá-lo, por que não adotou a forma habitual do poeta?

Foi necessário um escândalo jurídico para a crítica literária analisar com rigor a obra de Chico Xavier.

O escritor e historiador Garcia Júnior também arriscou palpites em artigo no jornal *Correio da Noite*. Após ler os vários livros assinados pelo datilógrafo de Pedro Leopoldo, garantiu que, se o rapaz fosse mesmo capaz de criar aqueles textos, não precisaria ser um modesto funcionário da Secretaria de Agricultura de Minas Gerais:

> *Bastaria que Chico Xavier viesse aqui para o Rio, mudasse o seu indumento de pobre para uns bons ternos de cavalheiro abastado e entrasse a frequentar as rodas intelectuais. Com talento para produzir o que já lhe passou pelo lápis, psicograficamente, ele hoje poderia ufanar-se de ser um dos maiores escritores do Brasil...*

Amigos de Chico se empolgaram. Alguns perguntavam ao datilógrafo da Fazenda Modelo se ele aceitaria uma vaga na Academia Brasileira de Letras. Chico levava na brincadeira.

— Já admitem cavalos por lá?

Estava bem mais descontraído. Nem desconfiava do próximo capítulo.

Os críticos esmiuçavam os poemas e as crônicas escritos por Chico Xavier, e o juiz estudava o processo Humberto de Campos, quando a dupla David Nasser-Jean Manzon desembarcou em Pedro Leopoldo. O repórter e o fotógrafo mais ousados e mais temidos da revista *O Cruzeiro* chegaram à cidade dispostos a "desvendar o homem Chico Xavier". Missão quase impossível: a privacidade do autor do *Parnaso de além-túmulo* era preservada por um círculo fechado de amigos. Durante o processo na justiça, a vigilância tinha sido redobrada. Fotos, por exemplo, só eram permitidas em sessões públicas no centro espírita.

O desafio era um estímulo. Nasser e Manzon iriam romper o cerco. Mas começaram mal: foram direto para a Fazenda Modelo e deram de cara com Rômulo Joviano. O pedido da entrevista foi negado com um *não* inflexível.

— Chico está exausto e precisa descansar.

Jean Manzon, sempre irônico, sugeriu ao patrão do rapaz umas férias para seu empregado. Como troco, recebeu mais uma resposta atravessada:

— O Chico funcionário nada tem a ver com o outro Chico.

Se quisessem mesmo fazer a entrevista, os jornalistas do Rio teriam de esperar até a sessão pública da sexta-feira seguinte. Era sábado. A dupla tinha mais o que fazer. Não podia ficar plantada na cidade mineira uma semana à espera do matuto. Aqueles caipiras não sabiam com quem estavam lidando.

Nasser e Manzon mereciam respeito. Saíram do Rio a bordo do avião do próprio Assis Chateaubriand, dono do império dos Diários Associados, foram recepcionados em Belo Horizonte por Juscelino Kubitschek e engoliram poeira uma hora e meia seguida na viagem de carro de Belo Horizonte até ali. Ou seja: a hipótese de voltar à redação da revista com as mãos abanando era inadmissível.

Para liquidar o assunto de vez, David Nasser, Jean Manzon e o piloto do avião de Chateaubriand, Henrique Natividade, bolaram um plano infalível. Nasser e Manzon se apresentariam como repórteres americanos e Natividade faria o papel de intérprete da dupla. Chico ficaria seduzido pela ideia de ser notícia internacional e se sentiria mais à vontade diante dos estrangeiros. Afinal de contas, a reportagem seria lida longe dali, longe do Rio.

Havia um porém: Rômulo Joviano. O engenheiro conhecia a identidade deles e podia desmascarar o trio a qualquer momento. Precisavam concluir o serviço antes da chegada do patrão de Chico. Mas, mesmo sendo rápidos, eles ainda corriam perigo. E se Rômulo telefonasse para alertar o empregado? Nasser, Manzon e Natividade tomaram a decisão: cortariam o fio do telefone do entrevistado. Dito e feito.

O truque deu certo. Chico escancarou as portas de casa para os "estrangeiros" e posou para fotos então inéditas na imprensa. Jean Manzon fez a festa. Uma das fotografias estampadas em *O Cruzeiro*, a revista de maior circulação no país da época, exibia o representante do ilustre e saudoso Humberto de Campos sentado numa banheira, com a mão esquerda sobre a testa, como se estivesse em transe mediúnico. Só faltava estar nu. A imagem se espalhou por meia página da publicação no dia 12 de agosto, onze dias antes da sentença do juiz. A legenda era espalhafatosa:

> *Sensacional flagrante de Chico na banheira. Ele procurava as almas, quando Jean Manzon o surpreendeu, obtendo um impressionante documento para o próximo julgamento. Os adversários do espiritismo afirmam que é uma prova de farsa. Os espíritas, que é outra prova: o espírito desce seja onde for.*

Outro "flagrante" exibia Chico deitado em sua cama estreita, com um livro aberto nas mãos. A legenda: "Ele lê e muito. Dizia-se que Chico é um ignorante, analfabeto, pouco amante das belas-letras. Pura invenção. Chico lê tanto que um dos seus olhos foi atingido por cruel catarata inoperável. Mesmo assim continua lendo".

O rapaz também se expôs diante da escrivaninha, com lápis em punho, em meio a um amontoado de livros. O texto abaixo da foto era comprometedor para quem estava sob suspeita de imitar o estilo alheio:

> *Outra peça de notável valor documental é esta: a biblioteca de Chico, onde encontramos livros de muitos autores, escritos na vida de seus criadores. Esses mesmos cavalheiros transmitem, segundo Chico, novas e diárias mensagens. Chico, na gravura, aparece copiando trechos de livros que mais lhe agradam.*

As frases abaixo de um *close* do rapaz de olhos fechados aumentavam o mistério:

> *Nos momentos de transe, os seus olhos se fecham ou se tornam nublados, como os de um morto. Dizem os adeptos de Kardec que a alma chegou. Dizem os céticos que é um caso médico. De qualquer forma, é impressionante ver aquele homem de pupilas brancas. Que dirão os juízes?*

O texto de David Nasser, intitulado "Chico, detetive do além", era bem menos contundente do que as imagens e legendas. Logo no início, ele tratava de quebrar as expectativas do leitor:

> *O senhor, leitor amigo, chegará ao fim destas linhas sem obter a resposta que há tanto tempo procura: "É Chico Xavier um impostor ou não é?". E dirá: "Dei 1.500 por esta revista e não consegui desvendar o mistério?". Sim, o mistério continuará por muito tempo.*

Após definir seu objetivo — mostrar o homem Chico —, ele cobriu o rapaz de adjetivos: adorável, cândido, maneiroso, humilde, um anjo de criatura.

Estranho. Tantos elogios esbarravam em contradições apontadas no escritor do outro mundo. Na reportagem, um amigo de Chico, vindo do Rio, definia o mineiro como "um rapaz de cultura", capaz de ler um pouco de inglês e francês, e revelava: "Devora os livros com fúria. Trouxe-lhe, há dias, *O homem, esse desconhecido*, e ele não gastou mais de quatro horas e meia para ler o volume gordo".

Parágrafos depois, aparece o diálogo entre o jornalista "estrangeiro" e Chico:

— *Chico, você lê muito?*
— *Não. Só revistas e jornais.*
— *O outro me disse...*
— *Disse o quê?*
— *Nada.*
Natividade "traduzia" as perguntas escorregadias do "americano".
— *Você não pensa em se casar, Chico?*
— *Eu, casar? Claro que não.*
— *Não namora?*
— *Nunca.*
— *Por quê?*
— *Não há razões, não gosto, tenho outras preocupações.*

O trio vasculhou os três quartos, a sala, a cozinha, a intimidade de Chico. Visitou o banheiro do lado de fora, no quintal, ao lado do galinheiro, e tratou de expor ao máximo o réu do processo movido pela família de Humberto de Campos. Chico aproveitou a presença dos "estrangeiros" para desabafar.

O pior, hoje em dia, é a onda de gente que vem do Rio, de São Paulo, de todos os estados. Não posso deixar de recebê-los, pois fico pensando que vieram de longe e necessitam de meu consolo. Mas isto toma tempo. Como se não bastassem essas preocupações, o telefone interurbano não para dia e noite. "Chico, o Rio está chamando... Chico, Belo Horizonte está chamando... Chico, Cachoeira está chamando." Evito atender, mesmo constrangido. Meu Deus... Eu não quero nada, senão a paz dos tempos antigos, o silêncio de outrora. Quero ser de novo aquele Chico sossegado e tranquilo que apenas se preocupava com as coisas simples...

Após uma hora e meia de entrevista, Jean Manzon, David Nasser e o "intérprete" se despediram do entrevistado. Enganaram o "idiota" e ainda ganharam livros de presente. Jogaram os exemplares na mala e saíram às pressas, eufóricos. No dia seguinte, estavam no Rio.

A reportagem foi publicada no dia 12 de agosto com uma lacuna estranha. Ela não mencionou como os jornalistas conseguiram passar o vidente para trás. Nasser jogou fora a chance de lançar a dúvida: Se Chico tem um guia e tem acesso aos espíritos, como foi enganado tão facilmente?

Chico leu o texto e ficou apavorado. O juiz não teria dúvidas. O rapaz já imaginava o veredicto: todos os indícios levam a crer que Francisco Cândido Xavier imitou o estilo de Humberto de Campos. Culpado. Sacudia-se, em meio à violenta crise de choro, quando Emmanuel voltou. Estava inspirado:

— Chico, você tem que agradecer. Jesus foi para a cruz e você foi só para *O Cruzeiro*.

O réu não conseguiu achar graça. Por que Emmanuel não evitou aquele vexame? Por que não desmascarou a fraude e revelou a identidade dos jornalistas?

Só trinta anos depois, uma reportagem publicada por *O Dia*, em 28 de abril, e assinada por João Antero de Carvalho, revelaria, em detalhes, os bastidores daquela saga de David Nasser e Jean Manzon. A confissão foi feita por um Nasser arrependido, o mesmo capaz de definir Chico Xavier como "o maior remorso da minha vida".

O repórter voltou no tempo e reconstitui a noite em que passava para o papel seu furo jornalístico, dois dias depois do encontro com Chico Xavier. Já era madrugada, quando ele foi interrompido por um telefonema de Jean Manzon. O fotógrafo parecia nervoso.

— David, você trouxe aquele livro que o homem nos ofereceu?

— Claro que sim.

— Pois bem, abra-o na primeira página e leia a dedicatória.

Nasser largou o telefone fora do gancho e, curioso, correu à procura de seu exemplar. Levou um susto ao deparar com a frase: "Ao irmão David Nasser, oferece Emmanuel".

— Que negócio é esse, Manzon, alguém revelou nossa identidade?

O fotógrafo e o motorista também foram pegos de surpresa. Diante do mistério, os três fizeram um pacto de silêncio. A reportagem saiu sem aquele episódio. Segundo Nasser, a verdade, em jornalismo, era menos importante do que a verossimilhança.

Onze dias após a publicação da reportagem em *O Cruzeiro*, o juiz João Frederico Mourão Russel bateu o martelo:

— Nossa legislação protege a propriedade intelectual, em favor dos herdeiros, até certo limite de tempo após a morte, mas o que considera, para esse fim, como propriedade intelectual, são as obras produzidas pelo de *cujus* em vida.

A viúva de Humberto de Campos bateu o pé. Ao recorrer, ela esqueceu daquela história de pedir a opinião do juiz sobre a autenticidade das mensagens atribuídas ao marido e decidiu ela mesma fazer o seu julgamento. Após ter examinado de perto, com a colaboração dos filhos, as "produções ditas psicografadas, a fim de lhes aferir o valor literário", ela chegou a uma conclusão definitiva:

O resultado foi o mais lastimável possível. A obra é profundamente inferior. E não só está eivada de imperdoáveis vícios de linguagem e profundo mau gosto literário, como é paupérrima de imaginação e desprovida de qualquer originalidade. Além disso, o que é aproveitável não passa de grosseiro plágio, não só de ideias existentes na obra publicada em vida do escritor, como de trechos inteiros, o que é de fácil verificação.

O advogado de Chico Xavier e da Federação Espírita Brasileira estranhou a segurança de Catarina Vergolino dos Campos. Se era tão patente assim o valor profundamente inferior da obra psicografada, por que a viúva, diante de mistificação tão grosseira, pediu ao juiz um exame minucioso para declarar, em sentença, a autenticidade ou falsidade da obra atribuída ao espírito de Humberto de Campos? Por que intelectuais tão importantes do Rio apoiaram o autor do *Parnaso*?

A defesa terminava com um apelo:

Basta de dissensões, litígios e desarmonias. Basta de sofrimentos e horrores. O mundo geme ainda sob os destroços e as ruínas de uma guerra gigantesca. A humanidade, angustiada, anseia pela pacificação dos espíritos, farta de tantos desequilíbrios e de tantas injustiças. Que, no Brasil, cada cidadão, tranquilo e seguro no aconchego de seu lar, possa adorar a Deus a seu modo, segundo a sua fé e a sua crença.

No dia 3 de novembro, a sentença do juiz João Frederico Mourão Russel foi confirmada no Tribunal de Apelação do antigo Distrito Federal: os direitos da pessoa acabam após a morte.

No ano seguinte, Humberto de Campos estaria de volta são e salvo. Mas seu novo livro, *Lázaro redivivo*, exibiria na capa um pseudônimo: Irmão X. Humberto de Campos Filho, 33 anos depois, encontrou-se com Chico Xavier, lhe deu um abraço forte pelos cinquenta anos de trabalho e chorou.

— Tive vontade de dizer como Gorki diante de Tolstoi: "Veja que homem maravilhoso existe na Terra".

Chico ainda agradecia a Deus e ao advogado pelo final feliz da polêmica Humberto de Campos quando foi surpreendido por um presente: um piano novo em folha enviado do Paraná pelos donos da fábrica Brasil. Os empresários apostaram num dos boatos da temporada: no fim da vida, ele embalaria a Terra com músicas ditadas por compositores consagrados do além. Tocaram num ponto fraco de Chico.

Ele vibrava com música. Em meio ao escândalo na Justiça, sonatas e sinfonias serviram ao réu como tranquilizantes e como companhia. Chico fechava os olhos e se deixava levar pela *Sinfonia Fantástica*, de Berlioz, pelo *Concerto de Varsóvia*, de Tchaikovsky, pela obra completa de Beethoven e, claro, pela "Ave Maria", de Gounod. Muitas vezes, os acordes clássicos serviam como escudo. Com o volume de sua vitrola no máximo, ele abafava, enquanto escrevia, o som dos insultos lançados contra ele por assombrações desarvoradas. Só assim conseguia passar para o papel, com alguma tranquilidade, os ditados do outro mundo.

Chico Xavier encarou o piano e tomou a decisão: aceitaria o instrumento e aprenderia a lidar com ele. Num impulso, contratou uma professora particular e marcou a primeira aula para o dia seguinte. Afinal de contas, por que não se dar este prazer? Ele merecia uma folga. Após os artigos em sua defesa nos jornais e o veredicto do juiz, o trabalho tinha triplicado. A legião de doentes à sua procura aumentava a cada semana.

No dia da aula de piano, ele tomou um banho demorado, vestiu seu melhor terno e cruzou os braços à espera da professora. As visitas chegavam e iam se sentando por ali. Chico pedia calma.

— Hoje vou ter a primeira aula. Acomodem-se. Esperem um pouco.

Cegos, leprosos, pobres de cidades vizinhas se apinhavam na porta, faziam fila. A multidão crescia. A professora demorava a chegar.

Antes dela, o aluno viu Emmanuel.

— O que é isto, Chico? Alguma festa?

O candidato à pianista gaguejou.

— Não. É que eu resolvi tomar umas aulas de piano.

— E esses sofredores que estão aí? Vieram assistir à aula?

Chico ficou sem resposta.

— Quer dizer que essa gente toda que está aí sofrendo, angustiada, ficará aguardando o dia em que você resolva atendê-la?

Quando a professora chegou, Chico se desculpou, agradeceu e se despediu. Não poderia perder tempo.

No fim do ano, o ex-futuro-aluno de piano não resistiu e arriscou um voo mais comedido. Pediu ao vizinho de mesa na Fazenda Modelo, o músico e escrevente Oswaldo Gonçalo do Carmo, aulas de teoria musical. Queria estudar as notas, tons, semitons, escalas. Empolgado, chegou a confidenciar ao mestre:

— Se aprender música, conseguirei completar a sinfonia de Schubert.

Oswaldo se empolgou com a perspectiva de produzir um gênio. E ficou impressionado com o aluno. Chico aprendeu, em três meses, o que poucos aprenderiam em um ano. E parou. A sinfonia de Schubert ficaria incompleta.

Chico queria relaxar, mas era impossível. Seu nome, já estampado na capa de 25 livros, começava a gerar dinheiro mesmo contra sua vontade. Em 1947, a irmã dele, Zina, foi procurada pela polícia de Belo Horizonte. Precisava identificar o "Chico Xavier" que atraía multidões num bairro populoso da cidade. O curandeiro cobrava trezentos cruzeiros por sessão e cem por passe e vendia exemplares autografados das obras de Emmanuel, Irmão X e André Luiz. Foi desmascarado a tempo.

Os charlatões estavam à solta. Chico vivia numa espécie de "prisão domiciliar". A fama custava caro, tomava tempo e espaço, acabava com a liberdade de ir e vir do porta-voz dos mortos. De vez em quando, ele fugia para o cemitério ou o açude em busca de privacidade. Precisava de um pouco de paz para escrever seus livros e cumprir o combinado com seu "patrão" invisível.

Em 1947, conseguiu pingar o ponto-final no trigésimo título, *Volta, Bocage*. Um alívio tomou conta dele. Eufórico, viu Emmanuel se aproximar e perguntou se a tarefa já estava encerrada.

O guia sorriu e anunciou:

— Começaremos uma nova série de trinta volumes.

Chico respirou fundo e obedeceu desanimado. Quanto mais escrevia, mais ficava encurralado. As mentiras o cercavam. Previsões falsas eram atribuídas a ele e até mesmo textos apócrifos eram divulgados como seus. Em 1949, um livro assinado por um certo André Luiz chegou às livrarias com um prefácio enriquecido pela colaboração direta de Chico Xavier. Tudo mentira. O escritor de *Nosso Lar* nem conhecia a médium responsável pela publicação.

Sua casa era pequena para tantos visitantes. O telefone tocava insistentemente e cartas chegavam, às bateladas, todos os dias. Alguns envelopes guardavam surpresas desagradáveis. Remetentes aconselhavam o protegido de Emmanuel a se desligar do espiritismo antes de ser engolido pela vaidade. Espíritas acusavam sinais de exibicionismo em Chico Xavier e também identificavam nos seus textos evidências de "cansaço". Algumas cartas, enviadas do Sul por "confrades" espíritas, sugeriam sua aposentadoria. Ele engolia em seco e ia em frente.

De vez em quando, era procurado por algum político interessado em seu apoio nas campanhas eleitorais em troca de ajuda financeira às "campanhas beneficentes". Chico escutava as propostas, se esquivava de todas com educação e comentava com os amigos mais íntimos:

— As sereias estão cantando.

Em carta enviada ao então presidente da Federação Espírita Brasileira, Wantuil de Freitas, desabafou: "Uma pessoa importante é sempre perigosa. Se pode trazer muito bem, pode trazer igualmente muito mal".

E revelou sua postura diante dos poderosos: a de funcionário do Itamaraty.

Com diplomacia, ele evitava atritos e conquistava aliados. O empresário carioca Frederico Figner, proprietário da Casa Edison e introdutor do fonógrafo no Brasil, era um deles. Tão rico quanto espírita, ele trocou cartas com Chico Xavier dezessete anos seguidos. E o ajudou muito. Sem suas doações, o datilógrafo da Fazenda Modelo não conseguiria atender tanta gente. A cada mês, o filho de João Cândido gastava o correspondente a três vezes o seu salário só com assistência social. Para Chico, os ricos deveriam ser considerados "administradores dos bens de Deus". Ao longo de sua vida, ele ajudaria muitos milionários "benfeitores" a canalizar os "tesouros divinos" para a caridade.

Numa de suas idas a Pedro Leopoldo, Figner perguntou a Chico qual era o seu ideal. Ouviu dele a resposta espiritualmente correta:

— Meu ideal é viver o Evangelho de acordo com Nosso Senhor Jesus Cristo e servir humildemente ao homem.

Figner insistiu:

— Está certo, está certo. Esse é o seu ideal espiritual. Mas eu queria saber se há aqui no nosso mundo mesmo, o material, algum objetivo que você gostaria de alcançar.

O empregado de Rômulo Joviano foi franco:

— Ora, meu caro, se dependesse de mim, eu gostaria de ter uma renda de trezentos mil-réis mensais para poder me dedicar aos necessitados livre e despreocupado em relação à vida material.

Figner nunca mais tocou no assunto. Continuou acumulando milhões, enquanto escrevia artigos em jornais espíritas contra o catolicismo e a favor do espiritismo. Em 1947, ele morreu. Antes de se retirar para o outro mundo, deixou para as filhas, em testamento, 35 mil contos de réis e reservou cem contos para Chico. A quantia tinha razão matemática: se o funcionário da Fazenda Modelo depositasse o dinheiro no banco, a soma renderia, em juros, exatos trezentos mil-réis mensais.

Quando Chico abriu o envelope enviado pelo advogado da família Figner e encontrou o cheque, ficou em pânico:

— Senhor? Que será que este dinheiro quer fazer comigo?

A herança chegou logo após uma reunião de família das mais tensas. João Cândido não tinha como pagar o imposto da casa onde moravam. Deviam oito mil-réis — ou seja, 7% do total mensal que estavam prestes a receber apenas de juros. O escrevente da Fazenda Modelo nem pensou duas vezes. Enfiou o cheque num envelope e o mandou para o endereço de origem. João Cândido se arrependeu amargamente de não ter internado o filho enquanto era tempo. Já não dava mais. O garoto tinha 37 anos.

Dias depois, os cem contos voltaram às mãos de Chico Xavier, acompanhados de uma carta das filhas de Figner. Não aceitariam o dinheiro de volta, iriam cumprir as ordens do pai, apesar de serem católicas. Afinal de contas, foi o último desejo dele. Chico já sabia dizer "não". E insistiu na recusa. Nova devolução. Nova carta.

O toma lá dá cá só terminou quando Chico Xavier sugeriu às filhas de Figner que elas enviassem o dinheiro direto para a Federação Espírita Brasileira. A quantia ajudaria na instalação de novas oficinas para o livro espírita. Em carta a Wantuil de Freitas, ele comunicou a doação e ainda se deu ao trabalho de tranquilizar o presidente da FEB:

Nada me falta e não há sacrifício nenhum da minha parte, porque, providencialmente, Jesus me aproximou do nosso amigo Manoel Jorge Gaio, que tem me auxiliado a sustentar a luta. Se os deveres aumentaram para mim, aumentou a sua proteção, porque o sr. Gaio me prové do que preciso. Sua senhora, d. Marietta Gaio, chama-me "filho", ajudando-me também com sua ternura e abnegação.

Chico pedia apenas um favor ao amigo: discrição.

Obedecia a uma orientação de Emmanuel: "Fazer com uma mão o bem, de tal forma que a outra mão não veja".

O segredo vazou. E Chico foi "recompensado" com uma série de cartas anônimas endereçadas contra sua decisão de dispensar a herança. Os adjetivos mais educados eram "pedante", "ingrato", "orgulhoso". O destinatário já estava acostumado. E se consolava:

— O que eu preciso é de um bom travesseiro na consciência para dormir com tranquilidade, e esse tesouro, graças a Jesus, não me tem faltado.

Quatro meses depois, Chico recebeu a visita de Frederico Figner. O ex-milionário apareceu do além pronto para colocar no papel suas primeiras impressões sobre o outro mundo. Já tinha até um título na cabeça para suas memórias: *Voltei*. Voltou para o "outro mundo" decepcionado. Chico recusou a missão e pôs a culpa em Emmanuel. Seu guia considerava o projeto prematuro. Só dois anos mais tarde o livro chegou às lojas. Mas, antes, o escritor submeteu os originais às filhas do empresário. Uma medida de segurança para evitar um "caso Humberto de Campos II".

Sorte dele. As herdeiras do ex-milionário ficaram revoltadas com o texto. Não acreditaram numa só palavra sobre o dia a dia do pai no outro mundo. O morto vibrava com a bênção de ter se libertado das "correntes materiais" e comemorava o fato de estar mais vivo do que nunca. Para elas, tudo não passava de invenção de Chico. O livro foi publicado. O título continuou o mesmo, mas o nome do autor mudou bastante. Virou Irmão Jacob. Figner não conseguiu mostrar aos amigos empresários o quanto era imortal, indestrutível.

Chico Xavier fechava os olhos para os céticos e jogava no papel frases assinadas por mortos ilustres. No dia 26 de julho de 1948, o desabafo atribuído a um certo Alberto Santos Dumont aterrissou nas páginas em branco. O chamado Pai da Aviação, que se suicidou após crise depressiva provocada pelos bombardeios aéreos durante a Revolução Constitucionalista de 1932, ainda lamentava os estragos causados por sua invenção na Segunda Guerra Mundial. Sob o impacto das carnificinas em Hiroshima e Nagasaki, ele avaliava, com algum atraso: "Facilitar comunicações às criaturas que ainda não se entendem possivelmente será acentuar os processos de ataque e morte, de surpresa, nas aventuras da guerra".

Para atenuar sua culpa, definia a evolução como uma fatalidade e se dedicava a conselhos elevados: "Outra deve ser a vocação da altura.

Não há voo mais divino que o da alma. Sejamos descobridores de nós mesmos".

Os voos de Chico Xavier nesse ano foram turbulentos. Enquanto passava para o papel o livro *Libertação*, assinado por André Luiz, ele sentiu-se na mira de uma rajada de assombrações. Numa tarde, quando voltava da Fazenda Modelo, a pé e sozinho, parou no meio da estrada de terra e se jogou no chão, de joelhos, com os olhos voltados para o céu e as mãos enlaçadas em prece. Em sua direção, cada vez mais perto, avançava uma legião de quase seiscentas criaturas descontroladas, armadas com paus e aos berros:

— Você é o Chico Xavier? Agora você vai ver. Miserável, protegido.

Os agressores já estavam a cinco passos de distância e nem sinal de Emmanuel, o protetor. Chico rezou, pediu perdão a Deus e se preparou para o linchamento. De repente, as figuras começaram a se desfazer. Não sobrou uma para contar a história. Chico se levantou, sacudiu a poeira da calça e, a caminho de casa, decifrou a lição do dia: a reza era um santo remédio.

Semanas depois, Chico foi surpreendido por três mulheres nuas se ensaboando embaixo do chuveiro em sua casa. Elas riam, jogavam água umas nas outras e encaravam o moço com olhares convidativos. O autor de *Libertação* fechou os olhos, rezou e, quando voltou à tona, estava sozinho de novo no banheiro, pronto para o banho.

Chico sempre se sentiu sob vigilância constante. Um dia, na Fazenda Modelo, arrancou uma laranja do pé e ouviu a censura: "Ladrão". Emmanuel poderia pegá-lo em flagrante a qualquer momento. E entrava em cena contrariado quando seu protegido usava palavras inconvenientes, falava em tom áspero ou dava sinais de agressividade e impaciência. Com o tempo, Chico passou a apostar na frase "o mal é o que sai da boca do homem" e começou a construir um discurso sob medida. Logo ele se tornou um mestre em eufemismos.

No seu mundo, não havia prostitutas, mas "irmãs vinculadas ao comércio das forças sexuais". Os presos eram "educandos", os empregados eram "auxiliares", os pobres eram "os mais necessitados", os "deficientes mentais" (termo usado na época) eram "nossos irmãos com sofrimento mental", os adversários eram "nossos amigos estimulantes" e os maus eram os "ainda não bons". Ninguém fazia anos e sim "janeiros" ou "primaveras".

Os filhos de mães solteiras (as mães solo de hoje) deveriam ser encarados como filhos de pais ausentes. A nota de vinte cruzeiros, entregue com frequência aos pobres, ganharia um apelido inspirado em sua cor: "laranjada".

O cuidado com as palavras não era mera formalidade nem prova de educação. Tinha fins preventivos, quase terapêuticos. O uso de expressões agressivas era perigoso, arriscado. Os maus pensamentos também. Era Kardec quem ensinava: "Os maus pensamentos corrompem os fluidos espirituais, como os miasmas deletérios corrompem o ar respirável...".

Um dia, Chico andava esbaforido em direção à Fazenda Modelo quando foi chamado por uma vizinha. Desde a véspera ela tentava falar com o representante do dr. Bezerra de Menezes. O moço tinha assumido o compromisso de ajudá-la naquela manhã. Atrasado para o serviço, ele seguiu em frente e se limitou a dizer:

— Estou com pressa. Na hora do almoço passo aqui.

Deu cinco passos e ouviu a voz de Emmanuel.

— Cinco minutos não vão prejudicá-lo.

Chico voltou, tirou dúvidas da mulher sobre um remédio receitado pelo dr. Bezerra e foi embora. A vizinha ficou feliz da vida.

— Obrigada, Chico, Deus lhe pague. Vá com Deus.

O rapaz despediu-se e, cem metros adiante, seguiu outro conselho de Emmanuel. Olhou para trás para ver o que saía dos lábios da moça em sua direção. Enxergou uma massa branca de fluidos luminosos aproximando-se e entrando no corpo dele. Emmanuel concluiu a lição daquele turno:

— Imagine se, em vez de "vá com Deus", ela dissesse "vá com o diabo". De seus lábios estariam saindo cinzas, ciscos, algo pior.

Chico passou a aconselhar os amigos no Centro Luiz Gonzaga:

— Até punhaladas e tiros temos recebido de volta por mau uso das palavras. Um dia, porque adverti um companheiro sem vestir-me da defesa da humildade, recebi, quando menos esperava, um tiro projetado sobre mim com a força de um pensamento carregado de ódio.

A humildade, para ele, funcionaria como escudo em várias ocasiões. Numa delas, ele levou um tombo, caiu de costas e bateu com a cabeça no chão. Já estava pronto para reclamar, quando Emmanuel ordenou:

— Agradeça.

— Como?

— Agradeça.

Ainda no chão, Chico levantou um pouco a voz e acatou:

— Obrigado, muito obrigado.

A voz do amigo invisível decifrou o enigma:

— Se você se irritasse, emitiria vibrações quase iguais às deles e eles ficariam com mais força.

O tombo, segundo o amigo invisível, tinha sido provocado por "espíritos de baixa vibração".

Numa noite, quando já se preparava para dormir suas três horas de sono, Chico foi surpreendido pela visita de uma figura diabólica.

— Você me chamou?

A voz era arrepiante. Chico ia dizer a verdade, quando Emmanuel o aconselhou a trocar o "não" por um "sim" estratégico.

— Chamei, sim, senhor.

— E o que você quer?

Chico arriscou uma resposta política:

— É que a vida está tão difícil que eu queria que o senhor me abençoasse em nome de Deus ou em nome das forças em que o senhor crê.

O recém-chegado perdeu o rebolado e insultou:

— É só a gente aparecer que você cai de joelhos. — Depois sumiu.

As provações se sucediam.

Na noite de 11 de setembro de 1948, Chico Xavier e um amigo, Isaltino Silveira, admiravam Pedro Leopoldo do alto de um morro, na beira de um riacho. Sentado numa pedra, sob a luz de um poste, Chico lançava sobre o papel um poema assinado por Cruz e Sousa. Isaltino substituía as páginas preenchidas por outras em branco. Os dois estavam às voltas com o poeta do além quando escutaram um barulho no mato. Eram passos. O amigo de Chico olhou para trás e levou um susto: um homem enorme, com olhos injetados, avançava na direção deles com um pedaço de pau na mão.

Isaltino levantou-se rápido e se preparou para enfrentar o agressor. Chico, já escaldado, continuou sentado. Sugeriu arma mais contundente: uma boa reza para emitir vibrações positivas. A poucos metros, o agressor parou e começou a balbuciar com a língua enrolada e os olhos fixos em Chico:

— Esta luz nas suas pernas... esta luz nas suas pernas.

Chico aconselhou:

— Vá para casa e fique na paz de Deus, meu filho.

Isaltino, já refeito do susto, viu o homem dar meia-volta e ficou perplexo diante de um fato insólito. O mato, em um raio de cinco metros ao redor do agressor, ficou todo amassado enquanto ele caminhava. Chico Xavier tentou explicar a história toda: o homem era um médium poderoso, embora descuidado, e tinha sido arrancado da cama por espíritos obsessores, interessados em assassinar os dois e jogar seus corpos no rio. O plano daria certo se os benfeitores espirituais não tivessem envolvido a dupla com um cinturão de luz.

Isaltino ainda estava perplexo. Por que o agressor se referiu à luz nas pernas de Chico? A resposta veio rápida, como se fosse óbvia.

— Ele percebeu o foco que os espíritos projetavam sobre o papel durante a psicografia.

Por que o capim em torno dele se amassava?

— As tais entidades eram tão ruins que se utilizaram dos fluidos do médium e conseguiram peso específico para provocar o fenômeno físico. Eram aproximadamente duzentos espíritos.

Isaltino suou frio.

A reza só não afastava as assombrações de carne e osso. Chico sempre viveu cercado de pessoas que se agarravam a ele, o envolviam, quase o sufocavam. Uma delas recebeu até um apelido: Águia. Enorme, com a cabeça descomunal, nariz curvo e costas largas, o "companheiro" de Chico assumia ares de guardião no Centro Luiz Gonzaga e chegava a afastar os amigos do alcance de seu protegido. Poucos se aproximavam. Muitos se irritavam com a omissão de Chico. Por que ele não se desvencilhava do intruso? A resposta era simples: se enfrentasse o Águia, poderia receber de volta vibrações que o prejudicariam. Preferiu ficar quieto e, com o tempo, o homem sumiu de cena.

Os amigos chiavam:

— Chico, todo mundo quer mandar em você.

Ele ia além:

— Todos mandam em mim. Eu já não me mando mais.

Outra assombração bastante real era o padre Sinfrônio. Quanto mais gente saía de outros estados à procura de Chico Xavier, mais o sangue do pároco subia à cabeça. Os carros passavam direto pela igreja de Nossa Senhora da Conceição e estacionavam diante do centro, a cinquenta metros de distância. Ele ficou tão irritado com o espiritismo, com o dr.

Bezerra de Menezes, com as curas e textos do além, que instalou na torre da igreja, em frente ao sino, um potente alto-falante.

Entre uma badalada e outra o sacerdote convocava a população para a missa, rezava a ave-maria, criticava a ideia de reencarnação. Só evitava pronunciar o nome de Chico Xavier. Uma medida estratégica: não queria transformar o filho de João Cândido em vítima.

Com sutileza e inteligência, Sinfrônio conseguiu convencer muitas beatas do quanto o espiritismo era arriscado. Chico Xavier era um exemplo: uma pessoa boa, educada, honesta. Mas como sofria o coitado. Era perseguido pela imprensa, processado na justiça, assediado por fantasmas e por forasteiros. Quem mandou se meter com o diabo?

Chico nunca tentou argumentar com o padre. Ignorava qualquer provocação, fugia de confrontos. Quando cruzava com o "rival" no meio da rua, tirava o chapéu e o cumprimentava, respeitoso. Muita gente ficava irritada com sua passividade. Ele se defendia das acusações de ser omisso comparando o ato de polemizar ao de remexer uma tina de água, "um serviço vão que cansa os braços inutilmente".

Nunca atacaria o catolicismo nem qualquer outra religião. Pelo contrário. Faria questão de defender a Igreja Católica como fundamental ao país.

— Por mais de quatrocentos anos, nós fomos e somos tutelados por ela na formação do nosso caráter cristão.

Chico estava longe de ser ingênuo. O catolicismo era útil para o espiritismo. Multidões de católicos desembarcavam no Luiz Gonzaga todas as semanas. Chico confidenciaria a um amigo sua estratégia:

— A Igreja Católica precisa sobreviver pelo menos mais cem anos. Nós não temos tempo nem recursos para receber todos os fiéis. Nossos centros são como choças, os católicos vêm dos palácios...

Sua tática pacifista e sua postura ecumênica funcionaram com o sacerdote. Quase quarenta anos depois, Sinfrônio participaria da festa de inauguração de uma praça batizada com o nome de Chico Xavier em Pedro Leopoldo.

Mulheres também atormentavam o balzaquiano mais casto da cidade. Uma vez, Chico abriu a boca numa sessão espírita em Belo Horizonte e deixou escapar uma voz encorpada, densa, vibrante. O rosto do rapaz ganhou ares aristocráticos. Após o discurso, o dono do vozeirão se identificou. Era Emmanuel. Azar de Chico. Uma das espectadoras, filha de um embaixador argentino, perdeu a cabeça. Tinha encontrado o homem de sua vida.

A sessão terminou, a moça se agarrou ao braço do médium e não soltou mais. Quando Chico entrou na sala de passes, ela entrou atrás e trancou a porta. Para garantir a privacidade, arrancou a chave da fechadura e guardou no bolso. O dublê de Emmanuel não sabia o que fazer com aquela mulher entre os braços. Ela queria casar, ter filhos, recitar *O evangelho segundo o espiritismo* para ele, ajudar todos os pobres do Brasil, doar... Chico tentou escapulir em tom paternal:

— Minha filha, não tenho programa de casamento. Não valho mais nada e seria sua infelicidade. Você se apaixonou por Emmanuel e não por mim. Tenha paciência. Jesus há de nos ajudar. Você encontrará um homem bom que a fará feliz. Eu já não sou mais homem. Nada posso fazer.

Naquela época, Chico, um solteirão com fala mansa e gestos femininos, sofria insinuações maliciosas. E recorria a respostas prontas para justificar seu celibato.

— Devo me dedicar à família espírita, à família universal. Não posso ficar preso a uma mulher.

A moça insistia. Chico sofreu para convencê-la a abrir a porta. Reza nenhuma adiantou. Tempos depois, ele recebeu uma carta educada do pai da apaixonada. Em termos incisivos e delicados, o embaixador pedia a mão do espírita em casamento para a filha:

> *Sei que o senhor é homem pobre, de cor, mas como tenho uma filha só e sempre lhe fiz todas as vontades, assim como desejo que ela seja feliz, conformo-me e peço-lhe que se case com ela. Darei todo o dinheiro necessário para que tenham conforto.*

Chico agradeceu a generosidade do ex-futuro sogro e recusou a oferta. Quanto mais rezava, mais assombração aparecia.

O espírita mais famoso do país vivia em outro mundo e, a cada ano, ficava mais íntimo dos mortos. Em fevereiro de 1948, Rômulo Joviano abriu sua casa para exibições extravagantes. A sala sobre o porão onde Chico Xavier escreveu *Paulo e Estêvão* seria usada para as mágicas do médium carioca Francisco Peixoto Lins, o Peixotinho, um *expert* em fenômenos batizados de materialização. Após assombrar céticos e espíritas em várias capitais do Brasil, o visitante do Rio emprestaria seu ectoplasma aos seres invisíveis em Pedro Leopoldo. Com sua energia, os mortos ganhariam consistência física e poderiam ser vistos, e até tocados, por qualquer mortal.

No dia da reunião, marcada para um sábado, nenhum dos espectadores da sessão privê comeu carne, fumou ou bebeu. Todos cumpriram os pré-requisitos do ritual. Rômulo Joviano reservou um quarto só para Peixotinho e o transformou, com a ajuda de uma cortina, numa cabine própria para as materializações. A escuridão ali tinha de ser absoluta e a janela deveria estar trancada. Na sala, a pouco mais de dez metros de distância, ficariam os espectadores.

Às oito da noite em ponto, uma lâmpada vermelha iluminou a plateia. Mais de quinze pessoas, entre elas Chico Xavier, iniciaram o rito, de acordo com o regulamento espírita: leitura de trechos evangélicos, seguida de comentários, "para atrair espíritos de ordem superior", acompanhada por música clássica, "para facilitar a aglutinação fluídica" e conduzir os participantes a uma vibração positiva. "Ave Maria", de Gounod, tomou conta do ambiente.

Da cabine onde estava Peixotinho saíram clarões coloridos. O corredor foi atingido por reflexos verdes, roxos e azuis. De repente, apareceu na sala um visitante fluorescente. Diante de olhos atônitos, alguns deles desconfiados, começou o desfile de assombrações.

Um dos perplexos na plateia era o delegado de polícia paulista R. A. Ranieri. Naquela noite, ele foi surpreendido pela visita de uma réplica iluminada de sua filha, Heleninha, morta três anos antes, com dois anos de idade. A garota "saiu" do corpo de Peixotinho e "ressuscitou", quase em néon, com a mesma fisionomia e estatura dos tempos de viva e com a voz semelhante à original. Cumprimentou o pai e colocou nas mãos dele uma flor brilhante.

— Era ela, sem dúvida nenhuma — garantiu Ranieri.

E exigiu credibilidade.

—Um delegado dificilmente se deixará embair por truques—afirmou.

Ficou tão convencido da autenticidade dos fenômenos que escreveu um livro sobre o assunto, intitulado *Materializações luminosas*.

Naquela noite, todos ficaram impressionados com o respeito demonstrado pelas aparições quando se aproximavam de Chico Xavier. Muitos dos seres fluorescentes só faltavam se curvar diante do matuto de Pedro Leopoldo.

Um dos visitantes do outro mundo naquela noitada estranha se apresentou como José Grosso e, às gargalhadas, tratou de honrar o apelido. Lançou numerosas pedras iluminadas sobre os espectadores. Nenhuma atingiu o alvo. Mas o recém-chegado deu provas de pontaria ao acertar, na penumbra, o nome de cada um dos quase apedrejados. O espetáculo durou pouco e foi até bem-comportado perto dos shows promovidos por Peixotinho no Rio.

As experiências realizadas por ele e acompanhadas por Ranieri na capital eram ainda mais espetaculares. Algumas vezes, duas latas, com capacidade para vinte litros cada, ficavam lado a lado na cabine onde o médium dava à luz seres invisíveis. Numa delas, parafina dissolvida fervia sobre um fogareiro aceso, à temperatura de até cem graus centígrados. A outra ficava cheia de água fria. As criaturas iluminadas enfiavam as mãos e os pés nas latas de parafina fervente e, depois, as mergulhavam na água. Resultado: esculturas perfeitas.

As surpresas se sucediam. Frases ditas pelos espectadores viravam, em segundos, letreiros luminosos suspensos no ar. As roupas e os cabelos dos participantes eram cobertos por luz fluorescente, produzida por uma mistura de radioatividade com outro elemento, desconhecido na Terra, capaz de anular as "contraindicações" do rádio. Balas de açúcar cristalizado recebiam descargas radioativas, ficavam esverdeadas e soltavam luz a cada dentada ou a cada atrito contra o chão 24 horas seguidas. Os participantes da sessão privê levaram as balas para casa e exibiram seus poderes mágicos para a família.

Chico Xavier encarava aqueles espetáculos insólitos com naturalidade. Personagens fantásticos faziam parte de sua rotina. E a "materialização" não era novidade alguma. Já em 1870, o químico inglês William Crookes, descobridor de seis elementos e membro da Sociedade Real Inglesa, estudou o fenômeno. Tudo começou quando o cientista decidiu acabar de vez com aquela ideia absurda de que "espíritos" poderiam se materializar.

— Vou provar tratar-se de uma ilusão vulgar — anunciou.

Em pouco tempo, convenceu uma médium de catorze anos, Florence Cook — considerada um fenômeno na época —, a se submeter a testes em sua casa, com a assessoria de sua mulher. O relatório escrito pelo cientista, e publicado quatro anos depois, era quase uma heresia.

A adolescente, quando em transe, liberava tanto ectoplasma que dava vida a uma outra forma feminina — Kate King —, capaz de andar e falar por mais de duas horas seguidas. Florence era baixa e morena. Kate era alta, loura e tinha 35 anos. O relato era minucioso e apresentava até as pulsações, completamente diferentes, da viva e da morta. Para arrematar, Crookes anexou à sua narrativa 48 fotografias.

Muitas experiências de Pedro Leopoldo também foram fotografadas. Empolgado com os fenômenos, Chico Xavier transformou seu quarto em cabine e o emprestou a Peixotinho. As aparições, lideradas por Sheilla — uma enfermeira alemã morta na Segunda Guerra —, autorizaram as fotos. E a cabine, antes indevassável, foi aberta ao fotógrafo Henrique Ferraz Filho.

O médium carioca ficava deitado na cama estreita de Chico, inconsciente. O ectoplasma, expelido de sua boca e ouvidos, assumia forma humana e adquiria voz. Quando Henrique disparava o *flash*, não via nada ou ninguém diante dele. Mas, ao revelar o filme, a aparição estava lá.

Na noite de 2 de maio, a Rolleyflex registrou o corpo estranho de um senhor carrancudo envolto em uma espécie de manto vaporoso. No verso da fotografia, Chico Xavier escreveu:

Na cabine habitual das sessões de materialização, tivemos a felicidade de receber a visita do irmão Camerino, desencarnado na cidade de Macaé...
Francisco Cândido Xavier.

Ninguém conseguiu provar a existência de truques nas sessões de materialização em Pedro Leopoldo nem de montagem nas fotos. Chico "assinou embaixo" de várias delas. Na época, ele já era considerado por milhares de pessoas uma testemunha acima de qualquer suspeita.

Até sua família se espantava com tanta popularidade e credibilidade. O rapaz atormentado por vozes e visões, o ex-réu do processo Humberto de Campos, cresceu, apareceu e começou a se transformar em mito.

Em 2 de abril de 1950, Chico Xavier comemorou seus quarenta anos com uma festa de inauguração concorrida. Naquele dia, o Centro Luiz Gonzaga mudou de sede. Já não cabia mais na casa de José Felizardo Sobrinho e se transferiu para a casa onde o aniversariante tinha nascido. O quarto miúdo de Maria João de Deus, local do parto, virou sala de passes. Convidados de vários estados lotaram o salão recém-pintado e reformado com a ajuda de Rômulo Joviano. A badalação em nada lembrava aquela reunião íntima que inaugurou o primeiro centro espírita de Pedro Leopoldo, em 1917.

Espíritas de São Paulo, Belo Horizonte, Juiz de Fora, Rio de Janeiro e Sabará marcaram presença e fizeram discursos entusiasmados. Até um representante do Clube de Jornalistas Paulista apareceu para homenagear o tema de tantas reportagens polêmicas. Após ouvir elogios e mais elogios, Chico colocou no papel um texto assinado por Pedro d'Alcântara, ou melhor, Dom Pedro II. Em "Rogativa", ele pedia a bênção de Deus ao "lar erguido às dores/ ao refúgio para os sofredores".

Nem tudo era só espírito. Naquele ano, o novo integrante do time dos quarentões tomou uma decisão frugal: deixaria de jantar. Seus quase noventa quilos eram inadequados para seu 1,64 metro de altura. A taxa de colesterol também começava a pesar. Chico Xavier começou a cuidar do corpo. Mais tarde, cuidaria da calvície.

Em 1951 ele foi surpreendido por uma hérnia estrangulada. A cirurgia, à altura do peritônio, era inadiável e arriscada. Um médico providenciou a internação imediata. Chico não contou nada à família, na época às voltas com dificuldades financeiras graves. A operação durou cerca de quatro horas. Enquanto convalescia, ele pensava em como pagar a conta. Dessa vez, nem puxou conversa com Emmanuel.

Logo nos primeiros dias, recebeu a visita de uma desconhecida muito bem-vestida. Ela conversou com ele durante alguns minutos, procurando animá-lo, e, ao se retirar, deixou na sua mão, discretamente, um envelope. Pediu para o doente aceitar aquela contribuição e comprar frutas. Chico agradeceu, mas não abriu o envelope de imediato. O médico passou pela visitante e a cumprimentou um tanto constrangido. Em seguida, perguntou a Chico se ele a conhecia. Diante da resposta negativa, explicou: era uma prostituta famosa nas altas-rodas da cidade. No envelope, Chico encontrou dinheiro suficiente para pagar a cirurgia.

Em poucos dias, o doente já estava de pé, pronto para outra. Bem-humorado, recebeu uma visita ilustre no Centro Luiz Gonzaga: o professor italiano Pietro Ubaldi, autor de um dos livros de cabeceira de Chico na época, *A grande síntese*. O anfitrião surpreendeu o visitante com uma série de revelações. A mãe dele, Lavínia, já morta, estava ali e, após abraçar o filho, se referiu a ele como *mio garofanino* (meu pequeno cravo). Ubaldi confirmou o apelido de infância. Em seguida, Chico assinalou a presença do filho do escritor, Franco Ubaldi, morto na Segunda Guerra, no norte da África.

Tudo ia muito bem até o momento em que o mineiro anunciou a presença do espírito de uma irmã do professor, Maria. Ubaldi se desculpou e, sem graça, garantiu: ele tinha mesmo uma irmã com este nome, mas ela estava viva na Itália. Chico ficou em silêncio. A hesitação durou segundos. Tempo suficiente para o mineiro trazer uma explicação do além: Maria era o nome de outra irmã sua, mas ela tinha morrido quando ele ainda era bebê. Ubaldi se lembrou, aliviado. Teve sorte.

Exatos vinte anos depois, Chico criaria o mesmo constrangimento ao anunciar ao presidente da Federação Espírita do Paraná, João Guignone:

— Sabe quem está aqui ao meu lado, cheia de emoção e querendo abraçá-lo? Sua mãe.

Para não contrariar, o rapaz fingiu alegria. E confidenciou a um amigo:

— Chico não está regulando bem. Minha mãe está viva em Curitiba.

Ao chegar ao hotel, recebeu um interurbano do Paraná. O enterro estava marcado para a manhã seguinte.

Durante dois anos, 1952-53, Chico resolveu experimentar emoções mais fortes. Ele mesmo decidiu emprestar seu ectoplasma aos visitantes do além. As reuniões de materialização movimentavam, em geral, a casa de André Xavier, seu irmão. Chico se deitava na cama em um quarto próximo à sala, as rezas começavam, a música enchia a sala e o desfile de aparições surpreendia os espectadores. As criaturas iluminadas eram mais etéreas, menos sólidas, do que as geradas por Peixotinho em seus espetáculos.

Numa das noites, um dos espectadores e amigos de Chico, Arnaldo Rocha, recebeu a visita de Maria José de São Domingos Ramalho Rocha, sua mãe. Quando viva, ela tratava os filhos como "vidrinhos de cheiro" e tinha a mania de pousar as mãos na cabeça deles. Em sua versão fluorescente, ela repetiu os hábitos estranhos. O filho quis saber se ela conservava também a mania de cheirar rapé. A aparição riu, negou e mostrou a tabaqueira vazia.

Em outra noitada, uma senhora fulgurante, coberta por véus, saiu do cubículo onde estava Chico e iluminou a sala de visitas com uma joia fosforescente. André Xavier identificou a recém-chegada: era Cidália, mãe dele, segunda mulher de João Cândido. Antes de sair, a madrasta de Chico deixou um rastro de perfume no ar. De repente, uma nova fragrância invadiu a sala e uma figura elegante entrou em cena. Era Meimei, ex-mulher de Arnaldo. Ela cumprimentou a todos e pediu que a "pessoa necessitada" se aproximasse.

Um jovem tuberculoso se levantou da cadeira. A aparição envolveu seu peito com cordões fosforescentes. A radioatividade, livre dos efeitos negativos do rádio, poderia curar. Em seguida, um sujeito com pose austera, enfiado numa toga romana de tonalidade azul, surgiu na sala com uma tocha acesa numa das mãos. Em tom grave, afirmou:

— Amigos, o que acabastes de ver e de ouvir representa maiores responsabilidades sobre os vossos ombros.

Era Emmanuel.

Logo, ele sumiu e abriu alas para nova onda de perfumes. A recém-chegada era bem mais atraente e simpática. Loira, jovial, respondia pelo nome de Sheilla e falava com forte sotaque alemão. Um dos espectadores, diante da enfermeira morta na Segunda Guerra, tratou de fazer uma consulta médica:

— Eu me sinto mal.

— Você come muita manteiga.

Ela pediu que o paciente levantasse a camisa. Iria fazer uma radiografia do seu estômago.

Sheilla se aproximou e, com os dedos semiabertos, apalpou a região do estômago em sentido horizontal. Os espectadores ficaram perplexos. De repente, a barriga do paciente ficou transparente e todos puderam ver suas vísceras em funcionamento. Sheilla se limitou a informar:

— Agora levarei a radiografia ao Plano Espiritual para que a estudem e lhe deem um remédio.

A enfermeira promovia espetáculos impressionantes. Numa noite, duas senhoras, uma cardíaca e outra portadora de câncer, foram atendidas por ela em sessão. Uma lâmpada de 26 velas mal iluminava a sala. De repente, duas pequenas bolas de luz se distenderam e formaram mantilhas que flutuaram no ar e pousaram, uma sobre a cabeça da cardíaca e a outra sobre os ombros de sua companheira. Uma das testemunhas do fenômeno, Wallace Leal Rodrigues, pediu licença para tocar nos véus. Tinham a textura de filó, uma claridade azulada e foram absorvidos pelos corpos das doentes.

Em 1953, Chico estava na cabine quando a sala foi iluminada por uma espécie de relâmpago. Uma aparição com quase 1,90 metro de altura, porte atlético e tórax largo, entrou em cena. Trazia na mão direita, erguida, a velha tocha acesa (um símbolo de fé). Com voz clara, baritonada, encheu o peito e afirmou:

— Amigos, a materialização é fenômeno que pode deslumbrar alguns companheiros e até beneficiá-los com a cura física. Mas o livro é chuva que fertiliza lavouras imensas, alcançando milhões de almas. Rogo aos amigos a suspensão destas reuniões a partir deste momento.

Era ele mesmo. Emmanuel.

Chico obedeceu mais uma vez. Sua missão era o livro, era materializar ideias. Precisava cumprir seu cronograma e entregar logo os novos trinta títulos. Ainda faltavam dez.

A maioria dos amigos entendeu. O autor de *best-sellers* espíritas saía das sessões em estado de exaustão. Pálido, abatido, banhado em suor. Alguns admiradores ficaram decepcionados. Quem sabe Chico não poderia provar, com esses fenômenos, a existência dos espíritos? A esperança era inútil. A maioria absoluta dos céticos duvidaria de cada foto ou de cada aparição luminosa.

Em 1954, Chico Xavier estava esgotado. Arnaldo Rocha e o amigo Ennio Santos o convenceram a passar alguns dias em Angra dos Reis, no Rio de Janeiro. Aquela seria uma viagem também no sentido psicodélico da palavra.

As surpresas começaram ainda no meio do caminho, quando Chico sugeriu um pernoite em Resende. O hotel escolhido pelo moço de Pedro Leopoldo era incomum. Logo no salão de entrada, encravado no mármore da lareira, reluzia o símbolo do comunismo — a foice e o martelo. Deus, ali, não deveria ter o menor ibope. Mas tinha.

As portas de todos os apartamentos eram marcadas por citações evangélicas pintadas a óleo. Na entrada do quarto deles, equipado com três camas estreitas, a frase de boas-vindas tinha a assinatura de Lucas: "E Jesus crescia em sabedoria, em estatura e em graça, perante Deus e os homens". Do lado de dentro, a madeira era marcada por outra saudação, esta menos empolgante. O apóstolo Marcos desejava "boa-noite": "Minha alma está triste até a morte. Ficai aqui e vigiai". Chico Xavier se deitou e aconselhou:

— Tomem cuidado com as palavras.

Conseguiram dormir. Ennio e Arnaldo estavam embalados no sono quando foram surpreendidos por Chico, novo em folha, de pé, pronto para uma boa caminhada. Arnaldo conferiu no relógio: 5h30 da manhã. O frio intenso recomendava um cobertor felpudo. Os dois tomaram coragem, café, fôlego e, em pouco tempo, estavam diante de uma cachoeira ao lado de Chico. Para começar, ouviram dele um aviso em tom coloquial:

— Há vários espíritos aqui, homens, mulheres e crianças, num ritual.

Arnaldo quis saber se eles também eram vistos pelo grupo. Chico respondeu com uma explicação dada por seu companheiro invisível.

— Emmanuel esclarece que são espíritos simples, ingênuos. Pelo nosso calendário, poderíamos dizer que se encontram ainda no século XV, no mundo que lhes é próprio. Nós não existimos. Eles não nos veem e encontram-se em fase evolutiva bem acanhada. São índios.

Após breve pausa, completou:

— Estão, sim, meu amigo, completamente nus, pelados.

Lançou um olhar irônico a Arnaldo:

— Não é esta a sua pergunta mental?

A viagem estava só começando.

O trio chegou em Angra à noite e, na manhã seguinte, visitou as ruínas do Convento São Francisco. Eles caminhavam, quando Chico avisou a Ennio:

— Creio que terá algumas surpresas hoje.

Minutos depois, já no cemitério do convento, Ennio encontrou em velhas lápides gastas pelo tempo os nomes de seus avós paternos e maternos. Após o *tour* religioso, os três decidiram encarar um programa mais ousado: alugaram uma lancha e tomaram o rumo de uma ilha deserta, velha conhecida de Arnaldo. O sol estava tinindo.

Desembarcaram, despediram-se do condutor e ouviram dele a promessa de voltar três horas mais tarde. Arnaldo resolveu nadar, Chico e Ennio ficaram à beira-mar, com as calças suspensas até os joelhos, rindo e conversando entre as marolas. De repente, por volta das 16h, o tempo virou. Ondas gigantescas saltaram do mar, um temporal desabou. Do barco prometido, só se ouvia o barulho abafado ao longe. Ele tentava se aproximar, desistia, insistia, voltava. Com muito custo, o barqueiro chegou até a praia. Estava apavorado. A embarcação inclinava-se para todos os lados. As rezas pareciam inúteis. O motor parou de repente.

Chico ficou mudo, encharcado. Arnaldo segurou sua mão e ele, baixinho, lhe disse:

— Limite-se a orar. Depois eu lhe conto.

A viagem, que demorou quarenta minutos na ida, prolongou-se por mais de quatro horas na volta. De vez em quando, Chico se encolhia num canto, franzia a testa e mordia o lábio inferior. Tinha bons motivos para tanta agitação: duas assombrações agarravam desesperadas as bordas do barco. Pareciam pedir socorro. Só ele via. E só ele ouviu a explicação nada tranquilizadora de Emmanuel:

— São suicidas extremamente voltados para o mal. Estão tentando virar a embarcação. Já tomamos as providências devidas.

A dupla mal-intencionada estava cercada de outros suicidas, uma horda de seres monstruosos.

Entre mortos e vivos, salvaram-se todos. Mas Chico ficou impressionado. Em seus 43 anos de convivência com o insólito, nunca tinha visto gente tão desesperada.

A noite também seria tempestuosa.

Os três jantaram e foram para o quarto. Conversaram sobre os sustos e as surpresas do dia, riram, conseguiram relaxar. Estavam prontos para um sono mais ou menos tranquilo, quando Chico aconselhou uma reza. Emmanuel iria se manifestar. Dito e feito. A voz de Chico mudou:

— Meus diletos e caríssimos amigos, que o Senhor se compadeça de nossas necessidades. Devemos estar preparados para tarefas de assistência e enfermagem espiritual.

Em seguida, Emmanuel se calou e abriu passagem para um desfile de assombrações. Todas usaram e abusaram do corpo de Chico.

O primeiro visitante tomou conta do ex-matuto de Pedro Leopoldo e o deixou transtornado. De pé, andando de um lado para o outro, ele dava ordens, esbaforido:

— Atirem! Carreguem os canhões. Coragem! Ah, Napoleão! Eu que tanto o admirava... Não passas de um conquistador cruel...

Arnaldo e Ennio rezaram e puxaram conversa com o recém-chegado, bastante à vontade na pele de Chico Xavier. Aos prantos, ele se apresentou como capitão de um navio posto a pique em combate, em Angra, por corsários franceses, em 1810. Ele chorava por seus comandados, pela mulher, pelos filhos.

— Que a Virgem Santa os tenha em sua guarda. Como é possível, caros senhores? Amava tanto o bravo general Napoleão. Como pôde se transformar nessa ave de rapina? Ele, que lutou pelos ideais de igualdade, fraternidade e liberdade...

Após desabafar e ouvir uma série de conselhos, o comandante saiu de cena. Era um privilegiado se comparado com as outras "visitas" da noite. A voz de Chico transformava-se em grunhidos, uivos, silvos, engrossava e afinava. Ele rastejava, saltava, se contorcia, tinha o rosto atravessado por rugas profundas e repentinas. Sozinho, dava vida a personagens inacreditáveis. Pela sua boca, um juiz negociava sentenças injustas em troca de nobreza e prestígio político. Franciscanos lembravam-se dos bons tempos em que promoviam orgias e matavam seus hóspedes no convento para roubá-los. Um desfile de criaturas sórdidas tomou conta do quarto. Quem colasse o ouvido na porta do lado de fora ficaria atônito, teria vontade de chamar o exército ou o hospício. Uma multidão aglomerava-se ali dentro.

As histórias pavorosas sucediam-se: recém-nascidos eram sequestrados nas senzalas, seviciados e sacrificados em rituais satânicos. Escravas eram violentadas por seus senhores. Chico encarnava todas as criaturas num monólogo ensandecido.

Ennio e Arnaldo usavam todos os argumentos para acalmar os visitantes. Um dos mais desesperados apareceu como escravo, morto a chicotadas no tronco de castigos. Seu crime: ter suplicado ao prior dos franciscanos que não tomasse sua filha Aninha para suas orgias. Chico se ajoelhava no chão e com os olhos marejados implorava:

— Oh, meu sinhô. Vosmicê é tão bom. Num faze essa coisa com minha cuburquinha Aninha, não. Sinhô, vosmicê é um santo. Aninha é luz dos meus óio tão cansado de pintá as figurinha nos livro de vosmicê...

Ennio e Arnaldo choravam, rezavam, conversavam. Mas só conseguiram acalmar o coitado com a ajuda da falecida mulher de Arnaldo, Meimei, considerada pelos espíritas um "espírito de luz". Ela apareceu e foi apresentada como nova proprietária do escravo. Chico, ainda ajoelhado, foi beijado pela aparição e reagiu com subserviência.

— Uai, sinhá. Vosmicê tá beijando negro sujo? Aninha mora com vosmicê? Num faze isso, não. Negro Pedro é que beija sua mão e as dos outros moço.

Chico distribuía beijos e continuava:

— Vosmicê são gente de Deus. O véio Pedro inda sabe fazê sabão de bola cum alecrim pra ficá cheroso... Vô fazê, viu? É um chero tão bão...

Durante três noites, o quarto se transformou em palco de tragédias de outro mundo. Ali, em Angra dos Reis, Chico deu uma amostra do que costumava fazer nas sessões de desobsessão semanais e privativas no Centro Luiz Gonzaga.

Aquelas foram as suas férias.

Nas "horas úteis", o médium exibia poderes cada vez mais ecléticos e inacreditáveis. Ondas de perfume se desprendiam de seu corpo de repente. A água — colocada em copos e garrafas sobre a mesa em sessões kardecistas para concentrar energias positivas enviadas pelos espíritos — muitas vezes ficava leitosa e perfumada quando Chico se aproximava. Os mais desconfiados tentavam descobrir onde ele escondia as fragrâncias. Ninguém encontrava o frasco. Muitos saíam do centro com lenços encharcados por aquele líquido vindo do nada.

O perfume, segundo os espíritas, não era mero exibicionismo. Chico, ou melhor, Emmanuel, sempre destacou os poderes terapêuticos das rosas, ricas em vitaminas C e D. O aroma viria de flores "astrais" usadas pelos benfeitores espirituais para energizar os visitantes mais abatidos. Chico levava tão a sério o poder das rosas que sempre plantou roseiras em seu quintal com a segunda intenção de criar um cinturão "balsâmico" em torno de si. De vez em quando, especialmente em sessões de desobsessão, ele exalava também um cheiro de éter quase sufocante. Era o sinal de que Sheilla, a enfermeira, estaria por perto.

Os amigos divulgavam os poderes extravagantes de Chico. Um deles era o de adivinhar a história de objetos apenas com o toque.

Um dia, um amigo, Jofre Leles, contou um caso estranho para o vidente de Pedro Leopoldo. Ele tinha encontrado, por acaso, às margens do rio Mucuri, em Teófilo Otoni, restos de uma espada. Desde então, vivia sonhando com lutas sangrentas. Chico pegou o objeto e se limitou a acariciá-lo bem devagar.

— Capitão Jofre, esta espada lhe pertence há muito tempo. Por volta de 1840, você, nas vestes de um capitão da milícia mineira, guerreou bravamente na cidade de Filadélfia, hoje Teófilo Otoni, durante sua revolução, a chamada Revolução Liberal. Foi ferido e a espada lá ficou.

Jofre olhou desconfiado. Diante da dúvida e da surpresa do amigo, Chico garantiu: no pedaço de lâmina oxidado, estava gravada sua insígnia de capitão de cem anos atrás, a mesma que ele usava agora, na Polícia Militar.

Ao chegar a Belo Horizonte, Jofre fez de tudo para limpar o metal e, com muito custo, encontrou embaixo do encardido, sobre o aço brilhante, duas palavras latinas: *honor* e *fides* (honra e fidelidade).

As surpresas eram diárias. Arnaldo Rocha e Ennio ficavam cismados nas vezes em que ajudavam Chico a organizar sua correspondência, uma batelada de cartas todos os dias. Elas vinham de diversos estados do Brasil, principalmente de Minas, Rio de Janeiro e São Paulo. Arnaldo e Ennio abriam os envelopes e classificavam as consultas por assunto. Chico apenas tocava os pacotes e os separava em montes diferentes: pedidos de receitas, requisição de mensagens de mortos queridos, pedidos de conselhos. Alguns, ele colocava no bolso do paletó. Sem ler.

Quarenta anos depois, uma de suas amigas mais fiéis, Neusa Arantes, ficaria perplexa diante da leitura dinâmica do médium. Ele pegava um livro, folheava três ou quatro páginas e dizia:

— Já li.

Diante da descrença da companheira, Chico contava a história do começo ao fim. O poder mediúnico do tato seria estudado pelo espírita Ernesto Bozzano e até renderia um livro com título científico: *Enigmas da psicometria*.

Os casos sobre Chico Xavier espalhavam-se como lendas.

Em Belo Horizonte, ele quase fez uma de suas admiradoras perder a voz. Após uma palestra na Semana do Livro Espírita, ele se levantou da mesa, aproximou-se dela, uma desconhecida, e a cumprimentou:

— Muito prazer, dona Daise.

A moça, sem graça, corrigiu a pronúncia:

— Dayse (Deise).

Chico desculpou-se:

— É que estou lendo seu nome como ele está escrito.

Detalhe: Dayse não usava crachá de identificação.

Outro dos amigos de Chico, Clóvis Tavares, também levou um susto quando Chico lhe pediu, tímido, em meio a uma caminhada:

— Nosso querido Emmanuel está me dizendo que você tem lido Charles Wagner. Ele lhe pede que me empreste algum livro desse autor. Diz que eu preciso conhecê-lo.

Como ele conhecia aquele detalhe? Os livros estavam em Campos...

As próprias irmãs de Chico, Dália e Lucília, começavam a acreditar nos poderes fantásticos dele. Numa tarde, as duas reclamavam da vida enquanto lavavam roupa e colocavam água no feijão. O irmão mais velho, responsável pela fiscalização da casa na ausência quase permanente de João Cândido, estava na Fazenda Modelo. E elas aproveitaram para desabafar. Estavam cansadas de tanta trabalheira — lavar e passar roupa, fazer comida, varrer chão.

— Precisamos de uma empregada.

Chico chegou no fim da tarde irritado e desfiou um discurso machista:

— Em primeiro lugar, não é "empregada" que se diz. O certo é falar "moça para ajudar em casa". Em segundo lugar, vocês devem se acostumar com o trabalho doméstico. Senão, quando se casarem, vão ser chamadas de preguiçosas pelos maridos.

Outra volta do trabalho de Chico foi bem mais dramática. Quando entrou em casa, encontrou seu cachorro de estimação, Lorde, agonizando na cozinha. Ele se contorcia, revirava os olhos e, com o rabo entre as pernas, gania. Lucília e Dália acompanhavam o sofrimento à distância. Chico se ajoelhou e, sacudido por soluços, descreveu uma cena invisível: um outro cão, vindo do além, lambia o companheiro para atenuar seu sofrimento nos últimos momentos.

Um ano depois, o rapaz comentou em conversa com amigos, diante das irmãs:

— Eu tinha um cão maravilhoso. Mas, como ele fazia xixi pela casa inteira, Dália e Lucília acharam melhor envenená-lo.

As duas coraram. Chico fingiu ter se conformado. Na verdade, ficou chocado com o assassinato do cachorro. Era fascinado por animais. Encarava os bichos como irmãos caçulas do homem e cuidava deles com obstinação. Até mesmo quando assumia o papel de pescador. Numa tarde, vencido pela insistência dos amigos, aceitou um convite para pescar. Pôs o chapéu na cabeça e, ao lado dos companheiros, tomou o rumo do ribeirão. Sorridente, acomodou-se em um barranco e lançou a linha na água. Seus vizinhos fisgavam um peixe depois do outro. Nenhum lambari se aproximava de Chico. Um dos amigos estranhou tanta falta de sorte. Chico acabou confessando: não tinha colocado isca no anzol para "não incomodar os bichinhos".

"Cuida dessa vida. Esquece as outras (passadas ou futuras). Essa vida já dá trabalho demais."

Chico Xavier

CHUVA DE PÉTALAS

Em 1954, um fenômeno tirou o fôlego até mesmo dos amigos já habituados com os poderes de Chico. Sua irmã, Neusa, estava de cama, magra, pálida, triste. Arnaldo Rocha, Lucília, seu marido Pacheco e Chico fizeram um círculo em torno da cama onde ela estava, em casa, e iniciaram os passes. Com a luz apagada, Chico rezou. Arnaldo sentiu algo úmido, leve, cair em sua cabeça, nos seus braços. Os outros tiveram a mesma sensação. O protegido de Emmanuel pediu que todos mantivessem as mãos à altura do peito. Quando a luz se acendeu, eles desvendaram o mistério: o chão, a cama, o quarto estavam repletos de pétalas de rosas. Na manhã seguinte, Neusa morreu.

Os casos sobre o mito Chico Xavier se sucediam. Em 1955, o filho de um motorista de táxi de Pedro Leopoldo, Geraldo Leão, estava de cama, vítima de uma paralisia facial provocada por choque térmico. Era tratado com chá de canela e compressas de água fria, em meio a uma febre crônica. Seus lábios pareciam prestes a alcançar as orelhas. Chico foi até o quarto e ouviu as queixas do rapaz. Ele tinha a sensação de que uma faca lhe rasgava o rosto. O espírita tirou o chapéu, colocou a mão na testa do doente e disse três vezes:

— Você vai ficar bom, você vai ficar bom...

A boca foi voltando ao normal, a dor desapareceu e Chico também, logo após pedir segredo.

Eram escassas, e discretas, as curas promovidas por ele. E eram ainda mais raras as previsões feitas por Chico Xavier. Ele evitava profecias, temia ser enganado por espíritos mal-intencionados. Uma vez quebrou o protocolo e garantiu ao amigo Ranieri: se ele segurasse uma lâmpada com força, ela acenderia. A energia do delegado seria suficiente para gerar luz. Ranieri quase ficou com os dedos roxos. Tudo em vão. Não tinha vocação para bocal.

Muita gente duvidava dos superpoderes de Chico Xavier. O coro dos desconfiados seria engrossado até pelo oftalmologista do vidente, o dr. Nadir Sáfadi, de São Paulo. Numa das consultas, enquanto examinava a catarata e a miopia do paciente, ele não resistiu e perguntou:

— Você vê mesmo os espíritos?

Chico deu a resposta de sempre e recebeu de volta outra dúvida:

— Mas como você enxerga os espíritos com olhos tão debilitados?

O doente recorreu a um discurso kardecista:

— A mediunidade vidente independe dos olhos do corpo físico. O assunto exige muito estudo.

— Você está vendo algum espírito aqui no consultório?

Chico Xavier respondeu com um "sim" desconcertante e lacônico. O silêncio foi quebrado pela ansiedade do médico:

— Quem está aqui? Como ele se chama?

O paciente engoliu em seco. Sentiu medo de dizer nome tão inusitado e ridículo. Podia estar sendo vítima de alguma chacota espiritual.

Diante da insistência do médico, ele tomou coragem e revelou:

— Ele está me dizendo chamar-se Senobelino Serra. Diz ter sido natural de São José do Rio Preto.

O dr. Sáfadi ficou pasmo.

— Dr. Senobelino foi meu professor, foi muito amigo meu.

Chico Xavier respirou aliviado e foi adiante:

— O dr. Senobelino está me dizendo ter sido designado pela Espiritualidade Maior para ajudar o senhor na profissão de médico oftalmologista, juntamente com outros amigos, porque o senhor ajuda muita gente aqui no consultório.

Histórias mirabolantes como esta se espalhavam, e o protegido de Emmanuel recebia a visita de céticos dispostos a desmascará-lo de uma vez por todas. A cada semana, cerca de duzentos novos curiosos chegavam à cidade. Chico calculava em um terço desse número a quantidade de desconfiados.

Em 1955, desembarcou em Pedro Leopoldo frei Boaventura Chasseriaux. Durante três dias, em abril, ele seguiu os passos do ex-católico, conversou com ele e tentou convencê-lo a se submeter a uma hipnose e a dizer a verdade em confissão. A conversa ficaria em segredo. Chico agradeceu. Não precisava desabafar. O padre registrou suas impressões em *O Diário*, autoproclamado "o maior jornal católico da América Latina".

Para começar, decretou: "O espiritismo não passa de um erro que irá acabando com a pregação da verdadeira doutrina do Cristo".

Em seguida, criticou: "Só mesmo com muita indulgência podemos achar os livros e discursos de Chico Xavier de grande valor e seria desaforo atribuí-los aos espíritos de luz".

Mais adiante, absolveu Chico de seus pecados: "Ele é solteiro, de vida simples e pura. Não podemos acusá-lo de ter se aproveitado pessoalmente do movimento em torno dele".

Para arrematar, levantou suspeitas contra seus parentes: "Sua família (irmãos, cunhado) tem lucrado bastante. De pobres que eram passaram para uma situação bastante invejável".

Frei Boaventura registrou boatos que já ventilavam em Pedro Leopoldo. Alguns parentes de Chico estariam mesmo tirando vantagens da movimentação em torno dele. Os vizinhos cochichavam pelas esquinas. Lucília sentia os olhares desconfiados dentro de sua casa. Algumas visitas chegavam, sentavam-se e, se houvesse algum eletrodoméstico novo na casa, disparavam a pergunta incômoda:

— Quem te deu?

Os rumores envolviam com frequência o nome de André Xavier. As acusações eram graves. O irmão caçula de Chico, um dos receitistas assistentes do centro, teria feito um acordo com um fabricante do depurativo Fumarento. Em troca de comissão, incluiria nas receitas do dr. Bezerra o nome do remédio, por sinal bastante assíduo nas sessões. André também usaria o nome de Chico Xavier para contrair empréstimos. Um colega de trabalho, Guilherme Augusto Filho, guarda lembranças amargas da convivência com André. Ele emprestou dinheiro ao irmão do amigo, que prometeu o pagamento de juros mensais de 5% até o saldo da dívida. Nos dois primeiros meses, o trato foi cumprido. Nunca mais.

Tempos depois, após fugir o quanto pôde dos credores, André arrumou as malas e foi para São Paulo. Só reapareceu em Pedro Leopoldo como assunto da revista *Fatos e Fotos*, em 1980. Tinha montado um consultório espiritual na capital paulista e prometia cura por correspondência. "Os pedidos por escrito são enviados a mim. Cerca de quinze a vinte dias após a formulação do pedido, a consulta é concluída com uma resposta contendo a orientação espiritual. Os casos que merecem um cuidado especial são encaminhados pessoalmente a Chico."

Diante dos boatos e das críticas, Chico recorria a uma ideia fixa: "Deixa a água do silêncio trabalhar nesses incêndios". Em carta a amigos, ele aconselhava: "Nunca revidemos".

Emmanuel fiscalizava não só as palavras ditas por Chico como também, e principalmente, as escritas. Vetava, sem piedade, "ideias impróprias". Até Humberto de Campos sofreu censura espiritual. Tudo porque assinou, através de Chico, artigo sobre um dilema já em alta naquela época: o homem deve ou não comer carne?

Para responder à questão, Humberto contou a história de um anjo encarregado por Deus de fazer um relatório sobre a Terra. Chegou aqui e encontrou um animal arando o campo, açoitado por uma espécie de demônio. Depois, viu outro animal no curral, com outro demônio espremendo suas tetas e tirando leite, em prejuízo do filho dele, que berrava à distância. Mais tarde, viu um enorme animal sendo morto, suas carnes sendo comidas pelos pequenos demônios e seu couro sendo usado em calçados. Era o bastante. Ele anotou no seu bloco:

— O homem é um ser muito elevado, bom e paciente, merecedor do amor de Deus.

E decidiu conversar com o demônio:

— Por que fazes isto com o homem? Por que o maltratas e o matas se ele te dá tudo?

O demônio desfez o mal-entendido:

— Eu sou o homem. Ele é o boi.

O anjo ficou perplexo e enviou o mais rápido possível seu relatório a Deus.

Emmanuel apareceu, leu a parábola e mandou Chico rasgar o texto em pedacinhos. Os espíritas poderiam ser influenciados por aquela história. Muitos deles, inclusive Rômulo Joviano e Chico Xavier, funcionários da Fazenda Modelo, trabalhavam com a carne e ganhavam a vida assim. O artigo poderia provocar problemas sociais mais graves do que os gerados pela alimentação carnívora.

Chico acatou. E seguiu também ordens atribuídas a Emmanuel ao preparar a sexta edição do *Parnaso de além-túmulo*, em setembro de 1955, ano da morte de Manoel Quintão. A nova versão da coletânea de poemas chegou às livrarias com um adendo na capa: "Revista e ampliada pelos autores espirituais". Emmanuel fez o papel de censor. E foi implacável. Ele queria versos espiritualmente corretos, fiéis à cartilha evangélica, de acordo com os ensinamentos de Jesus e de Kardec. A poesia perdeu espaço para a doutrina.

O poema "A guerra", de Augusto dos Anjos, por exemplo, desapareceu. Quem abre hoje o *Parnaso* já não encontrará estes versos, formulados em meio às bombas da Segunda Guerra Mundial:

A torva geração do ódio e da Guerra
embora a paz suavíssima a conclame
Faz dos homens do mundo amargo e infame
Assanhados carnívoros da Terra.

O texto era pessimista demais.

Guerra Junqueiro também sofreu cortes. Seu poema "Contra a besta apocalíptica" sumiu. Pecou por excesso de anticlericalismo, considerado uma virtude nos tempos do indignado Manoel Quintão, responsável pela primeira edição da coletânea. Os versos não passaram pelo crivo "emmanuelino":

Não contente com o dogma inquisitorial
que o seu concílio impôs a todas as criaturas
A Igreja ainda requer benesses, sinecuras
Amealhando assim o ouro universal.

Para arrematar, Junqueiro chamava o padre de "mercador do altar". Era demais.

Na busca do tom político e evangelicamente correto, Chico aprovava as alterações. Algumas eram mínimas, quase imperceptíveis. Em "Homem da Terra", também de Augusto dos Anjos, "células taradas" deram lugar a "células cansadas".

Muitas vezes, em nome do espiritismo, Chico recorria a omissões e mentiras estratégicas. Ele mesmo admitia em conversa com os amigos:

— A verdade é um veneno. Nem Jesus Cristo quis defini-la. Quando Pilatos lhe perguntou o que era a verdade, ele ficou em silêncio. Se formos falar a verdade na vida social, seremos considerados indesejáveis e loucos.

Chico preferia pegar a "avenida do contorno". Diante de perguntas escorregadias, desviava com um "vamos estudar melhor a questão". Para escapar de críticas aos poderosos do país, apelava para a diplomacia:

— Eles estão tentando fazer o possível.

Como um embaixador do outro mundo no Brasil, Chico Xavier aprendeu a engolir em seco e a adiar a verdade. Era cauteloso, como bom mineiro.

Em 1955, saiu da defensiva e abriu a guarda para um rapaz de 23 anos, vindo de Monte Carmelo com a mãe. Seu nome: Waldo Vieira. Foi afinidade à primeira vista. O rapaz mostrou a Chico um poema intitulado "Deus", ditado a ele por um espírito anônimo. O autor do *Parnaso de além-túmulo* ficou abismado. Era um soneto alexandrino perfeito.

A surpresa cresceu após outra revelação. Waldo, com metade de sua idade, dizia receber mensagens de um espírito chamado André Luiz, homônimo do autor de *Nosso Lar*, mas com um currículo diferente. De repente, o próprio apareceu para os dois. Um olhou para o outro e perguntou:

— Esse aí é o seu?

— É? Mas este aí é o meu.

André Luiz tinha apresentado históricos diferentes para os médiuns e foi desmascarado ali mesmo. Seu nome era, na verdade, um pseudônimo usado para encobrir sua verdadeira identidade: a do médico sanitarista Carlos Chagas (nunca admitida por Francisco Cândido Xavier). Um truque usado para evitar processos por direitos autorais como o movido pela família de Humberto de Campos.

Chico estava perplexo. E exultou com o currículo mediúnico do jovem de Monte Carmelo. Espírita desde os seis anos, quando seu pai fundou um centro, Waldo viu a primeira assombração de sua vida aos nove anos. Aos treze, começou a receber os primeiros textos do além. Com o tempo, tornou-se um dos líderes das Mocidades Espíritas. Era perfeito, bom demais para ser verdade. Chico previu a possibilidade de os dois trabalharem juntos. Só não adivinhou o que aconteceria após o dueto. Waldo se tornaria um dissidente, definiria o espiritismo como um "estágio pré-maternal", faria pouco-caso da mediunidade, "tão primária", e atacaria o ex-companheiro com palavras duras.

Emmanuel, André Luiz, Bezerra de Menezes, ninguém o alertou na época. Chico, empolgado com a descoberta de uma nova promessa espírita, tratou de apresentar o jovem, em carta, ao presidente da Federação Espírita Brasileira, Wantuil de Freitas. Já em 1957, quando completava trinta anos de serviços prestados a servir de ponte entre este mundo e o outro, Chico defendeu o jovem:

> *Apesar de moço ainda, revela-se um companheiro muito abnegado e senhor de um caráter honesto e limpo. Estudioso, amigo, trabalhador. Agora, meu caro Wantuil, que trinta anos consecutivos se passaram sobre minhas singelas atividades mediúnicas, tenho necessidade de sentir alguém comigo, a quem eu possa ir transmitindo*

recomendações de nossos Benfeitores Espirituais que eu não possa, de pronto, atender ou em cujas mãos possa deixar alguns deveres preciosos, na hipótese de qualquer necessidade.

Chico estava cansado. Um parceiro viria a calhar. Ainda faltavam três livros para ele honrar o compromisso assumido com Emmanuel e concluir a segunda série de trinta títulos. As sessões de Pedro Leopoldo eram exaustivas e, às vezes, terminavam muito mal. As mensagens de mortos a seus parentes, apesar de escassas e de dirigidas ao público espírita, causavam transtornos.

Companheiros de Chico, alguns deles interessados em fazer média com ricos e poderosos do Rio e de São Paulo, convidavam figurões para tentar a sorte em Pedro Leopoldo. Quem sabe eles não receberiam recados do além de seus familiares? A maioria absoluta voltava para casa frustrada. Chico tentava explicar: não dependia dele, não era má vontade, ele não tinha poder para obrigar um morto a mandar recados para a Terra. E insistia:

— O telefone só toca de lá para cá.

Alguns dos inconformados sentiam vontade de bater aquele telefone imaginário na cara do pobretão ignorante. Resultado: Chico foi atacado quatro vezes com tapas no rosto por não conseguir atender aos pedidos.

A chegada de Waldo Vieira poderia aliviar tanto estresse.

Naquele ano, Chico viajou para Sacramento com o jovem e foi homenageado em uma festinha espírita. Entre os convidados estava um desconhecido de apenas dezesseis anos, bastante incomodado com as reverências prestadas por todos ao médium de Pedro Leopoldo. Ele não entendia tanta badalação. Qual a graça daquele senhor esquisito?

De repente, uma mulher pediu um autógrafo ao homenageado. Chico disse em voz alta:

— Só se o Celso me emprestar uma caneta.

Celso de Almeida Afonso, o rapaz mal-humorado, estava por perto e teve uma reação inusitada: agarrou aquele quarentão estranho, beijou seu rosto e, aos prantos, prometeu:

— Nesta encarnação vou me comparar a um dedo do pé do senhor.

Chico se encolheu e disse:

— Sou apenas cascalho que serve para machucar os pés de quem passa por mim. Você é luz.

Em seguida, avisou a Waldo Vieira:

— Celso é médium e vai trabalhar conosco em Uberaba.

Ele previa mudanças na própria vida. E já se preparava para elas.

Emmanuel também parecia estar bem informado sobre o futuro próximo. Em 1957, Chico ouviu o aviso: André Luiz ditaria um novo livro — o sexagésimo. Parecia tão ansioso quanto Chico para concluir logo a tarefa. Tão apressado que convidou Waldo Vieira a dividir o serviço com o autor do *Parnaso de além-túmulo*. Por quê? A resposta, segundo Emmanuel, viria no ano seguinte. Por enquanto, os dois deveriam apenas escrever.

A dobradinha espírita mais pródiga do espiritismo no Brasil começou com *Evolução em dois mundos*. O método de trabalho da dupla era insólito. Waldo Vieira, um jovem de 27 anos, recém-formado em medicina e odontologia, enviava de Uberaba para Pedro Leopoldo, aos cuidados de Chico, 47 anos e curso primário incompleto, os capítulos ímpares do livro — um resumo da história da alma humana repleto de termos médicos. Chico dava sequência ao texto com os capítulos pares. A fusão dos artigos era surpreendente. Impossível afirmar quem escreveu qual parte. Em julho de 1958, o livro número sessenta já estava no prelo.

Chico comemorou. A maratona literária tinha terminado. Mas a alegria durou pouco até Emmanuel comunicar:

— Os mentores da Vida Maior, perante os quais devo também estar disciplinado, me advertiram que nos cabe chegar ao limite de cem livros.

Assim já era demais. Chico estava exausto e chegou a desabafar com um amigo:

— Na próxima encarnação não quero saber de livros nem de imprensa. Quero nascer num lugar onde só haja analfabetos.

Pouco tempo depois, sonharia:

— Nas encarnações do futuro, quero ter uns trinta filhos...

O pior é que Chico escrevia e ainda levava desaforo pra casa. *Evolução em dois mundos* chegou às livrarias em meio a críticas. Médicos escreveram a Chico para protestar contra a complexidade do texto "pseudocientífico". Por que eles não eram capazes de entender? Qual o sentido de páginas tão inacessíveis?

O livro, denso, quase inalcançável, contrariava a linha popular defendida poucos anos depois por Chico: as mensagens deveriam ser entendidas pelos "espíritas mais humildes". Chico temia o elitismo e repetiria aos intelectuais da doutrina:

— O espiritismo veio para o povo e para com o povo dialogar.

O "povo", desta vez, ficaria de fora. "Hausto corpuscular de Deus", "corpúsculo-base", "fluido elementar" — as expressões eram complicadas demais.

Mas o livro chegou na hora exata. Em julho de 1958, palavras escandalosas atingiam Chico Xavier em cheio. Seu sobrinho, Amauri Pena Xavier, de 25 anos, que morava em Sabará, apareceu na redação do jornal *Diário de Minas* "para desabafar". Precisava se livrar de um peso na consciência: há muitos anos escrevia poemas, atribuía a obra ao espírito de Castro Alves e dizia ter sido escolhido pela espiritualidade para divulgar na Terra um novo *Lusíadas*. Pois bem: era tudo mentira.

— Aquilo que tenho escrito foi criado pela minha própria imaginação, sem interferência do outro mundo ou de qualquer outro fenômeno miraculoso. Assim como tio Chico, tenho enorme facilidade para fazer versos, imitando qualquer estilo de grandes autores. Como ele, descobri isso muito cedo. Tio Chico é inteligente, lê muito e, com ou sem auxílio do outro mundo, vai continuar escrevendo seus versos e seus livros.

Os espíritas próximos a Amauri levaram um susto. O rapaz prometia. Escrevia num caderno, desde criança, poemas impressionantes. Seu trabalho foi acompanhado de perto, durante muito tempo, pelo professor Rubens Costa Romanelli, um dos fundadores da União da Juventude Espiritual de Minas Gerais, secretário do jornal *O Espírita Mineiro*. Espíritas experientes ficavam surpresos com o poema épico intitulado *Os Cruzílidas*.

Os versos, escritos por Amauri e assinados por Camões, contavam a história espiritual do descobrimento do Brasil, a epopeia no outro mundo durante o descobrimento do país. Cabral teria sido acompanhado de perto pelos espíritos.

Amauri exibiu as oitavas lusitanas aos jornalistas, renegou os espíritos, atribuiu a autoria dos versos a si mesmo e levantou novas suspeitas contra o tio. A imprensa ignorou a qualidade de seus textos e explorou ao máximo a chance de transformar Chico Xavier em escândalo.

O jornal *O Globo* estampou em manchete, com direito a ponto de exclamação, na primeira página de sua edição de 16 de julho: "Desmascarado Chico Xavier pelo sobrinho e auxiliar!".

O texto, curto, era taxativo:

Depois de se submeter ao papel de mistificador durante anos, o jovem Amauri Pena, sobrinho de Chico Xavier, resolveu, por uma questão de consciência, revelar toda a verdade! Chico Xavier era, desde muito cedo, um devorador de livros.

A velha polêmica parecia à beira da ressurreição. Para piorar a situação, o *Jornal do Brasil* se dedicava a estampar na primeira página milagres da Igreja Católica. Amauri colocava o espiritismo em xeque e o *JB* transformava em manchete a notícia da cura de uma menina, Ana Luísa, que, ao ouvir pelo rádio informações sobre a agonia de Pio XII, fechou os olhos e pediu:

— Papa, lembre-se de mim, antes de morrer.

Tuberculosa, de acordo com a última radiografia, ela ficou curada em instantes.

O jornal *Diário da Tarde* decidiu apurar melhor a confissão do sobrinho de Chico Xavier e mandou um repórter a Sabará para entrevistar Amauri. O rapaz estava em Belo Horizonte. O delegado Agostinho Couto recebeu o jornalista e deu a folha corrida do "confessor". Alcoólatra inveterado, "um desordeiro", ele já tinha sido apanhado tentando roubar uma casa e fora expulso da cidade várias vezes pelo policial. O pai de Amauri, Jaci Pena, confirmou as acusações:

— Meu filho é um doente da alma. Todo mundo sabe disso. É dado a bebidas. Ontem mesmo eu o apanhei caído no jardim no maior pileque. Chico conhece Amauri. As declarações dele não alteram nada.

Só faltava entrevistar o outro envolvido na polêmica: Chico Xavier. No dia 29 de julho, o repórter do *Diário de Minas*, responsável pelo furo jornalístico, conversou com o tio de Amauri Pena. Chico, na época bastante magoado, disfarçou a tristeza e exibiu seu talento para medir palavras. O discurso seguiu à risca o regulamento cristão.

Para começar, Chico negou, com humildade, que Amauri Pena fosse seu auxiliar:

— Meu sobrinho, até agora, não frequentou reuniões espíritas ao meu lado, mas posso acrescentar que ele tem estado num grupo de espíritas muito responsáveis em Belo Horizonte, junto dos quais sempre recebeu orientação com muito mais segurança que junto a mim.

Em seguida, perdoou o autor da denúncia:

— Meu sobrinho é muito moço e, pelo que observo, é portador de um idealismo ardente, em sua sinceridade para consigo mesmo. De minha parte, peço a Jesus, com muita sinceridade, para que ele seja muito feliz no caminho que escolher.

Para encerrar, deu exemplo de respeito às crenças ou descrenças alheias:

— Não recebi as palavras dele como acusação nem desafio. Tenho a felicidade de possuir muitos amigos que, em matéria religiosa, não pensam pela minha mesma convicção.

Na despedida, ainda escreveu um bilhete para ser publicado no jornal do dia seguinte:

Se algo posso falar ou pedir, nesta hora, rogo a todos os corações caridosos uma oração a Nossa Mãe Santíssima em meu favor, a fim de que eu possa — se for a vontade da Divina Providência — continuar cumprindo honestamente o meu dever de médium espírita sem julgar ou ferir quem quer que seja.

A calma era aparente. Em uma carta a Wantuil de Freitas, no dia 10 de dezembro, ele fez referência a um "familiar deliberadamente vendido aos adversários implacáveis de nossa causa". E, mais uma vez, destacou Waldo Vieira como alguém capaz de livrá-lo "dos perigos que rondam a tarefa".

A polêmica acabou ali. Amauri, sempre bêbado, acabou internado em um sanatório na cidade de Pinhal em São Paulo e morreu pouco tempo depois. Seu último desejo: divulgar um documento com um pedido de desculpas ao tio. Os diretores da Federação Espírita Brasileira decidiram adiar a retratação. Os adversários podiam insinuar que o jovem havia sido forçado a se arrepender.

Amauri morreu e deixou como herança um mistério para os espíritas. Por que ele tinha atacado o tio? A versão mais aceita no meio é a de que ele assumiu a autoria dos poemas e levantou suspeitas contra Chico para impressionar e agradar uma moça católica por quem estava apaixonado. Outra versão, mais apimentada, coloca dinheiro na roda: ele teria sido subornado por um padre para desmoralizar o espírita de Pedro Leopoldo. Amauri nunca mandou explicações do além.

Chico Xavier ficou deprimido. A culpa tomou conta dele. Os "espíritos inferiores" atacavam seus amigos e parentes como forma de atingi-lo. Seus adversários eram punidos com mortes trágicas. Todos sofriam por sua causa. Conclusão: ele era má companhia tanto para aliados como para os rivais.

Estava tão só e inconsolável que decidiu pedir a Emmanuel não um conselho, mas uma orientação da própria Maria de Nazaré. Alguns dias se passaram e o guia voltou com uma frase atribuída à mãe de Jesus:

— Isso também passa.

Chico se sentiu anestesiado. Escreveu o recado num papel e o colocou na cabeceira da cama. Todas as noites e manhãs ele lia a frase e se consolava. Emmanuel tratou de fazer uma ressalva: a frase valia tanto para os momentos tristes como para os alegres.

O efeito da anestesia passou logo. O pessimismo voltou. Em outubro de 1958, Chico tomou uma decisão surpreendente: iria experimentar o ácido lisérgico. Perguntou a Emmanuel se ele poderia fazer a experiência com amigos de Belo Horizonte. O guia se ofereceu para promover a "viagem". À noite, Chico se sentiu fora do corpo, Emmanuel se aproximou dele, colocou uma bebida branca num copo e explicou: era um alcaloide capaz de produzir o mesmo efeito do LSD.

Chico engoliu a bebida, um tanto amarga, e começou a se sentir mal, como se estivesse entrando num pesadelo. Animais monstruosos se aproximavam e cenas assustadoras desfilavam diante de seus olhos. Ele acordou com mal-estar. O sol parecia uma fogueira e o irritava, as pessoas o cercavam, desfiguradas. À noite, Emmanuel reapareceu com a lição psicodélica: o alcaloide refletia seu estado mental.

Chico quis saber como recuperar a tranquilidade e escapar da ressaca. Receita: oração, silêncio e caridade, para colher vibrações positivas.

Chico seguiu as dicas à risca. Começou a visitar doentes pobres, a atrair bons fluidos e, durante cinco dias, trabalhou para se refazer. No sexto dia ele se sentiu melhor. À noite, Emmanuel voltou e propôs repetir a experiência com o mesmo alcaloide. Mesmo desconfiado, o discípulo concordou. O efeito foi surpreendente: alegria profunda. Teve sonhos maravilhosos, visitou uma cidade de cristal, olhou para o céu como se ele fosse de vidro. Até a Fazenda Modelo ficou deslumbrante. Os livros pareciam encadernados por safiras e ametistas, luzes saíam do corpo dos companheiros, das plantas e dos animais. Chico sentiu vontade de abraçar todo mundo. Ficou assim, em êxtase, quatro dias seguidos, em estado de alegria descontrolada, insuportável. Emmanuel apareceu com as explicações:

— Você está vendo seu próprio mundo íntimo fora de você.

Moral da história:

— Nós estamos aqui para cumprir obrigações, não para gozar um céu imaginário nem para fantasiar um inferno que devemos evitar.

Na manhã de 3 de novembro de 1958, Chico saiu do ar. Viajava num avião de Uberaba para Belo Horizonte, quando o aparelho começou a trepidar com violência. Parecia fora de controle. Os passageiros começaram a gritar, a pedir socorro. O comandante apareceu para pedir calma: não havia motivos para alarme, os movimentos desordenados eram provocados por um fenômeno atmosférico chamado "vento de cauda". E encerrou o discurso com a garantia de que chegariam ao destino mais depressa.

Alguém completou irritado:

— Mais depressa no outro mundo.

Chico tentava manter o equilíbrio. Mas era difícil. Não entendia nada de "vento de cauda". O avião sacudia, virava de um lado, do outro, só faltava fazer piruetas. Muita gente começou a vomitar, quatro crianças abriram o berreiro, os marmanjos apertaram o cinto, se agarraram às poltronas, rezaram aos gritos. O protegido de Emmanuel se uniu ao coro.

— Valei-me, meu Deus. Socorro, misericórdia. Socorro, pelo amor de Deus. Tende piedade de nós.

Um padre, a poucas poltronas de distância, reconheceu o desesperado e gritou:

— O Chico Xavier está ali. Ele é médium, espírita, e está rezando conosco.

Chico gritou do outro lado:

— Graças a Deus, padre, eu também estou rezando.

E continuou a berrar:

— Valei-me, meu Deus.

Quando já estava fora de controle há quase dez minutos, viu Emmanuel entrar no avião e se aproximar dele. Queria saber o motivo da gritaria. Chico tinha uma dúvida mais urgente:

— O senhor não acha que estamos em perigo?

O guia foi seco:

— Estão, e daí? Não tem muita gente em perigo? Vocês não são privilegiados.

Chico nem pensou duas vezes:

— Está bem. Se estamos em perigo de vida, eu vou gritar. Valei-me, socorro, meu Deus.

Os passageiros berravam ainda mais.

Emmanuel ficou horrorizado com a cena. O espírita mais importante do país, defensor da vida depois da morte, estava em pânico diante da hipótese de morrer.

— Você não acha melhor se calar? Dá testemunho da tua fé, da tua confiança na imortalidade.

Chico teimou:

— Mas é a morte. E nós estamos apavorados diante da morte.

E insistiu:

— Nossa vida não está em perigo?

Emmanuel repetiu a resposta:

— Está.

E Chico defendeu seu direito de estar em pânico:

— Estou apavorado como todo mundo. Estou com medo de morrer como qualquer ser humano.

O guia perdeu a paciência:

— Está bem. Então, cale a boca para não afligir a cabeça dos outros com seus gritos. Morra com fé em Deus, morra com educação.

Quando Emmanuel virou as costas, Chico ainda resmungava:

— Quero saber como alguém pode morrer com educação.

E continuou a gritar.

Chico Xavier estava estressado. Escrevia compulsivamente para chegar ao centésimo livro, fazia caridade, atendia aos "obsediados", percorria bairros pobres de Pedro Leopoldo para distribuir alimentos e ler o Evangelho, consolava os desesperados. Mas continuava desconsolado.

O clima tenso, em Pedro Leopoldo, atingiu o clímax quando uma senhora bem-vestida, de Belo Horizonte, se aproximou dele e lhe ofereceu veneno:

— Vim aqui te ajudar a se suicidar.

Chico dispensou o presente:

— Quero viver até o fim.

A mulher insistiu:

— É melhor você se suicidar. Você fica em paz e dá paz ao nosso Centro.

Chico encerrou o assunto com um "não" redondo. Estava convencido: já era hora de virar mais um capítulo de sua história.

Sua família andava nervosa. Lucília, a irmã com quem ele morava, estava cansada de tanto entra e sai, tanta campainha, tanto telefone. O marido dela, Pacheco, era católico e não entendia tanto movimento, não suportava a invasão diária de sua privacidade. Um dia, a irmã perguntou:
— Você sai ou nós saímos?

Chico aproveitou a deixa e saiu. Estava cansado. Todas as irmãs já estavam casadas, ele já não precisava mais tomar conta de ninguém. Já era hora de poupar a família, de poupar a si mesmo.

No dia 18 de dezembro, assinou apenas a entrada no livro de ponto da Fazenda Modelo. Uma observação na margem direita esclarecia: "O escrevente-datilógrafo Francisco de Paula Cândido foi designado pelo ato 1614 para trabalhar em Uberaba". Isso mesmo: Francisco de Paula Cândido. Este é seu nome de batismo. Uma homenagem da família católica ao santo do dia de seu nascimento, 2 de abril, São Francisco de Paula. Quando rompeu com o catolicismo e escreveu os primeiros textos espíritas, ele adotou o sobrenome paterno.

Poucos amigos conheciam a dupla identidade do autor de *Parnaso de além-túmulo*. Era Francisco de Paula Cândido quem escrevia os relatórios para Rômulo Joviano. Ele mesmo buscaria todo mês no banco a sua aposentadoria, assinada por Juscelino Kubitscheck. O próprio presidente da República, aliás, pediu a assessores para apressar a papelada do escriturário nível 8 da Fazenda Modelo, de Pedro Leopoldo. Queria atender ao médium antes de sair do poder.

No meio da noite de 4 de janeiro de 1959, Chico Xavier bateu a porta de casa e sumiu. Sobre a cama, ainda estendido no cabide, ficou um terno de linho branco. Na sala, restaram a vitrola, discos de Beethoven, Bach, Noel Rosa e um retrato a óleo de Emmanuel. No escritório, sua mesa tosca, quatro cadeiras, um baú repleto de papéis e os quase quatrocentos volumes de sua biblioteca. Entre dezenas de títulos espíritas, *A Divina Comédia*, o *Lello Universal* e exemplares de *Seleções* e *Almanaque Bertrand*.

Não se despediu de ninguém. Com a roupa do corpo, tomou o rumo de Uberaba. Levou apenas o velho caderno de endereços e telefones. Iria morar com Waldo Vieira.

Deixou para trás uma cidade perplexa e minguante. Geraldo Leão, o garoto curado por ele da paralisia facial, guardou os três lápis usados pelo filho mais pródigo e famoso da cidade em sua última sessão no Centro Luiz Gonzaga. Um tinha a marca da Casa Garçon, outro vinha com o símbolo da lâmpada Astra Super e o terceiro divulgava a campanha "Crianças brasileiras, vamos estudar". Mais de trinta anos depois, ele exibiria as relíquias aos poucos turistas da cidade. Os quatro hotéis e pensões dos tempos do médium se reduziram a uma reles pensão. O Cine Central, onde Chico costumava ir aos domingos pagar ingressos para a criançada pobre, deixaria de existir.

Nas mesas do Bar Central, na esquina da rua onde Chico Xavier morou durante 49 anos e escreveu sessenta livros, o filho de João Cândido Xavier ainda gerava polêmica 34 anos após sua mudança. Um ex-charreteiro da Fazenda Modelo, José Porfírio Costa Lima, contava, de olhos arregalados, a frase dita por um espírito em um centro de umbanda:

— A cidade vai pagar caro por ter deixado Chico Xavier ir embora.

Após encarar a praça vazia e mal-iluminada, garantia, perplexo:

— Pedro Leopoldo está amaldiçoada.

Em pleno 1993, os motivos do sumiço repentino de Chico ainda esquentavam as conversas entre um café e outro. Alguns acusavam o padre Sinfrônio. Muitos jogavam a culpa na família dele, "exploradora demais". Outros lembravam do escândalo provocado por Amauri Pena. Alguns se culpavam. Podiam ter tratado o conterrâneo melhor, com mais respeito. O santo da casa não fez milagre...

A razão alegada pelo próprio Chico Xavier nem era levada em consideração. Chico jogou a culpa pela mudança em uma labirintite, iniciada naquele ano. Incomodado por barulhos no ouvido e por fortes dores de cabeça, ele teria seguido conselho dos médicos e dos benfeitores espirituais para procurar um clima temperado. Pedro Leopoldo era fria demais.

Chico foi mesmo em busca de um clima menos frio, mas não no sentido meteorológico da expressão. Aos amigos mais íntimos, ele daria uma outra explicação. Uberaba, então com dezessete centros kardecistas, estaria mais protegida espiritualmente.

Deitada em sua cama, paralítica, Nair Tarabau Pinto, colega de escola de Chico Xavier, deixaria nas páginas de um caderno puído uma declaração de amor ao ex-companheiro: "Chico, você é o amigo de infância que não posso esquecer por mais que a vida dure. Às vezes, pergunto a mim mesma: quem é este homem? Um gênio, um predestinado? Ou um precursor?".

Chico já estava longe.

"Papa do Espiritismo? Não. Papa do angu na panela!"

Chico Xavier

A NOVA ATRAÇÃO DE UBERABA

Chico Xavier se refugiou no meio do mato a oito quilômetros do centro de Uberaba. Sua casa, que dividia com Waldo Vieira, era um barraco. Quarto, sala, cozinha, banheiro, chão de cimento, paredes sem pintura. Nenhum ônibus passava por ali. Quem quisesse chegar até o porta-voz dos mortos no Brasil precisava atravessar o matagal, driblar bois e vacas, pular cercas de arame farpado. Sem telefone, com os parentes a seiscentos quilômetros de distância, livre de Rômulo Joviano e do padre Sinfrônio, às vésperas da aposentadoria, Chico experimentava a privacidade e tomava fôlego para recomeçar. Precisava chegar ao centésimo livro. Agora, pelo menos, já tinha um parceiro.

No dia seguinte à sua chegada, ele abriu a porta aos primeiros visitantes. Sete amigos participaram da primeira sessão espírita comandada por Chico Xavier no novo endereço. Na noite de 5 de janeiro de 1959, todos se sentaram em volta da mesa, na cozinha. Os bancos eram tábuas equilibradas sobre pilhas de tijolos. Dois tamboretes velhos compunham a decoração. O anfitrião colocou no papel, após a leitura do Evangelho, um recado assinado por Emmanuel: "Se tiveres amor, relevarás toda ofensa com que martirizem as horas...".

A notícia da chegada de Chico Xavier começou a se espalhar pela cidade. E chegou até os ouvidos de uma católica fervorosa chamada Maria Olina. Aos quarenta anos, analfabeta, ela ia à missa todo santo dia, de manhã e de tarde, e emprestava seus ombros para a imagem de Santa Teresinha nas procissões. Um de seus orgulhos era ter ajudado na construção da igreja dos capuchinhos, dois anos antes. Muitos tijolos foram comprados graças aos leitões e galinhas criados por ela e leiloados nas quermesses.

Sua vida estava prestes a mudar.

Uma vizinha, Joventina Lourenço, entrou em sua casa com um brilho estranho nos olhos e uma ideia pouco católica na cabeça. Queria companhia para visitar o tal espírita de Pedro Leopoldo. Ele era um fenômeno, falava com os mortos, curava doentes, adivinhava pensamentos. Maria Olina, curiosa, fez o sinal da cruz e cedeu à tentação do desconhecido. Na mesma tarde, ela e a amiga pularam as cercas e correram das vacas para chegar à ponte para o "outro mundo".

Chico Xavier recebeu as visitantes com abraços, sorrisos, café e bom humor. Livre, às vésperas de completar cinquenta anos, ele se revelava um contador de "causos" inspirado. Eça de Queiroz aprovaria. Olina, no início desconfiada, terminou a noitada às 4h da manhã, exausta de tanto rir. As histórias se sucediam e as gargalhadas também. Waldo Vieira, mais sério, preferia o silêncio e certa distância.

Seu companheiro, de pé na cozinha miúda, roubava a cena e ressuscitava a juventude na cidade natal. Chegava até a cantar para imitar uma vizinha de trinta anos antes, a Raimunda, apelidada de Buduca. A moça enchia o peito e soltava a voz no embalo de marchas de Carnaval. Numa tarde, Chico sentiu dificuldades para pôr no papel os textos do além e, com muito cuidado, pediu à cantora que baixasse um pouco o volume porque precisava enviar para o Rio, com urgência, algumas orientações.

Buduca, um tanto envergonhada, pediu desculpas e concordou. Mas não resistiu. Quando Chico entrou no quarto, ouviu a nova letra inventada pela vizinha para um *hit* carnavalesco da época.

Era só o que faltava
Você me fazer calar
Para ouvir os seus demônios
Pra poder se concentrar.

O show continuava. O repertório parecia interminável. Chico Xavier contava, às gargalhadas, a história de um homem fanático pelo espiritismo. Ele cultivava um hábito bastante comum entre os espíritas: o de buscar respostas para qualquer problema em *O evangelho segundo o espiritismo*. Ele fechava os olhos, abria o livro ao acaso e, com a ajuda do "outro mundo", esperava encontrar na página aberta uma solução para suas dúvidas. Um dia, o devoto estava em sua chácara, de pernas para o ar, refestelado numa rede, quando o céu escureceu. Uma tempestade varreu o sítio e um raio atingiu em cheio um gato a poucos metros dele. Ainda trêmulo, o sobrevivente correu para *O evangelho segundo o espiritismo* e, com o coração aos pulos, buscou a mensagem. Encontrou: "Se fosse um homem de bem teria morrido...".

Chico ria das superstições alheias e também falava sério. De história em história, ele envolvia as visitas, dava o seu recado. Olina estava quase conquistada. Mas ainda achava estranha a ideia de os mortos voltarem à Terra. Quando sua amiga se levantou para rezar, beber a água fluidificada e receber os passes, ela continuou sentada. Waldo leu o Evangelho, pediu licença e foi dormir. Chico ficou na cozinha com os olhos e boca bem abertos. Ainda tinha muita história para contar. Como a da lagarta, que sempre dizia:

— Esqueçam esta ilusão de que nós podemos voar. Isto é tudo mentira.

Um dia, ela virou borboleta e saiu por aí batendo asas.

E os pássaros, coitados? Eram as criaturas mais infelizes do mundo quando Deus criou a Terra. Moravam no chão e bastava uma chuva para suas asas ficarem ensopadas e eles, pesados, serem devorados por outros animais.

A situação era insustentável. Eles se organizaram, formaram uma comissão, estufaram as penas e decidiram pedir socorro ao Todo-poderoso. Deus foi pego de surpresa:

— Vocês foram as únicas criaturas às quais dei o céu. Por que não usam o dispositivo esculpido em seus corpos?

— Que dispositivo? — perguntou um dos defensores da categoria.

— As asas.

De imediato, Deus ensinou os interlocutores a abrir o par de asas, tão "inconveniente" nas chuvas, e eles saíram voando felizes da vida.

Olina se sentiu nas nuvens. Perdeu a noção do tempo, se esqueceu dos filhos, nem se lembrou da missa na manhã seguinte. Eram 4h30 quando o padeiro estacionou sua Kombi velha em frente à casa de Chico e buzinou. O anfitrião pediu carona para suas novas amigas. Misturadas aos pães, Maria Olina e Joventina fizeram a viagem de volta. O carro parava de casa em casa e elas nem resmungavam. A noitada valeu a pena. Só às 7h30, suja de farinha de trigo, Olina entrou em seu barracão. O marido já tinha ido para o curtume onde trabalhava, os filhos já estavam no colégio. Seus olhos exibiam um brilho estranho enquanto ela lavava a louça do café da manhã.

— Minha vida era ficar namorando o Chico — ainda se lembraria, 34 anos depois, com a voz embargada.

Aquela foi a primeira de uma série de noites inusitadas. Às segundas, quartas e sextas, Maria Olina e sua amiga pulavam as cercas até a casa de Chico Xavier e Waldo Vieira. Às terças, quintas, sábados e domingos, ela engolia hóstias e se confessava na igreja. A vida dupla duraria pouco tempo. Logo, o dia a dia da beata viraria de cabeça para baixo.

Às terças e quintas-feiras, Chico e Waldo calavam a boca, fechavam as portas de casa e se dedicavam a um novo livro assinado por André Luiz — o primeiro da nova série de quarenta necessários para atingir o centésimo título. Os capítulos ímpares eram escritos por Waldo, os pares, por Chico. O texto tentava traduzir, de forma científica, os "mecanismos da mediunidade".

A primeira frase dava o tom: "A Terra é um magneto de gigantescas proporções, constituído de forças atômicas condicionadas e cercado por essas mesmas forças em combinações multiformes...".

Olina se benzeria se visse Chico espalhar frases como essa no papel.

O presidente da Federação Espírita Brasileira, Wantuil de Freitas, ficou preocupado com aquele palavrório todo. Era científico demais. Esperava um livro mais acessível do autor de *Nosso Lar*. Eles tinham que se aproximar da população e não se afastar dela. Chico também estranhava aqueles parágrafos. Nunca conseguiria entender direito *Evolução em dois mundos* e *Mecanismos da mediunidade*. Vinte anos depois, algumas das ideias mirabolantes assinadas por André Luiz em Uberaba seriam confirmadas por físicos estrangeiros. Uma delas — "a matéria é luz coagulada" — seria respaldada por dois cientistas americanos, Jack Sarfatti e David Bohm, em um livro intitulado *Space Time and Beyond*. Eles garantiriam: "A matéria é luz capturada gravitacionalmente".

Chico Xavier trabalhava e os boatos proliferavam à distância. Alguns espíritas espalharam a notícia de que o novo morador de Uberaba iria se internar num sanatório espírita. Ele estaria esgotado. O companheiro de Waldo Vieira tratou de desmentir os rumores em carta a Wantuil: "Se isso acontecer, podes estar certo de que estarei me sentindo extremamente mal de saúde e com perspectiva de desencarnação".

Chico tinha medo. Acreditava que pessoas tinham sido pagas para atribuir a ele falsas declarações contra o espiritismo no momento de sua morte. Seu medo de cair numa armadilha preparada por adversários era tanto que ele já tinha pedido a Waldo e a outros companheiros para ser internado em instituição espírita de confiança se adoecesse. Precisava ficar a salvo de um complô silencioso armado contra ele...

Chico Xavier aos 37 anos, uma imagem ainda distante da que o consagrou (*foto: Arquivo EM/D.A Press*)

Placa pendurada no salão do Grupo Espírita da Prece, centro fundado por Chico em Uberaba (*foto: Marcel Souto Maior*)

Chico durante psicografia de mais uma mensagem (*foto: Arquivo O Cruzeiro/ EM/D.A Press*)

Nas paredes da casa de Chico, pedidos de ajuda e agradecimentos dos seguidores
(*foto: Marcel Souto Maior*)

Chico em entrevista para o programa *Pinga-Fogo*, da extinta TV Tupi, em 1971
(*foto: Arquivo CB/D.A Press*)

Nos anos 1990, um Chico já alquebrado mantém-se em atividade
(*foto: Valter de Paula/EM/D.A Press*)

Mausoléu construído no Cemitério de São João Batista, em Uberaba: fiéis renovam as flores todas as semanas

Detalhe do túmulo, destino de novas peregrinações
(*fotos: Marcel Souto Maior*)

Na casa transformada em museu, a coleção de boinas que Chico passou a usar depois que abandonou a polêmica peruca

O quarto simples em que viveu seus últimos anos é mantido intacto
(*fotos: Marcel Souto Maior*)

Na garagem da casa de Chico, um mural reúne hoje as mais diversas imagens: de registros do enterro ao retrato clássico de Allan Kardec (*foto: Marcel Souto Maior*)

As diversas faces do médium na parede da sala de sua casa. Ao centro, à direita, a imagem de Emmanuel, seu guia espiritual (*foto: Marcel Souto Maior*)

No dia 18 de abril de 1959, Chico e Waldo Vieira inauguraram, ao lado da casa deles, a Comunhão Espírita Cristã. Nenhum deles assumiu a presidência do centro. Precisavam escrever. Dalva Rodrigues Borges, uma espírita de Uberaba, assumiu o comando. A programação do novo centro era intensa: reuniões públicas às segundas, sextas e sábados, sessões de desobsessão privadas às quartas-feiras, sopas para os pobres todas as tardes, peregrinações pelos bairros da periferia aos sábados, além de cursos sobre o Evangelho.

Na varanda da casa eram servidas as refeições aos pobres, cerca de duzentas todos os dias. Na sala ampla eram realizadas as sessões. Uma mesa cercada de cadeiras servia aos médiuns. Diante dela, ficavam os bancos destinados aos espectadores. À esquerda, uma saleta era usada para os passes e, à direita, títulos espíritas se amontoavam em prateleiras numa livraria modesta.

Maria Olina acompanhou a construção do novo centro e sentiu vontade de promover, em sua casa, um curso sobre o *Evangelho segundo o espiritismo*. Suas idas à igreja estavam cada vez mais escassas. Conversou com Chico Xavier sobre o projeto e ficou decepcionada. Ele pediu calma. A ideia era prematura. Olina ainda precisava levar bons sustos.

Numa noite, sua amiga, Joventina, deu à luz uma menina. Chico foi até sua casa para uma visita e lhe ofereceu uma surpresa, um presente de Sheilla. Quando ele pronunciou o nome da enfermeira morta na Segunda Guerra, o quarto se encheu de perfume. Olina procurou o frasco de onde vinha o aroma e não encontrou. Chico não se moveu. Segurava as mãos de Joventina, deitada na cama.

Após deixar no ar o seu presente, Chico foi até a casa de Maria Olina. No caminho, passou por duas fogueiras de São João próximas à igreja e comentou:

— Que coisa mais linda aquele povo em volta do fogo. Está tão feliz junto com os nossos apóstolos.

Maria Olina ficou feliz da vida. A mistura de espiritismo com catolicismo soava muito bem.

Já em casa, a anfitriã apresentou sua mãe ao visitante ilustre. Chico grudou os olhos naquela senhora humilde e ficou calado o tempo todo, distante e atento ao mesmo tempo. Olina voltou ao assunto: queria ensinar o Evangelho em sua casa. Chico concordou, mas fez uma ressalva: o curso deveria acontecer no barracão onde a mãe dela morava, no quintal, e não onde eles estavam.

Olina bateu o pé. Chico Xavier bateu o martelo:

— Você não sabe o que tem aqui.

A futura professora de Evangelho nem quis saber. Concordou.

Durante seis meses, espíritas da Comunhão Espírita Cristã ajudaram Olina, analfabeta, a ensinar as lições de Kardec aos pobres da vizinhança. Ela ainda se esforçava para aprender a doutrina, quando sua mãe morreu. O velório seria às 13h30. Dez minutos antes, Chico chegou sozinho, aproximou-se da cama onde o corpo da morta estava, rezou e disse:

— Sua mãe foi direto. Direto como?

Olina ainda tateava naquele mundo estranho. Chico precisou entrar em detalhes. O espírito de sua mãe tinha subido aos céus sem sofrer qualquer resistência. Ao contrário de muitos outros, não ficou preso à Terra, sem se conformar ou sem acreditar na própria morte.

Olina ficou impressionada.

Chico deu outra notícia a ela. Sua mãe, antes de ir, pediu para ter o corpo velado sobre a mesa onde se realizavam as sessões espíritas. Olina concordou. Chico enrolou um lençol em volta do cadáver, segurou uma das pontas do pano e, com a ajuda do marido de Olina, levou a morta para o barracão no quintal. Em seguida, abriu o Evangelho, se sentou no banco de madeira comprido, ao lado do corpo, e iniciou a leitura. Olina ficou a seu lado.

Enquanto lia, Chico se afastava em direção à outra extremidade. A cada página, ele ficava mais distante de onde tinha se sentado. Olina o acompanhava. No final, Chico e sua companheira já estavam de pé, do outro lado. O banco ficou para os espíritos.

Chico se despediu às 15h, deu um beijo na testa de Olina e disse:

— Não precisa se preocupar com nada. Meus amigos vêm fazer companhia a você.

O parceiro de Waldo Vieira estava cada vez mais seguro. Firme, ele tomava decisões, defendia suas ideias, exigia disciplina de seus auxiliares. Estava cada dia mais parecido com Emmanuel. Não sentia mais tanta necessidade de atribuir ao seu guia a responsabilidade pelos próprios atos. Já era capaz de dizer:

— Posso ser uma besta espírita, pois transporto os textos dos benfeitores espirituais, mas não sou um espírita besta.

Chico era respeitado e obedecido. Naquela noite, quatro de seus amigos chegaram à casa de Olina com pães, roscas, leite e café. Ficaram em volta do corpo da mãe de Olina, lendo o Evangelho, madrugada adentro. Na tarde seguinte, voltaram com um carro e, ao lado de outros companheiros, levaram o corpo até o cemitério. Chico não apareceu.

Olina foi até ele, um dia depois, na Comunhão Espírita Cristã. Chico a convidou a tomar parte na mesa. Era uma honra. Ficou ali, ao lado do espírita mais importante do país, durante três anos.

Três meses após o enterro da mãe de Olina, Chico Xavier anunciou a decisão para a ex-beata:

— Vamos inaugurar um centro em sua casa.

No dia 21 de agosto de 1960, ele comandou a festa de inauguração da Casa de Sheilla. Olina ficou entusiasmada. As garrafas com água, colocadas sobre a mesa para concentrar energias espirituais, assumiam consistência leitosa e fervilhavam. O perfume se espalhava por todos os cômodos vindo não se sabe de onde. Chico anunciou em discurso, após colocar no papel um texto assinado por Emmanuel e outro por Sheilla: "Lá, na Comunhão Espírita Cristã, está a cabeça, Emmanuel. Aqui, está o coração, Sheilla".

Foi um inferno. A vida de Maria Olina mudou e, nas primeiras semanas, piorou. A nova espírita da praça passou a ser surpreendida por um fantasma, todas as noites, quando iniciava as rezas antes de dormir. O visitante do além passava um pano áspero sobre o seu rosto e dizia:

— Isto aqui é o resto da mortalha.

Ela via o vulto, escutava a voz e gritava. Seu marido, sempre tão paciente com as noitadas espíritas da mulher, começou a perder a calma.

— Você está ficando maluca — dizia ele.

Olina dizia o mesmo para Chico. Tinha medo de enlouquecer. Chico ria e, com jeito de Emmanuel, afirmava, nada consolador:

— Isto é só o começo.

Não estava exagerando.

Um coro de vozes sem rosto começou a cercar Maria Olina. As assombrações exigiam a presença dela em cidades vizinhas, onde doentes estariam à sua espera. Chico deu nova orientação:

— Quando mandarem você ir a algum lugar, diga para eles virem para cá. Daqui você não sai.

Olina seguiu o conselho e, de repente, sua casa ficou repleta de gente. Em 1960, o centro virou albergue noturno e passou a abrigar hóspedes pobres das cidades vizinhas, sem dinheiro para comer, morar ou se tratar.

Naquele ano, ela ajudou nada menos que 82 pessoas. No início, pensou em pedir doações para atender aos necessitados, mas Chico tirou a ideia de sua cabeça. As ajudas viriam espontaneamente. Ela não deveria fazer campanhas. Sem saber como, Olina saía às ruas, às vezes desesperada sem ter o que dar de almoço para seus hóspedes, e voltava com frutas, legumes, pães doados pelos vizinhos pobres.

Era mesmo só o começo.

No dia 20 de março de 1961, o albergue começou a se transformar em ambulatório. Com a ajuda do médico Waldo Vieira, de seu colega Eurípedes Tahan Vieira e de Chico Xavier, e com a "supervisão espiritual" da enfermeira do outro mundo, Sheilla, ela abriu as portas de seu barracão aos queimados. O mau cheiro tomou conta do local. As vítimas de queimaduras, muitas delas de terceiro grau, todas pobres, eram acomodadas no chão pelos cômodos. Água boricada e água oxigenada se espalhavam pelas prateleiras.

Olina ouvia a voz da enfermeira alemã, seguia instruções vindas do nada e, mesmo sem saber ler, encontrava no escuro o remédio capaz de atenuar a dor dos pacientes. Com os olhos arregalados, um tanto em pânico, ela varava as noites ao lado dos moribundos e rezava para nenhum deles morrer. Cometia heresias como tratar das feridas com água, desobedecia a recomendações médicas quando elas demoravam a surtir efeito, e conseguia resultados animadores.

No primeiro ano, atendeu a dezoito casos, alguns deles perdidos. Uma das vítimas tinha ateado fogo ao próprio corpo com álcool. Olina examinou os ossos expostos, a pele macilenta, e escutou a voz de Sheilla:

— Lave só com água fluidificada.

Após quatro enxaguadas, o corpo começou a cicatrizar. Olina escutava as gargalhadas de sua guia. Nunca viu seu rosto. Em doze anos, atendeu a quase mil pacientes. Apenas trinta morreram. Olina chorava e cuidava do enterro.

De um dia para o outro, tudo acabou, sem explicações. O perfume de Sheilla desapareceu, sua risada também, a enfermaria foi desativada. Cinco anos depois, Olina contratou uma professora particular e estudou até o segundo ano primário. O centro continuou no mesmo lugar, sempre aberto, com passes e divulgação do Evangelho, sessões de desobsessão às sextas, ciclo de estudos às terças e sopa para todo mundo aos sábados.

Olina nunca perguntou a Chico Xavier por que Sheilla desaparecera. Quase vinte anos após o sumiço de sua "orientadora", ela entrou na fila no centro de Chico Xavier para receber seus passes e ele se negou a atendê-la. Com um riso no rosto disse:

— Epa, esta aí é a Sheilla.

Um leve perfume ficou no ar.

Chico Xavier também mudou a vida de Aparecida Conceição Ferreira, uma enfermeira do Setor de Isolamento da Santa Casa de Misericórdia. Especializada no tratamento de doença contagiosa, ela deu os primeiros passos em direção ao desconhecido antes mesmo de conhecer o fenômeno de Pedro Leopoldo. No dia 8 de outubro de 1958, Aparecida abandonou o emprego para acompanhar doze vítimas de pênfigo foliáceo, o fogo-selvagem. Com os corpos cobertos de bolhas, muitas delas transformadas em crostas, elas receberam alta do hospital sem qualquer perspectiva de cura. A direção considerou o tratamento longo e caro demais.

A enfermeira, inconformada, pediu demissão e saiu pelas ruas da cidade em busca de abrigo para as vítimas da doença inexplicável. Febris, algumas com os pés descalços, elas deixaram um rastro de sangue pelas calçadas e terminaram a via-crúcis sem ter onde ficar. As pessoas apenas olhavam para o grupo e aceleravam os passos, sem conseguir disfarçar o nojo.

Aparecida levou as doze pessoas para a própria casa. Na época, a doença era considerada contagiosa. Os vizinhos ficaram apavorados. A família também. Seu marido e os filhos deram o ultimato:

— Ou eles ou nós.

— Eles.

Os doentes ficaram na casa quatro dias, até alguém, comovido, alugar um barracão a duas quadras de distância. A temporada no novo endereço durou o mesmo período. Quatro dias depois, a prefeitura cedeu um pavilhão no Asilo São Vicente de Paulo para os enfermos. Eles poderiam ficar ali durante dez dias até conseguirem novo abrigo. Os dez dias se prolongaram por dez anos e, desde a primeira noite, Aparecida passou a morar com as vítimas do fogo-selvagem.

Em 1959, o número de doentes já tinha quadruplicado. Um deles estava louco, descontrolado. Aparecida decidiu pedir socorro a Chico Xavier. Foi até a Comunhão Espírita Cristã com um amigo e o doente e, quando lhe apontaram o espírita, levou um susto. Viu um senhor com a cabeleira branca cortada *à la garçon* e reconheceu a figura estampada em livros de literatura: era Castro Alves.

Chico ainda colocava no papel um poema assinado pelo morto ilustre, quando Aparecida voltou para casa. O doente estava inquieto demais e não poderia esperar.

Na tarde seguinte, Aparecida teve outra surpresa. Recebeu de um auxiliar de Chico Xavier dois conjuntos de roupas para cada doente: lençóis, fronhas, pijamas, toalhas de rosto e de banho. E ainda ganhou três vestidos e um par de sapatos. Ficou perplexa. Nem havia conversado com o médium. Na época, cada doente tinha apenas um conjunto de roupas e, após o banho, precisava ficar nu, na cama, enquanto ela lavava e passava as mudas. Sua situação também era precária. Aparecida andava descalça, tinha um único avental. Um detalhe deixou a ex-enfermeira ainda mais impressionada: os sapatos eram de número quarenta, um exagero para mulheres e um absurdo em relação a sua baixa estatura.

Como Chico adivinhou?

Na mesma semana, o vidente voltou à cena, desta vez ao vivo e em cores. Aparecida tentava levantar dinheiro para pagar o óleo de cozinha — tinha gastado doze cruzeiros —, quando recebeu a visita de Chico Xavier. Ele apareceu sozinho e lhe entregou um envelope. Dentro dele, estavam trezentos cruzeiros, quantia suficiente para saldar a dívida e ainda reforçar a despensa. Ela ficou perplexa. Não acreditava em espiritismo.

O trabalho aumentava a cada ano. Em 1960, 187 doentes se amontoavam na enfermaria de Aparecida. Em 1961, o número subiu para 363. O pavilhão do São Vicente de Paulo ficou pequeno demais. A enfermeira pôs na cabeça uma ideia fixa: iria construir um hospital. Um conhecido lhe ofereceu um terreno por 300 mil. Aparecida nem pensou duas vezes. Saiu às ruas, com seus doentes, para pedir ajuda. Muita gente se apressava em lavar e desinfetar o chão por onde eles passavam e, mesmo diante deles, esfregavam com álcool as grades tocadas pelas vítimas do fogo-selvagem.

Apesar da resistência geral, Aparecida conseguiu juntar o dinheiro. Comprou o terreno, abriu uma cisterna, cortou árvores e lançou a pedra fundamental. Estava pronta para começar a obra. Nem imaginava, mas tinha caído numa armadilha: comprara os lotes da pessoa errada. Os proprietários eram outros e estavam dispostos a processá-la por invasão de propriedade alheia. Pior: ela não tinha um documento para provar o pagamento do terreno.

Voltou à estaca zero. E pediu socorro a Chico Xavier. Bem relacionado, o espírita a encaminhou a um corretor de imóveis, que negociou a compra com os proprietários de verdade. Tudo sairia por 260 mil cruzeiros.

Mais calma, ela voltou até Chico e comunicou:

— Vou a São Paulo porque, dizem, lá é só estender a mão que o povo dá.

Chico perguntou se ela conhecia a cidade e ouviu a resposta:

— Só sei que fica para lá.

E apontou a direção.

Chico lhe deu um cartão endereçado a um radialista. Aparecida foi à procura dele e tropeçou no dono dos Diários Associados, Assis Chateaubriand. Teve muita sorte. O empresário colocou à sua disposição suas emissoras de rádio. A campanha beneficente arrecadou 720 mil cruzeiros. Aparecida tomou fôlego e avisou a Chico que iria iniciar as obras. Desta vez, ele foi desanimador.

— Virá muita tempestade, ainda não é o momento. Aguardemos a hora para iniciar a construção.

Aparecida perdeu a paciência. Não iria aguardar hora alguma. Comprou 22 mil tijolos e começou a acumular o material. Na semana seguinte, vizinhos pediram tijolos emprestados. Nunca mais devolveram. A ex-enfermeira se lembrou do conselho de Chico e sossegou.

Em janeiro de 1962, Chico apareceu no hospital com a boa notícia:

— Você pode pôr os ovos para chocar, que agora vêm os pintinhos. Não espere pelos poderes públicos, São Paulo é que vai ajudar.

Em 1964, Aparecida voltou à capital paulista para pedir donativos. Com doentes ao redor, ela começou a abordar os transeuntes embaixo do Viaduto do Chá. Resultado: foi presa por mendigar em nome de entidade fictícia. Ficou atrás das grades oito dias até provar sua honestidade, com atestados e cartas da Prefeitura, Câmara de Vereadores, juiz e delegado de Uberaba.

Ela levantaria o prédio e seria vítima de acusações constantes. Ganhava dinheiro à custa dos doentes. A cada nova sala, os boatos se multiplicavam. Um dia, Aparecida pensou em parar. Ouviu de Chico, já acostumado com a desconfiança geral, uma contraordem firme:

— Se desistir, vão dizer que roubou o suficiente.

Numa tarde, para estimular a ex-enfermeira, ele cometeu uma rara indiscrição: revelou a Aparecida a última encarnação dela. Aparecida tinha sido responsável pela morte de muitos "hereges" nas fogueiras da inquisição. Na atual temporada, ela resgatava sua dívida. Os doentes também. As vítimas do fogo-selvagem, tratadas por ela, tinham obedecido às suas ordens e incendiado os corpos.

Aparecida se aproximou do espiritismo. Numa noite, foi a um centro espírita em São Paulo e sentiu vontade de sair de fininho. Ninguém a conhecia, mas o presidente da sessão chamou até a mesa a dirigente do hospital do fogo-selvagem. Queria que ela aplicasse um passe na presidente do centro, vítima de uma paralisia repentina, que a impedia de andar. Aparecida nem se moveu. Nunca tinha dado passe em ninguém. O sujeito devia estar mal-informado. No fim da sessão, ele repetiu o convite. Era o próprio mentor espiritual do centro quem pedia a ajuda de Aparecida.

Ela tomou coragem e se apresentou. Em seguida, subiu três lances de escada para se encontrar com a doente. Todos se concentraram em torno da cama. Aparecida sentiu algo estranho nas mãos, no corpo, na cabeça. Sentiu medo. Mesmo assim, com suas rezas, realizou um "milagre". A doente se levantou no dia seguinte e se tornou não só amiga de Aparecida como sua companheira em várias campanhas de assistência aos doentes do fogo-selvagem. A ex-enfermeira mudou. Começou a aplicar passes curadores em seus doentes, com resultados surpreendentes.

O Hospital do Pênfigo viraria Lar da Caridade e, além de vítimas do fogo-selvagem, atenderia a "desamparados em geral". Aparecida se transformou em mais uma devota de Chico Xavier. Baseou seu tratamento em valores fundamentais para o discípulo de Emmanuel — os doentes deveriam trabalhar e estudar, com disciplina, para ter melhoras — e passou a reverenciar o aliado:

— Quando Chico vem ao hospital é como se Jesus chegasse.

"Livro número Cem? Sim, mas Cem com 's', porque eu não escrevi nada. Eles, os espíritos, escreveram."

Chico Xavier

OS MORTOS ESTÃO VIVOS

Para ficar mais perto de Deus, multidões começavam a procurar Chico Xavier em Uberaba, uma megalópole se comparada à minúscula Pedro Leopoldo. Em julho de 1961, a Comunhão Espírita Cristã já estava tumultuada. Numa sexta-feira, cerca de quinhentas pessoas esperavam na fila por uma "entrevista espiritual" com o porta-voz dos mortos. Um dos mais ansiosos era o uberabense Augusto César Vanucci, futuro diretor da linha de shows da TV Globo. Na época, era apenas mais um homem em crise.

Chico entregou-lhe uma xícara de café. Vanucci viu o líquido preto assumir consistência leitosa e embranquecer. Quando bebeu, sentiu um gosto de licor. Foi tiro e queda: ficou novo. Duas décadas depois, comandaria uma campanha para dar a Chico Xavier o Prêmio Nobel da Paz.

Os aflitos se agarravam ao ex-matuto de Pedro Leopoldo como se ele fosse a última esperança, a salvação, o milagre. Uma moça, vinda do Rio, pediu socorro:

— Ando tão deprimida que sou capaz de me matar.

Tinha esperado uma hora para desabafar e ouviu uma única frase como resposta. Chico segurou sua mão, esboçou um sorriso e pediu com a voz quase inaudível:

— Não faça isso, minha filha. Volte para casa pelo caminho de Deus. A morte não existe.

Foi o suficiente.

Muitos visitantes queriam bem mais. Eles chegavam à Comunhão Espírita Cristã com a esperança de receber notícias de seus mortos queridos. As "mensagens particulares" ainda eram escassas e provocavam comoção quando apareciam pelas mãos de Chico Xavier, repletas de referências a nomes, sobrenomes e apelidos de família, descrições detalhadas sobre as circunstâncias da morte e sobre a vida no outro mundo ao lado de parentes já mortos. Era preciso escrever o nome do "desencarnado" e o próprio nome numa ficha e esperar pela surpresa ou pela decepção no final da noite.

De vez em quando, vinha a surpresa. Em dezembro de 1961, por exemplo, um certo Anélio Gilbertoni, morto três meses antes, mandou um recado para a ex-noiva, Marina. Ela estava atormentada. Afinal de contas, tinha aconselhado o noivo a se submeter a uma cirurgia de úlcera e ele morrera na mesa de operação. O morto voltou para pedir calma, paciência, paz: "Não chore mais, sua dor quase me anula. Ampare-me. Eu também sofro. Não use entorpecentes. Não tente encontrar-me abandonando o corpo terrestre".

Em seguida, tratou de inocentar o médico: "Rogo a você e a todos os nossos que não culpem o médico. Não houve imperícia. A operação cirúrgica era simples, mas deveria terminar como terminou".

O texto, como muitos outros, acabava com um estímulo à caridade: "Trabalhe, Marina. Há quem sofra muito mais que nós mesmos. Repare nos abandonados e nos infelizes".

A partir de cartas como esta, muita gente passaria a se dedicar à caridade. Era preciso atender aos pedidos póstumos. Às vezes, para merecer a bênção de receber uma notícia do além, os candidatos ao "correio espiritual" ajudavam os pobres e doentes. Chico Xavier comandava, assim, uma cadeia de solidariedade movida pela esperança de diálogo entre vivos e mortos.

Nem tudo era luto e tragédia na Comunhão. Aos 51 anos, o ex-matuto de Pedro Leopoldo assumia, com desenvoltura, o papel de conselheiro e atendia também a casos triviais. Com paciência desmedida, opinava sobre assuntos inesperados. Amparado pelos benfeitores espirituais, tirava dúvidas até sobre finanças.

— Não carregues o teu tesouro numa só nau — responderia ao amigo interessado em saber como aplicar o dinheiro da indenização.

Já naquela época, o segredo era diversificar os investimentos.

Chico também apelaria para um provérbio para aconselhar um visitante às voltas com problemas na empresa onde trabalhava. Queria saber se deveria pedir demissão e ouviu a frase feita:

— Em tempo de tempestade a ave não muda de ninho.

Um outro senhor se aproximou. Tinha tudo: dinheiro, saúde, família. Mas era triste. Vivia num vazio permanente. Chico matou a charada.

— Falta ao senhor a alegria dos outros.

Numa das noitadas, duas senhoras, cobertas de linho e de joias, enfrentaram a longa fila e, aos prantos, iniciaram o desabafo:

— Sentimos tanto a falta dele. A casa está tão vazia...

Soluçavam, as lágrimas corriam. A solidão era insuportável.

Os auxiliares mais próximos a Chico ficaram perplexos quando entenderam o motivo de tanto sofrimento: a morte de um cão. Tanta gente desesperada com a perda de filhos ou torturada por doenças incuráveis e dolorosas, e aquelas duas ali chorando por um cachorro.

Chico fez questão de dar a maior atenção ao caso.

— Quando nossos animais domésticos morrem, é comum eles ficarem em nossas casas. Eles são como nós: possuem almas. Os espíritos que cuidam da natureza costumam deixá-los por algum tempo com o dono até que possam renascer.

Dois jovens fazendeiros pegaram Chico de surpresa. Estavam apavorados com a quantidade de cascavéis em suas terras. O pai deles já tinha sido atacado sete vezes e a última picada quase foi fatal. Muitos cavalos morreram. Chico prestou atenção ao drama e pigarreou antes de revelar sua receita para espantar cobras:

— Coloquem nitrato de prata, aos montinhos, nos lugares onde elas costumam aparecer. Isto às vezes dá resultado. Mas se não adiantar...

O dublê de pajé se aprumou na cadeira, abriu um sorriso e recomendou:

— ... procurem um benzedor. Levem-no à fazenda. Se ele cobrar, paguem. Quando fizer as orações, as cobras vão embora.

Dessa vez, quem se surpreendeu foi a dupla caipira. Aquilo funcionaria mesmo?

Chico tentou explicar: o benzedor seria um médium de materialização e os espíritos que cuidavam da natureza utilizariam seus fluidos para afastar as cobras dali...

Os fazendeiros deram o bote. E se o benzedor fosse Chico Xavier?

Ele saiu de fininho:

— Se o Chico Xavier for lá, não vai adiantar nada. Elas não irão embora. Minha tarefa é com os livros.

Chico Xavier e Waldo Vieira saíam das sessões públicas e, ao chegarem em casa, costumavam datilografar os textos ditados pelos "benfeitores espirituais". Tinham muito trabalho pela frente: ainda estavam longe do centésimo livro. Numa dessas jornadas noturnas, um besouro caiu sobre a máquina do companheiro de Chico. Waldo atirou o inseto com força na parede. O bicho voou e tornou a cair sobre sua mesa. Waldo arremessou o recalcitrante com violência contra o chão. Mais uma vez, ele levantou voo. Dessa vez, aterrissou no lugar certo: a mesa de Chico.

Com cuidado, o companheiro de Waldo pegou o inseto, abriu a janela e o soltou lá fora enquanto comentava:

— Besouro, se você não conseguiu desencarnar através de Waldo, é porque você é como eu: tem uma missão a cumprir no mundo. Vá com Deus.

Waldo olhava torto para o sentimentalismo de Chico.

E evitou fazer comentários quando soube como o parceiro tinha cuidado das formigas em seu quintal. À noite, o batalhão avançava sobre a horta e devorava verduras e legumes plantados para as sopas dos pobres. Os amigos já tinham providenciado o veneno quando Chico tentou um último recurso: dois dedos de prosa.

Ele se debruçou sobre o formigueiro e começou a conversar:

— Vocês precisam ser mais piedosas, mais humanas. Estão faltando com a caridade ao seu semelhante. Estão tirando o alimento de quem precisa, e não há justificativa para tal procedimento.

Usou todos os argumentos possíveis e até se deu ao trabalho de sugerir um caminho para as adversárias.

— Ao lado desta modesta horta (e apontou) tem um enorme terreno todo plantado das mais variadas gramíneas, uma grande mata que a natureza colocou à disposição de todos. Mudem-se e nos deixem em paz. Caso contrário, se isso não ocorrer dentro de três dias, tomarei enérgicas providências.

No dia seguinte, sobrou apenas uma formiga, a "subversiva", segundo Chico.

Com paciência e um arsenal de "causos", apólogos e conselhos do além, Chico se tornava a cada dia mais persuasivo. Aprendia com a sucessão de histórias trágicas e cômicas que desfilavam diante de seus olhos e passava as lições adiante. Era um bom aluno e, portanto, um bom professor. O médico Elias Barbosa teve aulas de psicologia com o mestre Chico.

Recém-formado em 1958, ele fundiu medicina, psicanálise e espiritismo em seu consultório e em 24 anos de serviços gratuitos prestados no sanatório espírita aos "irmãos com sofrimento mental", segundo um dos eufemismos de Chico, Freud, estetoscópio e soro fisiológico conviviam com passes, rezas e águas fluidificadas em terapias pouco ortodoxas.

Pais desesperados com filhos à beira do suicídio entravam no consultório do médico dublê de psiquiatra e de lá saíam com muito mais do que teorias sobre o complexo de Édipo e Electra, elucubrações sobre a inveja do pênis ou receitas de antidepressivos. Elias Barbosa ia além:

— Se você quer evitar o suicídio de seu filho, vá para a cadeia e ajude os presos. Escreva cartas para eles, dê cobertores aos detentos, vire pai e mãe deles.

Muitos não entendiam nada. De acordo com a lógica do guru Chico Xavier, os presos quase sempre eram acompanhados pelos espíritos das mães mortas. E elas retribuíam toda a ajuda dada a seus filhos pedindo aos benfeitores espirituais atenção a quem os auxiliasse. No Dia das Mães, a cada ano, Chico reunia um grupo de amigos e visitava os presos. Distribuía sorrisos, cumprimentos, algum dinheiro e ia embora. Nunca lia o Evangelho, como fazia em peregrinações pelos bairros pobres antes de doar os alimentos.

— Não poderia me aproveitar do fato de eles estarem atrás das grades para dar sermão.

Numa tarde, o dr. Elias Barbosa conheceu um pouco da "terapia de casais" defendida por Chico Xavier. Ele almoçou com o médium e seu companheiro Waldo num restaurante em São Paulo e, ao pedir a conta, teve uma surpresa. Uma mulher, na mesa ao lado, já tinha pagado a despesa. Ao lado do marido, ela se aproximou com um buquê e o entregou a Chico, comovida. Mais tarde, ele explicou. Aquela senhora tinha chegado atônita à Comunhão Espírita. Estava em crise com o marido, disposta a se separar. Chico se limitou a aconselhar:

— Trate seu marido como um filho.

Deu certo. Édipo venceu. O casamento também.

Em 1962, Chico Xavier já mobilizava milhões de espíritas e católicos no Brasil. Para formar livros e leitores, o escrevente aposentado se impunha um ritmo estressante. Acordava todos os dias às 6h e, antes mesmo de tomar café, regava a horta. Às sextas e sábados, dias de sessões públicas, deixava o sono de lado para cumprir uma programação quase insuportável.

Chico costumava chegar ao centro meia hora antes da abertura dos portões, marcada para as 20h. Quando a fila começava a andar, ele já estava sentado à cabeceira da mesa folheando o *Evangelho segundo o espiritismo* ou o *Livro dos espíritos* à procura de um bom trecho para ser lido e comentado naquela noite. Após escolher os oradores entre os companheiros espíritas, ele se refugiava num pequeno quarto destinado ao receituário. Os comentaristas se dedicavam a discursos quase intermináveis sobre a importância da paciência, do perdão e da caridade, e Chico passava para o papel as dicas do dr. Bezerra. Muitas vezes, atendia a trezentas pessoas por noite. Por volta das 21h as receitas começavam a sair por uma abertura na porta do cômodo onde ele trabalhava.

Em noites de casa cheia, Chico ficava até meia-noite confinado. Quando voltava para a mesa, os espectadores só faltavam aplaudir, não só por sua presença, mas pelo fim dos comentários evangélicos. A presidente do centro pedia silêncio, meditação, prece. Chico fechava os olhos, segurava o lápis e as frases se espalhavam pelo papel. Waldo em geral o acompanhava no dueto do além. Às vezes, quando um parava, o outro começava, e os dois produziam textos complementares assinados pelo mesmo "autor".

O espetáculo atingia o clímax quando Chico preenchia as páginas em branco com as esperadas "mensagens particulares". Nessas longas noites mais produtivas o ritual costumava se prolongar até as 3h. Era a hora de a multidão se aglomerar em volta de Chico. Risonho, de pé, com uma paciência indestrutível, ele atendia a centenas de pessoas, autografava livros, contava casos, ouvia histórias, ria, orientava. Era rara a noite em que não precisava recorrer à velha frase:

— O telefone só toca de lá pra cá.

Mães levavam os filhos para ele tocar, outras se limitavam a chorar em silêncio, alguns desmaiavam. As cenas de idolatria se seguiam madrugada adentro.

Um dos visitantes mais assíduos era um rapaz chamado Jorge. Sempre descalço, enfiado em roupas remendadas e fedorentas, ele vinha da favela e, ao ver Chico Xavier, abria um sorriso dolorido. Carregava no lábio inferior uma ferida crônica, que se abria e sangrava a cada riso. Era sempre assim. Além do machucado, sua boca trazia dentes apodrecidos. O hálito beirava o insuportável. Quase todos no centro, e em todo canto, fugiam dele. Chico o recebia com um abraço demorado e a pergunta de praxe:

— Jorge, como vai a vida?

— Ah, tio Chico, a vida é uma beleza.

A conversa às vezes se estendia por cinco, dez, quinze minutos. A fila parava, gente suspirava, os mais impacientes olhavam para os lados, se coçavam, bufavam, rezavam. Jorge falava da briga dos gatos, da goteira sobre a cama, do ninho no telhado. Só calava após muita falação.

Quando todos já saboreavam o fim do suplício, Chico anunciava:
— Agora, o nosso Jorge vai declamar alguns versos.
Ele recitava algumas rimas e Chico cobrava, então, o *grand finale*:
— Na nossa despedida, declame o poema de que mais gosto.
— Qual, tio Chico?
— Aquele da moça.
Jorge tomava fôlego, olhava para os lados para conferir a atenção do público, e enchia a boca:

Menina, penteia o cabelo,
joga as tranças pra cacunda.
Queira Deus que não te leve
de domingo pra segunda.

O riso era geral. A sensação de alívio estimulava o senso de humor. Jorge se aproximava de Chico, recebia dele alguns cruzeiros e os guardava na capanga. Em seguida, se jogava sobre o anfitrião, dizia as últimas palavras a um palmo de seu nariz, beijava sua mão. Chico retribuía. Não só beijava a mão de Jorge como sapecava um beijo em seu rosto. Para encerrar, o rapaz deixava nas bochechas de Chico as manchas de sangue de seu lábio.

Os amigos ficavam impressionados. Nunca, em vários anos, Chico esboçou um recuo instintivo. Nunca levou o lenço ao rosto após a saída de Jorge.

A romaria só terminava por volta das 4h, quando Chico convidava os mais resistentes a tomar chá e café, acompanhados de pão e rosca, na cozinha. Era a hora da conversa descontraída. Muitas e muitas vezes, já eram 5h quando o anfitrião se despedia dos últimos visitantes.

Em janeiro de 1963, Chico Xavier colocou o lápis no papel e as páginas em branco se encheram de rimas assinadas por um de seus compositores preferidos, o sambista Noel Rosa. Eram sambas de exaltação ao Rio e a Deus.

O samba não é pecado
se nasce do coração
Jesus nasceu festejado
no meio de uma canção.

> *Meu Rio belo e risonho,*
> *canto ainda a serenata*
> *em tuas praias de sonhos*
> *em tuas noites de prata*

Atraídos por surpresas como essa, os visitantes engrossavam a fila em frente à Comunhão Espírita Cristã. A confusão se alastrava pelo chão de terra da rua Eurípedes Barsanulfo. Centenas de carros de todos os estados procuravam uma boa vaga entre os postes de madeira e as cercas de arame farpado. Os guardas apitavam e o choro e os gritos das crianças se misturavam aos resmungos e gemidos de velhos e doentes e ao coro dos vendedores de balas, pipocas, picolé. As ruas em volta do centro ficavam estreitas para tanta gente às sextas e aos sábados.

O centro acompanhava o movimento e crescia. O galpão já podia abrigar entre oitocentas e mil pessoas.

Na noite de 28 de junho de 1963, Chico deixou mais uma mãe exultante. A felizarda foi Júlia Gomes de Oliveira, paulista de Barretos. Um texto assinado por seu filho, Wilson de Oliveira, caiu do céu. O morto mandava notícias um mês após ter se afogado numa represa. Júlia sofria a dor da perda e da culpa. Foi ela quem convidou o filho para o passeio.

A carta do além tirava os dois pesos dos ombros da mãe e terminava com uma assinatura quase idêntica à exibida na carteira de identidade do morto. Júlia, comovida, exibiu o documento e a mensagem a quem quisesse ver e comparar. Na semana seguinte, começou a atender um pedido vindo do outro mundo:

— Ampare as crianças sofredoras.

O contato com a multidão era quebrado pela solidão de levar ao papel mais poemas do além. Desta vez, os versos não renderiam uma edição reforçada do *Parnaso de além-túmulo*. O dueto com Waldo Vieira iria gerar a *Antologia dos imortais* — ainda faltavam 27 livros para chegar ao título número cem. Chico assinava os capítulos ímpares, Waldo, os pares. Os poemas eram evangelicamente corretos. Quase todos os poetas "representados" se dedicavam a confirmar a vida depois da morte, a criar rimas em torno da reencarnação e a divulgar, assim, o espiritismo. Entre os autores, apareceu Zeferino Brasil, aquele jornalista gaúcho que defendeu a autenticidade dos poemas escritos por Chico em seu livro de estreia.

Augusto dos Anjos também deu o ar de sua graça. Nem parecia ter se incomodado com as censuras espirituais na sexta edição do *Parnaso de além-túmulo*. Fiel à cartilha espírita, ele descreveu seu retorno à Terra, mas não resistiu a criticar o caos deste mundo, a exalação de todos os detritos e os túmulos de esterco.

Em "Morte húmida", ele narrava a agonia de um doente vítima de úlcera:

> *A morte chega brusca, horrenda e terna*
> *Corre na goela hirta fino gume.*
> *E, quando tudo parecia perdido, concluía feliz, espírita:*
> *A alma ditosa nasceu noutro nível*
> *É o parto novo...*
> *E a vida imperecível*
> *Desabrocha qual lírio sobre o estrume.*

Em fevereiro de 1964, às vésperas do golpe militar, Chico não resistiu e, seduzido pelas materializações promovidas pela médium Otília Diogo, de Campinas, se animou a exibir os poderes dela a um repórter e a um fotógrafo da revista *O Cruzeiro*. Tomou a decisão após participar de uma sessão privativa comandada pela moça.

Naquele primeiro show para Chico Xavier, ela ficou amarrada a uma cadeira, cercada por grades. De repente, luzes pipocaram pela sala escura e um cheiro forte de perfume se espalhou pela casa. Otília gemia enquanto o ectoplasma se desprendia de seu corpo e ganhava a forma de uma criança que, fora das grades, cantava. Chico assinou embaixo: os fenômenos eram autênticos. Otília Diogo dava mesmo vida a outras criaturas: uma das aparições mais assíduas era de uma freira, a "irmã Josefa".

Mas, diante dos jornalistas, Otília foi uma decepção. A figura que apareceu, "saída" de seu corpo, era a sua cara. Os repórteres exibiram fotos de Chico de braços dados com a visitante do além, a "irmã Josefa", e destacaram a semelhança entre "espírito" e médium. Chico calou-se sobre o assunto.

Só seis anos depois, ele analisou a noite decepcionante. Oito repórteres e não dois, como combinado, apareceram para tentar comprovar fraudes. O clima ficou carregado na sala e a médium só conseguiu materializar o próprio "perispírito" (espécie de corpo fluídico do espírito, sempre parecido com o corpo físico) e as roupas de freira.

Quando ele falou, já era tarde. Otília Diogo tinha sido presa com uma maleta recheada de roupas utilizadas em "materializações". O hábito de irmã Josefa também estava lá. A transformista confessou até mesmo ter pagado uma cirurgia plástica facial com exibições "espíritas" na casa do cirurgião.

Atrás das grades, desta vez numa delegacia, ela explicou ter perdido a mediunidade em 1965, um ano após as sessões em Uberaba. Não se conformou e decidiu apelar para truques. Chico Xavier, em entrevista à revista *O Cruzeiro*, voltou a definir todo médium como "uma criatura humana, com defeitos, qualidades e anseios humanos". Para ele, havia os espíritas capazes de superar as vaidades e viver para o outro e havia, também, aqueles que não suportavam os baques "reservados por Deus como provação".

Otília era do segundo time.

Em junho de 1964, Chico, com o aval de Emmanuel e com o apoio de Waldo Vieira, decidiu ceder à Comunhão Espírita Cristã os direitos de livros escritos por ele e seu parceiro. Pela primeira vez, ele seria beneficiado, embora indiretamente. O centro, cada vez maior, contraía dívidas e já não podia contar apenas com a ajuda esporádica e voluntária de amigos ricos e de gente grata a Chico Xavier.

O prédio crescia a cada ano. O barraco de cinco anos antes já era acompanhado por galpão, sala de refeições, livraria, depósito. Um afilhado de Chico, Hermínio Cassemiro, filho de José Felizardo Sobrinho, de Pedro Leopoldo, visitou o prédio e ficou impressionado com a quantidade de cobertores, remédios e alimentos acumulados.

Chico garantiu ao conterrâneo.

— Uberaba tem mais campo para mim.

Na despedida, parou diante de algumas flores e afirmou:

— O sonho de sua mãe, Júlia, era ter na janela do quarto um canteiro para plantar as damas-da-noite. Eu plantei as flores aqui e ela me visita toda noite.

Escurecia. Hermínio voltou para casa com uma das flores no bolso.

Os generais tomavam conta do país e Chico Xavier, com a ajuda do jovem Waldo Vieira, promovia mais uma distribuição de Natal. No dia 13 de janeiro de 1965, uma fila de 11.765 pessoas se estendeu diante da Comunhão Espírita para buscar sacolas com roupas e alimentos. Com a ajuda de seus amigos de São Paulo e de outros estados, conseguiram arrecadar 8.337 peças de roupas, 993 pares de sapatos, 311 enxovais infantis, 1.926 brinquedos, 4.320 lápis, 500 livros, 335 sacas de arroz, 218 quilos de balas, 11.815 sanduíches.

Eram raros os que agradeciam ao receber as doações. Alguns assistentes de Chico, de vez em quando, citavam um bilhete que teria sido enviado por são Vicente de Paulo aos auxiliares nas campanhas de atendimento aos pobres:

— Muita tolerância com os hóspedes de Jesus, pois eles são impacientes e exigentes.

Entre os "hóspedes de Jesus" não estavam apenas os pobres. Comerciantes, acompanhados de amigos e parentes, também enfrentavam o calor para buscar os donativos, enfiá-los em Kombis e transformá-los em lucro. Um amigo de Chico denunciou a presença constante na fila de uma mulher rica, conhecida na cidade. Todo fim de ano, ela fazia questão de levar sacolas para casa. Era um roubo. Havia gente passando fome em todo canto e ela tirava comida da boca de quem precisava.

Chico escapou da polêmica mais uma vez:

— Que humildade a desta senhora! Enfrenta uma fila com sol ou chuva e, pacientemente, aguarda sua vez para pegar mantimentos.

As distribuições anuais às vezes terminavam em briga e sempre provocavam confusão. Pobres de cidades vizinhas chegavam a Uberaba e ficavam por ali mesmo. Afinal de contas, os centros espíritas também distribuíam sopa todo dia ou toda semana e ainda providenciavam atendimento médico e dentário gratuitos. Chico nem respondia a quem o acusava de atrair miseráveis à cidade. Fazia caridade a qualquer preço.

Os adversários reclamavam e Chico estudava, de acordo com orientação ouvida de Emmanuel, estatísticas sobre suicídios publicadas pelas Nações Unidas no *Demographic Year-Book*, em 1964. A Áustria liderava o número de suicidas (1.598 em 1962) e era seguida pela Alemanha, Suíça, Japão, França, Bélgica, Inglaterra, Estados Unidos, Polônia e Portugal. Nenhum país subdesenvolvido entrava na lista. Conclusão: o suicídio teria ligações com o vazio provocado pelo materialismo. Ou seja: faltava espiritualidade naqueles países.

Chico e Waldo começaram a arrumar as malas para viajar ao exterior.

Em maio de 1965, os dois embarcaram para os Estados Unidos. Já era hora de levar o espiritismo segundo Kardec aos americanos.

Acompanhados por dois amigos, Maria Aparecida Pimental e Irineu Alves, eles chegaram a Washington na tarde de 22 de maio, um sábado. No dia seguinte, visitaram um templo espírita na cidade para agradecer ao plano espiritual pela chance da viagem. Sem aviso prévio, foram até o The Church of Two Worlds (A Igreja dos Dois Mundos), dirigido pelo médium Gordon Burroughs. Eram 15h. Eles se sentaram no último banco e ficaram em silêncio, acompanhando as preces, cânticos e comentários sobre a doutrina. Ninguém os conhecia ali.

No final da reunião, uma senhora indicou os quatro "irmãos de outro país" ali presentes e falou sobre a tarefa deles nos Estados Unidos: levar a renovação espiritual e estimular a aproximação fraterna. Logo depois, em transe, anunciou a presença dos espíritos de um *teacher* e um *doctor* junto aos visitantes brasileiros. Chico e Waldo já tinham percebido a companhia de Emmanuel e de André Luiz.

Em julho, Waldo Vieira colocou no papel um texto com a assinatura do *doctor*. "Pontos fundamentais para o espírita em viagem." Era uma cartilha para kardecistas que viajassem para o exterior pela primeira vez. Os conselhos, assinados por André Luiz, pareciam ter sido escritos por Chico Xavier. Para início de conversa, a palavra estrangeiro deveria ser riscada do dicionário: "Os filhos de outros povos devem ser tratados como verdadeiros irmãos". Era preciso fugir da exibição pessoal, guardar discrição e simplicidade, evitar críticas e discussões, anedotas e aforismos de mau gosto, além de comparações pejorativas capazes de humilhar os anfitriões. Para ser mais útil, cada um deveria estudar a língua e os costumes do país visitado.

O quarteto tinha muito trabalho a fazer. Allan Kardec era um ilustre desconhecido nos Estados Unidos, mesmo entre os espíritas. Eles cultuavam a reencarnação, acreditavam em fenômenos como a materialização, mas ainda eram leigos em relação ao Evangelho ditado pelo francês no século passado. Chico e Waldo se dedicaram, então, à segunda parte do plano: fundar um centro kardecista. Já tinham até um contato em Washington: Salim Salomão Haddad e sua mulher, Phillis. O casal tinha conhecido Chico Xavier ainda em Pedro Leopoldo, em 1956.

Chico elegeu o turco Salim, que conhecia sete línguas, presidente do centro, batizado de Christian Spirit Center (Centro Espírita Cristão). A sede funcionaria na casa dos dois. Durante três semanas, o brasileiro ficou hospedado ali. Como sempre, trabalhou e estudou compulsivamente. De manhã, recebia aulas de inglês da filha mais velha do casal; à tarde, era a vez de Phillis assumir o papel de professora e à noite o marido virava mestre. Chico aprendeu em quinze dias o que poucos conseguiriam aprender em um ano.

O aluno era um fenômeno, mas não tinha, segundo os professores, *know-how* suficiente para escrever os textos que, em poucos minutos, ele colocou no papel, com a assinatura de um certo Ernest O'Brien. As palavras em inglês saíam de sua mão em velocidade absurda até mesmo para os americanos e deixavam Mrs. Phillis boquiaberta. Um dos artigos, intitulado "Family", começava com uma descrição das primeiras impressões logo após a morte:

Tremendous surprise takes place in our mind at the moment of death. Contrary of our own former opinions we are alive. The body came back to the inorganic Kingdon as subject of universal change and we recognize that death is a rebirth. (Tremenda surpresa ocorre em nossa mente no momento da morte. A despeito de nossas próprias opiniões anteriores, continuamos vivos. O corpo retorna ao reino inorgânico, sujeito que está à mutação universal, enquanto reconhecemos que a morte é um renascimento.)

Waldo Vieira não ficava atrás e também apresentava textos assinados por O'Brien:

On what basis shall we localize the problem of death? Of course, there is no death. Life itself demands death as a rebirth. (Em que base devemos colocar o problema da morte? Naturalmente, a morte não existe. A própria vida exige a morte como um renascimento.)

O suicídio seria pura perda de tempo. A vida era inevitável.

Entre uma aula e uma "mensagem", Chico Xavier escrevia livros e, de vez em quando, saía para passear com os anfitriões pela cidade. Mrs. Phillis guardou duas frases de Chico durante a estada:

— A gente precisa perdoar setenta vezes sete diariamente.

— Um tanto mais de paciência todos os dias.

Depois de Washington, Nova York. Ali, Chico se encontrou com o médico Eurípedes Tahan, o parceiro de Maria Olina na Casa Espírita de Sheilla. Tahan fazia pós-graduação em pesquisa de transplante de fígado e, estimulado por Chico, matriculou-se com ele em um curso noturno de inglês. Durante três semanas, o mineiro de Pedro Leopoldo participou das aulas. A professora ficou impressionada com sua facilidade para o idioma.

No fim de uma das aulas, um rapaz da Nicarágua se aproximou de Chico e Eurípedes e desabafou, sem mais nem menos: enfrentava problemas com a mulher e precisava de ajuda. Chico resolveu visitá-lo naquela noite mesmo. O médico o acompanhou e estranhou seu comportamento na casa do nicaraguense. Mal chegou e começou a conversar com a mulher dele em espanhol fluente. O bate-papo demorou quarenta minutos. Chico parecia outra pessoa. Quando saíram, explicou: "Era a avó daquela senhora. Eu a estava ajudando, dando conselhos...".

Chico e Waldo saíram dos Estados Unidos e aterrissaram na França. Chico, é claro, fez questão de visitar o túmulo de Allan Kardec, no cemitério Père Lachaise. Rezou e chorou. Antes de voltarem ao Brasil, passaram por Lisboa, onde deixaram textos escritos em bom português. Num deles, assinado por Emmanuel, vinha a convocação.

— Atendamos à caridade que suprime a penúria do corpo, mas não menosprezemos o socorro às necessidades da alma. Divulguemos a luz da Doutrina Espírita. Auxiliemos o próximo a discernir e pensar.

Chico repetia palavras de Cristo:

— Conhecereis a verdade e a verdade vos fará livres.

Emmanuel completava com mão de ferro:

— Livres para sermos felizes em nossas obrigações e para sermos mais responsáveis perante Deus.

Nessa primeira viagem, Chico e Waldo lançaram sementes kardecistas no exterior. No ano seguinte, eles voltaram aos Estados Unidos para fiscalizar a plantação. Antes de partir, em abril, Chico pediu a retificação de seu nome. Estava cansado de usar, em documentos oficiais, o Francisco de Paula Cândido. O juiz Fábio Teixeira Rodrigues Chaves autorizou. E a certidão de nascimento dele, em Pedro Leopoldo, mereceu um reparo na margem direita ao lado do registro original: onde está o nascimento de Francisco de Paula Cândido, fique constando Francisco Cândido Xavier.

Com seu "nome artístico" reconhecido, ele viajou disposto a dar um passo importante: o lançamento da versão em inglês do livro *Ideal espírita*. Para atrair mais leitores, o título se transformou em *The World of The Spirits* e chegou às lojas com o selo da respeitada Philosophycal Library. Chico ficou eufórico. A viagem era um sucesso. Mrs. Phillis Haddad contribuiu para o otimismo do espírita. Inspirada, ela deu provas de estar em sintonia com o outro mundo e tocou num dos pontos mais sensíveis de Chico: colocou no papel recados assinados por uma certa Maria João de Deus.

Aos espíritas já irritados com a badalação da dupla no exterior, a FEB apresentou, em sua revista *O Reformador*, um artigo assinado por Salim Salomão intitulado: "Por que Estados Unidos". Era quase um pedido de desculpas pelo sumiço dos dois:

> *Os guias espirituais dos infatigáveis médiuns apontaram-lhes a necessidade de aprendizado da língua inglesa a fim de que as recepções de mensagens nesse idioma se tornem menos difíceis e mais rápidas. Daí também a necessidade de suas ausências do Brasil e do seu treinamento intensivo em estudos do inglês, o que vêm fazendo com admirável progresso, pontualidade e dedicação.*

A viagem renderia. Livros como *Agenda cristã* e *Nosso Lar* seriam vertidos para o inglês, japonês e tcheco. O kardecismo começaria a engatinhar nos Estados Unidos. Um Centro de Sheilla seria inaugurado em Miami, ao lado de outros dois centros. Nova York sediaria três casas espíritas, a Califórnia ficaria com duas e Filadélfia com outra nos trinta anos seguintes. Nada muito estimulante. *The World of The Spirits* venderia, no primeiro ano, 216 exemplares. Chico achou ótimo.

Antes de voltar ao Brasil, o porta-voz dos mortos visitou outro cemitério, o Memorial Park, em Hollywood. Estava no local certo na hora exata. Embaixo de uma árvore, com a cabeça no colo de uma senhora, descansava, a cerca de dez metros de seu túmulo, a mulher mais trepidante daquela época, a *sexy symbol* Marilyn Monroe. A precursora de Madonna já estava enterrada havia três anos e a imprensa ainda debatia hipóteses sobre as circunstâncias de sua morte por *overdose* de tranquilizantes, no auge do sucesso, aos 36 anos.

A maioria defendia a tese do suicídio puro e simples. Outros falavam em acidente — a loura fatal não queria morrer quando misturou altas doses do tranquilizante Nembutal com álcool. Os mais criativos arriscavam teorias bem mais arrojadas: a atriz tinha sido vítima de um complô. Máfia, FBI, os Kennedy, Fidel Castro? Siglas e nomes vieram à tona.

Pois bem. Marilyn Monroe iria falar.

Chico Xavier, de Pedro Leopoldo, viu quando seu velho conhecido, o repórter Humberto de Campos, se aproximou da estrela.

— Sou um amigo do Brasil que deseja ouvi-la.

— Um brasileiro a procurar-me depois da morte? Em que poderia ser útil?

A mulher mais esfuziante dos últimos tempos estava irreconhecível. Na conversa, bastante reveladora, ela tratou de desmentir os boatos sobre seu suicídio.

— Os vivos falam sobre os mortos o que lhes vem à cabeça, sem que os mortos possam lhes dar a resposta devida.

Depois do desabafo, ela apresentou sua versão:

— Ingeri, quase semi-inconsciente, sob profunda depressão, os elementos mortíferos que me expulsaram do corpo, na suposição de que tomava uma simples dose de pílulas mensageiras do sono.

Isso mesmo: os adeptos da tese do acidente acertaram.

Rica, irresistível, famosa, Marilyn vivia desorientada. E, com conhecimento de causa, após um período de *mea culpa* no além, tratou de dar um conselho às mulheres:

— Não se iludam a respeito da beleza e fortuna, emancipação e sucesso. Isso dá popularidade e popularidade é um trapézio no qual raras criaturas conseguem dar espetáculo de grandeza moral, incessantemente, no circo do cotidiano.

Após recorrer à metáfora circense, ela tratou de definir a liberdade como um bem que deveria ser administrado com bom senso. O sexo, "canal de renascimento e renovação", poderia ser guiado para as "trevas" e "tumultuado por inteligências animalizadas", nos níveis mais baixos de evolução, se não fosse respeitado por "sensata administração de valores".

Marilyn Monroe só não gostava de lembrar o momento de sua morte:

— Quando minha governanta bateu na porta do quarto, inquieta ao ver a luz acesa, acordei sentindo-me duas pessoas a um só tempo. Gritei apavorada sem saber, de imediato, identificar-me.

Seus planos para o futuro?

— Primeiro quero melhorar. Em seguida, como a aluna no educandário da vida, preciso repetir as lições e provas em que falhei. Por agora não devo e nem posso ter outro objetivo que não seja reencarnar, lutar, sofrer e reaprender.

Humberto agradeceu pela entrevista exclusiva e Marilyn voltou para o colo de sua companheira.

Chico Xavier chegou a Uberaba com a entrevista-bomba assinada pelo Irmão X e com uma outra novidade também surpreendente: estava sozinho. Waldo Vieira tinha ido para o outro lado do mundo — o Japão. Iria fazer um curso de pós-graduação em plástica e cosmética em Tóquio. Meses depois, ele voltaria para a Comunhão Espírita Cristã apenas para arrumar as malas e sumir do mapa em direção ao Rio, onde abriria um consultório.

Chico Xavier garantia estar conformado com a separação. E previa em entrevistas na época:

— Waldo será invariavelmente o médico humanitário e o abnegado missionário da doutrina espírita que todos nós conhecemos.

Errou em cheio.

Após deixar sua assinatura ao lado da de Francisco Cândido Xavier em dezessete livros, o "médico humanitário" virou as costas para o espiritismo, "estreito demais", e seguiu carreira solo. Estava cansado de Chico, "tão frágil, tão suscetível, tão chorão", estava cansado da sacralização em torno de seu parceiro e do "populismo" das sopas diárias, das peregrinações semanais e das distribuições natalinas. Queria distância da culpa cristã, da caridade, das lições evangélicas. Ele não iria se conformar, não iria agradecer a Deus por seus sofrimentos, não viveria atrelado a guias espirituais, não se submeteria a ser um eterno datilógrafo de textos do além.

Waldo abandonou a doutrina espírita e definiu sua saída da Comunhão como "uma benção". Leitor voraz, dono de uma biblioteca com 60 mil exemplares, ele fundaria não uma seita, mas uma ciência batizada de "projeciologia". Iria estudar as projeções de consciência, as experiências fora do corpo físico. Em 1986, lançaria um livro sobre o assunto — um calhamaço de mil páginas coberto por 1.907 citações extraídas de mais de 5.500 títulos específicos.

Os cientificismos de André Luiz, no complexo *Mecanismos da mediunidade*, são até bastante acessíveis se comparados à linguagem usada no mundo novo de Waldo. Tanto que ele lançaria um "miniglossário da conscienciologia" para quem quisesse entender seu dialeto. No livro de bolso, o leitor teria acesso a informações como esta: "Acoplamento áurico — interfusão das energias holochacrais entre duas consciências".

Mas o que é holochacra? O livro explica: "Paracorpo energético da conscin".

Conscin? Isso mesmo, a "consciência intrafísica a personalidade humana, o cidadão ou cidadã da Socin".

Nesse universo sofisticado, a mediunidade é considerada um "pré-maternal, uma bobagem", o espiritismo não passa de uma superstição e Kardec já está superado. A pessoa capaz de projetar a própria consciência estaria anos-luz à frente do médium. A projeciologia eliminaria o intermediário, o atravessador. Se uma pessoa quisesse entrar em contato com o "espírito", por exemplo, bastaria sair conscientemente de seu corpo físico e procurar seu morto em outra dimensão. Ou seja: a mãe, arrasada com a morte de seu filho, poderia fazer um curso de projeciologia, treinar bastante e ir para o espaço. Haveria o risco de ela se perder no meio do caminho.

— Mas quem não corre riscos? — pergunta Waldo.

Quase 27 anos após se tornar um dissidente de Chico Xavier, Waldo só interromperia os ataques para confirmar:

— Emmanuel e André Luiz existem mesmo. A mediunidade e a psicografia são reais.

Chico Xavier seria um "completista", segundo termo inventado por André Luiz. Ou seja: cumpriu à risca a programação traçada no outro mundo para ele.

Com longas barbas brancas e seu discurso demolidor, Waldo Vieira seria acusado por vários espíritas de estar cercado de espíritos obsessores. Ao saber das acusações, ele se limitaria a gargalhar.

— Eu ameaço o espiritismo. Eu acabo com os atravessadores.

Os espíritas mais indignados chegaram a prever a "desencarnação" do ex-médium. Ele teria traído sua missão e poderia pagar por isso. Waldo provocaria:

— Eu só tenho medo do espírito obsessor do cachorro do vizinho.

Em seu último livro, *600 experimentos da conscienciologia*, Waldo dedicou um capítulo a Jesus Cristo. E lançou uma série de adjetivos implacáveis contra o homem mais importante do espiritismo e mais adorado por Chico Xavier. Para o ex-parceiro de Chico, JC (como ele chama Jesus) é um "teólatra populista inamovível", um "catequista inveterado e fanático", um "rezador de retiros espirituais", um "autopromotor da autolatria cega", um "doutrinador e repressor acrítico", um "sectarista ginecófobo apaixonado".

Desde a separação, Waldo Vieira nunca mais se encontrou com o antigo parceiro. Em 1991, tentou conversar com ele. Os auxiliares de Chico afastaram-no com uma desculpa: Chico estava viajando. O "completista" preferiu ficar em casa, sozinho, recolhido em seu quarto, escrevendo.

Tinha mais o que fazer.

Em 1967, Chico lutava para atingir o centésimo livro e encerrar a maratona literária. Estava exausto. Logo após a separação, colocou no papel o livro *Encontro marcado*, assinado por Emmanuel. Uma coletânea de conselhos bastante úteis para quem, como ele, sofria com mais um desencontro na vida. Uma das frases era consoladora: "A pedra que acidentalmente nos fira será provavelmente a peça que sustentará a segurança da construção".

O autor de 92 livros, muitos deles já traduzidos para o espanhol, esperanto e inglês, nem teve tempo para se lamentar. Aquele era o ano do quadragésimo aniversário de sua mediunidade. E os espíritas estavam em festa. Os fãs mais exaltados faziam Chico recorrer à ironia ao chamá-lo de papa do espiritismo.

— Só se for a papa do angu na panela.

Até o padre Sinfrônio, de Pedro Leopoldo, fez as pazes com o conterrâneo. Ele hasteou a bandeira branca e convidou o "rival" a participar de um encontro de educadores promovido pela Escola da Imaculada Conceição. Naquele ano, Chico recebeu o título de cidadania da cidade natal e, com lágrimas nos olhos, agradeceu a todos por tudo, logo após afirmar não merecer tamanha honraria. Era o primeiro de uma série quase interminável de títulos. No ano seguinte, seria a vez de Uberaba dar o título a seu morador mais ilustre. Os donos de hotéis apoiaram com fervor...

Chico agradecia as homenagens, atribuía todo o crédito aos espíritos e a Emmanuel e gerava ensaios científico-espirituais. Um deles, assinado pelo professor Herculano Pires, definia o quase sessentão como um "ser interexistente", alguém capaz de existir no "aqui e no agora" como homem no mundo e, no além, como "homem fora do mundo". Alguém capaz de experimentar, ao mesmo tempo, duas vidas: a de vigília e a hipnótica. Um "médium humilde desprezado e depreciado pela inteligência brasileira".

Os mais matemáticos calculavam: nos quarenta anos de mediunidade, Chico teria ficado o correspondente a oito anos em transe.

Chico demorou a entender o tal conceito de "interexistência".

Foi preciso Herculano morrer para Chico decifrar a expressão. Ele passava para o papel, em sessão pública, o recado de um rapaz morto para sua mãe, quando escutou o convite de um "espírito amigo":

— Precisamos de você neste instante numa reunião no plano espiritual. Por favor, me acompanhe até lá.

Com a permissão de Emmanuel, sem ninguém notar, ele se retirou da sala, deixou seu corpo na cadeira e andou quilômetros até chegar a um salão. Lá dentro, todos estavam em silêncio. O presidente da sessão: Herculano Pires. Chico soube, em pensamento, que deveria substituir um médium ausente. Uma mãe aflita esperava notícias de seu filho. Os dois estavam mortos, mas em planos diferentes. Enquanto seu corpo psicografava uma mensagem em Uberaba, ele passava para o papel outro texto em um ponto qualquer do espaço.

Após a dupla jornada de trabalho, o professor se aproximou e perguntou:

— Você entendeu agora o que é ser interexistente?

Como presente de aniversário mediúnico, Chico ganhou de Emmanuel mais responsabilidade. Daquele ano em diante, ele teria autorização para colocar no papel, com assiduidade, em sessões públicas, os textos ditados pelos mortos a suas famílias. Chico sairia da fase do varejo e iria para o estágio do atacado na chamada "literatura de consolação". A cada semana, ele poria no papel a média de três mensagens particulares. A nova missão talvez substituísse em breve a dos livros, quando ele concluísse seu centésimo título.

E era uma tarefa arriscada. A tensão dos parentes em busca de notícias de seus mortos chegava ao descontrole. Numa noite, em sessão pública, um espírita, amigo de Chico Xavier, duvidou de uma mensagem mandada por um familiar do outro mundo e cuspiu no rosto do médium. Chico se enxugou com um lenço, desabafou com amigos e, em casa, chorou. Emmanuel apareceu. Em vez de palavras de consolo, mais uma ordem:

— Quando alguém cuspir em seu rosto, diga simplesmente que a chuva molhou sua face, se alguém pedir explicações. Não reclame.

Chico evitava as queixas e escrevia sem parar, apesar das dores provocadas por um tumor na próstata. Aguentou o sofrimento enquanto pôde. Mas a cirurgia era inevitável. Zé Arigó, o médium que incorporava o dr. Fritz e realizava cirurgias sem anestesia, se ofereceu para operar o colega. Chico recusou a oferta e preferiu se internar numa clínica em São Paulo. Antes, tomou o cuidado de entregar ao dr. Elias Barbosa documentos particulares.

— Ninguém sabe o que pode acontecer.

Ele foi para o centro cirúrgico e provocou mais uma polêmica. Por que não aceitou a oferta do dr. Fritz, tão requisitado na época? Ele duvidava do poder dos espíritos? O protegido de Emmanuel se limitou a repetir a mesma resposta dada a Arigó:

— Como eu ficaria diante de tanto sofredor que me procura e que vai a caminho do bisturi como o boi para o matadouro? E eu vou querer facilidades? Eu tenho que me operar como os outros, sofrendo como eles.

Anos mais tarde, num desabafo, Chico deixaria de lado a diplomacia e diria:

— Sou contra essa história de meter o canivete no corpo dos outros sem ser médico. O médico estudou bastante anatomia, patologia e, por isso, está habilitado a fazer uma cirurgia. Por que eu, sendo médium, vou agora pegar uma faca e abrir o corpo de um cristão sem ser considerado um criminoso?

Já recuperado da cirurgia de próstata, Chico recebeu outra orientação de seu guia: às vésperas de concluir seu livro número cem, ele poderia dar entrevistas na TV para atingir um número maior de pessoas. No dia 6 de maio de 1968, ele conversou com o repórter Saulo Gomes, da TV Tupi de São Paulo, na Comunhão Espírita Cristã.

Deu uma aula de espiritismo. Para ele, os sovinas, ao guardarem dinheiro, operavam no organismo social o correspondente a uma trombose na circulação do sangue. A caridade era uma boa saída. O suicídio gerava consequências desastrosas. Ele reencontrou amigos suicidas, mortos com tiros no ouvido, reencarnados como "crianças retardadas em estado de extrema idiotia". No final, Chico colocou no papel, de olhos fechados, em velocidade, um texto assinado por Emmanuel. Temperada por revelações e surpresas do outro mundo, a entrevista fez tanto sucesso que acabou sendo exibida em quase todas as capitais.

Chico não sabia, mas aquele era apenas um ensaio para a maratona televisiva dos anos 1970.

"Fico triste quando alguém me ofende, mas ficaria bem mais triste se fosse eu o ofensor. Magoar alguém é terrível."

Chico Xavier

A VIDA DESAPROPRIADA

Em 1969, Chico Xavier pingou, finalmente, o ponto-final em seu centésimo livro: *Poetas redivivos*. Sentiu vontade de correr pelas ruas, de gritar, de festejar. Tinha cumprido o acordo assumido com Emmanuel dez anos antes. Aos 59 anos, estava pronto para diminuir o ritmo. Chegou até a avisar o amigo Ranieri:

— Já escrevi muito. Livros, livros, livros. Agora é preciso o povo executar. A mensagem já está dada.

O anúncio foi precipitado. Chico ouviu uma contraordem de seu guia e ficou perplexo:

— Estou na obrigação de dizer a você que os mentores da Vida Superior, que nos orientam, expediram uma instrução: ela determina que sua atual reencarnação seja desapropriada, em benefício da divulgação dos princípios espírita-cristãos. Sua existência, do ponto de vista físico, fica à disposição das entidades espirituais que possam colaborar na execução das mensagens e livros, enquanto seu corpo se mostre apto para nossas atividades.

Chico não se conformou:

— Devo trabalhar na recepção de mensagens e livros até o fim da minha vida atual?

— Sim, não temos outra alternativa.

O autor dos cem livros insistiu:

— E se eu não quiser? A doutrina espírita ensina que somos portadores do livre-arbítrio para decidir sobre os nossos próprios caminhos.

Emmanuel sorriu e deu o veredicto:

— A instrução a que me refiro é semelhante a um decreto de desapropriação, quando lançado por autoridade na Terra. Se você recusar o serviço a que me reporto, os orientadores dessa obra de nos dedicarmos ao cristianismo redivivo terão autoridade bastante para retirar você de seu atual corpo físico.

Assunto encerrado.

Chico manteve a conversa em segredo. Os espíritas estavam em festa mais uma vez. Comemoraram o centésimo livro de Chico como o milésimo gol de Pelé. O número redondo era um recorde. Chico era saudado como o único, entre os escritores vivos, com cem obras publicadas no país. Vendia dez vezes mais que Carlos Drummond de Andrade. Só o *best-seller* Jorge Amado era páreo para ele. Entre os autores brasileiros de sucesso, era o mais eclético. Sua obra incluía reportagens, poemas, crônicas, títulos infantis, contos e romances históricos.

Num dos jantares oferecidos a ele, o "desapropriado" dispensou os elogios e apelou para mais um de seus trocadilhos:

— Este é meu livro número cem, mas com "s".

Ele insistia: todos os livros eram dos espíritos. E abria mão, em cartório, dos direitos autorais.

Os observadores espíritas mais atentos faziam as contas e analisavam a lógica matemática da obra de Chico Xavier. Ele tinha colocado no papel os primeiros quarenta títulos a uma velocidade de dois livros por ano. Os trinta seguintes chegaram às livrarias no pique de três publicações anuais. Depois, já aposentado, a média subiu para quatro. Para os mais entusiasmados, não restava qualquer dúvida: a obra obedecia a um planejamento minucioso do outro mundo. Nos anos 1970, sem nenhum parceiro, Chico escreveria oito livros por ano.

Na noite de 28 de julho de 1971, Chico Xavier entrou na arena: o auditório da TV Tupi de São Paulo. Quase quinhentas pessoas cercavam o palco. Calvo, com a cabeça grande demais para o corpo franzino, Chico cumprimentou a multidão e, com um sorriso tímido, dirigiu-se sozinho ao centro do tablado, em direção à mesa reservada para ele. Após ajeitar-se na poltrona, ajustou os óculos, engoliu em seco. O responsável por 107 livros ditados por quase quinhentos defuntos estava prestes a se submeter a uma sabatina via satélite. E, o melhor (ou pior), ao vivo.

Chico Xavier entrou na roda. Uma roda-viva chamada *Pinga-Fogo*, o programa de entrevistas mais demolidor da época. As perguntas viriam de todos os lados: da plateia, dos telespectadores, de uma bancada formada por cinco entrevistadores. Além dos três jornalistas da equipe da TV Tupi — Saulo Gomes, Reali Júnior e Helle Alves —, dois convidados cuidariam da "inquisição": o católico João de Scantimburgo e o espírita Herculano Pires. Como mediador, o jornalista Almir Guimarães.

O tribunal estava montado. Réu, advogados de defesa e acusação, juiz, todos a postos. Às 23h30, Chico deu o seu boa-noite. Com fala pausada, baixa, monocórdia, disse a primeira das muitas frases estranhas da noite:

— Estou confiante no espírito de Emmanuel, que prometeu assistir-nos pessoalmente.

Estava tenso. Quantas pessoas estariam sintonizadas naquele canal? Talvez entrasse em pânico se soubesse a resposta: 75% dos televisores paulistas ficaram ligados no *Pinga-Fogo* até o fim, às 3h da manhã. Pobres, milionários, padres, céticos, políticos, psiquiatras dormiram de madrugada naquela terça-feira para acompanhar as opiniões extravagantes de Chico Xavier sobre reencarnação, sexo, catolicismo, fornos crematórios e bebês de proveta. Nada menos que duzentos telespectadores telefonaram ao longo das quase três horas de entrevista.

João de Scantimburgo ajudou a espantar o sono do público em duelos como este:

— Os que não creem nos seus dotes defendem a tese de que o senhor registra no papel, por meio de escrita automática ou inconsciente, reminiscências de leituras. Não terá o senhor repetido de Augusto dos Anjos, por exemplo, os versos que leu e reteve na memória?

Sem gaguejar, Chico Xavier deu a resposta de sempre:

— Se eu disser que estes livros pertencem a mim, estarei cometendo uma fraude pela qual vou responder de maneira muito grave depois da partida deste mundo.

Após resumir seu currículo escolar limitado ao quarto ano primário, ele fez questão de defender a própria ignorância. Não tinha a menor ideia do que escrevia enquanto passava para o papel grande parte dos livros psicografados.

João de Scantimburgo não se convencia.

— O senhor é um homem que tem grande fluência ao falar. O senhor constrói com perfeição a frase, o senhor tem lógica na exposição da sua doutrina. Logo, o senhor é um autodidata, que se compenetrou da doutrina que esposou e a estudou profundamente e passou a exercer o seu trabalho expondo essa doutrina.

Chico apelou para a presença de Emmanuel:

— Qualquer estrutura fraseológica mais feliz de que eu possa ser portador se deve à influência de Emmanuel, à presença dele junto a mim, compreendendo a responsabilidade de um programa como este.

De vez em quando, ao longo da entrevista, ele diria:

— Emmanuel pede para mencionar... Emmanuel pede para lembrar... Emmanuel, que está presente, diz...

Mais tarde, Chico Xavier descreveu aos amigos mais íntimos os bastidores invisíveis daquela saga televisiva. Emmanuel teria se fundido a ele em simbiose. Semiconsciente o tempo inteiro, Chico teria repetido, como um amplificador, as respostas ditadas por seu guia. Só soube mesmo do teor da entrevista quando assistiu à reprise do programa em Uberaba.

Scantimburgo duvidava de fenômenos como este. E lançava perguntas escorregadias. Por que filósofos como Platão, Aristóteles e Kant não enviavam do além obras para os médiuns? Seria difícil demais "traduzir" as ideias deles? Chico (ou Emmanuel) respondeu com uma hipótese incômoda:

— Com todo o respeito ao senhor, eu me permitiria perguntar se eles também não seriam médiuns.

Scantimburgo perdeu a paciência:

— Este programa é de perguntas e não de debate.

Chico concordou, tranquilo, para evitar atritos. Exibiu seu talento para a diplomacia várias vezes. Como ao declarar um imenso respeito pela Igreja Católica, "em cujo seio formei a minha fé". Ou ao evitar mencionar o nome dos países que estavam legalizando o aborto, para não ser injusto com "povos que amamos e respeitamos muito". Como sempre, ele mediu cada palavra e pediu perdão ao usar a expressão "assassinando crianças" quando criticou o aborto.

Naquela noitada, o espírita falou menos sobre a doutrina e mais sobre temas polêmicos na época. Muito mais liberal do que o papa e os bispos, ele apontou nos bebês de proveta a possibilidade de diminuir o sofrimento da mulher no parto e os riscos de vida dos fetos. Viu nas então revolucionárias e controvertidas pílulas anticoncepcionais a chance de mulheres e homens ficarem livres do "delito do aborto" e ainda defendeu a homossexualidade e a bissexualidade como "condições da alma humana", que não deveriam ser encaradas como "fenômenos espantosos, atacáveis pelo ridículo da humanidade".

Fazia questão de destacar, a cada resposta mais elaborada, a presença de Emmanuel. Telespectadores começaram a se acostumar com a ideia. O guia de Chico analisou até a cremação, com palavreado um tanto rebuscado:

— Ela é legítima para todos aqueles que a desejam, desde que haja um período de pelo menos 72 horas de expectativa para a ocorrência em qualquer forno crematório, o que poderá se verificar com o depósito de despojos humanos em ambiente frio...

Ou seja: o corpo deveria ser conservado em baixas temperaturas antes de ser lançado às labaredas.

O jornalista Reali Júnior cobrou uma posição mais ativa do espiritismo na luta por uma distribuição de renda mais justa no país. Dom Hélder Câmara projetava-se na batalha contra os problemas sociais e enfrentava com coragem a resistência de militares e conservadores. Chico limitava-se a promover campanhas beneficentes, atribuía o sofrimento de cada um à necessidade de "resgatar dívidas passadas", distribuía sopas, roupas, remédios e só. Por que ele, como líder religioso, não cobrava uma política mais eficiente do governo em vez de apenas acenar com paliativos? Os espíritas seriam adeptos do conformismo? Com calma, Chico defendeu a doutrina:

— O espiritismo nos pede paciência para esperar os processos da evolução e as ações dos homens dignos que presidem os governos.

Chico (ou Emmanuel?) fazia questão de defender as autoridades.

Um telespectador mandou, pelo telefone, outra pergunta incômoda. No livro *Cartas de uma morta*, Maria João de Deus tinha descrito Marte como um planeta habitado, mas as sondas americanas desmentiram esta notícia. O espírito da mãe de Chico Xavier teria se enganado?

Após destacar seu respeito pela ciência, Chico garantiu:

— Sabemos que o espaço não está vazio. Mas precisamos esperar o progresso científico na descoberta mais ampla e na definição mais precisa daquilo que chamamos antimatéria. Então, devemos aguardar que a ciência possa interpretar para nós a vida em outras dimensões, outros campos vibratórios.

O clima ficou bem mais leve quando Chico descreveu seu desespero naquele avião trepidante em 1959. A expectativa da morte, seus gritos apavorados, a incapacidade de prever ou não a queda, a aparição de Emmanuel em pleno voo, irritado com a quase histeria de seu "protegido". Aquela história surpreendeu o público. Deu uma dimensão humana, frágil e real àquele homem estranho. Ele também tinha medo de morrer, ele também tinha dúvidas quanto ao próprio futuro. Ele não se anunciava como um vidente, um profeta, um super-homem bem relacionado com Deus. Com bom humor, Chico conquistou o público.

Após duas horas e 45 minutos de inquérito, Almir Guimarães pediu ao entrevistado para colocar no papel "uma mensagem de seus guias".

Chico respondeu com um "vamos tentar", fechou os olhos, levou a mão esquerda à testa. O auditório ficou em silêncio absoluto. O único ruído vinha do lápis sobre a página em branco, em velocidade impressionante.

De repente, Chico parou, ajeitou os óculos, tomou fôlego e, com a voz baixa, começou a ler o texto. Era um soneto assinado pelo ex-poeta, ex-conferencista, ex-jornalista, ex-advogado, ex-integrante da Academia Paulista de Letras e ex-delegado-auxiliar de polícia do Rio de Janeiro Cyro Costa. Um ilustre desconhecido naquele início da década de 1970. Tinha morrido em 1937, após publicar dois livros.

Ninguém esperava por aquele visitante do outro mundo. Muitos apostavam num fecho de ouro com Augusto dos Anjos ou Castro Alves, só para impressionar. Mais uma vez, Chico surpreendeu. O poema, "Segundo Milênio", resumia o clima de perplexidade geral naquele início de década atribulado:

A civilização atônita, insegura
Lembra um tesouro ao mar que a treva desfigura,
Vagando aos turbilhões de maré desvairada.

Antes de se retirar, Chico pediu licença para homenagear as mães e agradecer a todos com a oração que Maria João de Deus rezava a seu lado, "em espírito", quando ele tinha cinco anos. As lágrimas rolaram em seu rosto enquanto ele declamava o pai-nosso. O público aplaudiu de pé.

O *Pinga-Fogo* superou todas as expectativas. O programa foi reprisado na íntegra, a pedidos, três vezes nas semanas seguintes, sempre com audiência superior a 25% (uma enormidade se comparada com a média do programa naquele horário ingrato: 2%).

A entrevista e o poema foram traduzidos para o esperanto e publicados pela revista japonesa *Omoto*, que circulava em setenta países. Chico Xavier, o mesmo "investigado" por David Nasser e Jean Manzon, virou colaborador fixo da revista *O Cruzeiro*, que passou a publicar em uma página semanal, para quase 400 mil leitores, "mensagens psicografadas" de Francisco Cândido Xavier. Em novembro, a Pontifícia Universidade Católica de São Paulo abriu espaço para seis aulas sobre o espiritismo. A convite dos padres Mauro Batista e Marcos Masetto, o professor espírita Herculano Pires falou para auditórios lotados com quinhentos alunos.

O programa foi um marco para o espiritismo e para Chico Xavier. Muitos espíritas enrustidos, ou católicos não praticantes, assumiram a religião. Céticos passaram a acreditar em vida depois da morte.

Os amigos mais próximos e os observadores mais atentos, acostumados à figura de Chico, tiveram um motivo bem menos metafísico para ficarem impressionados. Eles identificaram um corpo estranho sobre a cabeça do entrevistado. Nada de outro mundo. Ao contrário. Uma peruca discreta, com poucos fios, mudou sua aparência. Chico já não era mais o senhor calvo do ano anterior.

Aquela alteração deixou muitos espíritas em estado de choque. Como alguém tão humilde capaz de se render a tanta vaidade?

Na introdução do livro *Pinga-Fogo*, lançado naquele ano pela Edicel, o autor do prefácio não se conteve ao descrever a aparição de Chico Xavier: "Haviam lhe posto uma peruca (talvez para atrapalhar), que juntamente com os seus óculos pretos dava-lhe um ar estranho. Parecia outro". Na edição seguinte, a constatação "haviam lhe posto uma peruca" veio acompanhada de um asterisco. A observação, no rodapé, era sucinta: "Chico Xavier usa peruca".

Mesmo os amigos mais íntimos demoraram a aceitar a ideia. Chico chegou a recorrer a uma explicação médica para justificar a novidade. Da mesma forma como atribuiu à labirintite a causa de sua mudança para Uberaba, ele responsabilizou a sinusite pela necessidade da "prótese capilar". O frio sobre sua cabeça intensificava sintomas da doença e chegava a afetar seu olho enfermo. Durante algum tempo, ele tentou usar boina, mas, em meio à confusão na Comunhão Espírita Cristã, muita gente arrancava a proteção de sua cabeça, até mesmo na ilusão de levar um talismã para casa. Chico ia além em seu discurso médico:

— No meu caso, a calvície é uma enfermidade catalogada em qualquer dicionário. Chama-se alopécia.

Em seguida, admitiria a tentativa de um implante, na época realizado com técnicas ainda mais duvidosas do que as atuais. Sua cabeça trazia mais feridas do que novos fios e ele não poderia exibi-la por aí. Outro motivo, mais sobrenatural, também veio à tona. A "comunicação mediúnica" partia, muitas vezes, de seu cérebro. E Chico sofria quando alguém colocava as mãos em sua careca, sempre sensível. Os fiéis mais entusiasmados costumavam tocar nele sem maiores constrangimentos.

Chico demorou um pouco a admitir outro motivo, a vaidade pura e simples:

— Devemos cuidar de nossa aparência física como cuidamos da parte espiritual. Não temos direito de chocar os outros e enfear o mundo com nossas deficiências.

No dia 12 de dezembro, Chico Xavier voltou ao auditório da TV Tupi para um bis do programa de maior sucesso naquele ano: o *Pinga-Fogo* espírita. Vestia um terno alinhado e aparentava calma, apesar da movimentação quase histérica em torno dele. O salão, com capacidade para quinhentas, abrigava oitocentas pessoas. À tarde, o superintendente da TV Tupi, Orlando Negrão, lutava para conseguir um convite para Zilda Natel, mulher do governador paulista, Laudo Natel.

A entrevista, dessa vez, não seria transmitida apenas para São Paulo. Seria veiculada por um *pool* formado por quatro emissoras em rede nacional. Na última hora, diante das reportagens extensas na imprensa, catorze outras TVs encomendaram videoteipes. Antes mesmo do início do programa, mais de cem perguntas já haviam chegado à Tupi por escrito ou por telefone. Outras duzentas foram enviadas por três telefones que não pararam de tocar.

O próprio Chico Xavier declarou-se surpreso com tanto interesse no início da entrevista:

— Sinceramente, devemos confessar que estamos aqui numa posição imerecida. Emprestou-se tamanha solenidade a este programa que, sinceramente, nos surpreendemos sobremaneira.

A entrevista estendeu-se por cinco horas. Chico defendeu a cirurgia plástica como uma concessão da Providência Divina, "para que venhamos a valorizar cada vez mais o veículo físico", fez declarações de respeito à umbanda, "apesar de não estar vinculada aos princípios codificados por Kardec", defendeu a reencarnação. O caso bem-humorado da noite ficou por conta do pai dele, João Cândido. Antes de morrer, o vendedor de bilhetes lotéricos prometeu ao filho:

— Quando eu for embora, pode acreditar, vai parar a roda da fortuna para você no Natal.

Após a morte do pai, Chico passou a jogar na loteria todo final de ano. Jamais ganhou.

O público se divertiu.

Mas a entrevista teve maus momentos.

No país do AI-5 e da tortura, Chico Xavier fez um discurso capaz de emocionar o general Médici, então presidente do Brasil:

— Precisamos honorificar a posição daqueles que nos governam e que vigiam os nossos destinos. Devemos pedir para que tenhamos a custódia das Forças Armadas até que possamos encontrar um caminho em que elas continuem nos auxiliando como sempre para que não descambemos para qualquer desfiladeiro de desordem. A oração e vigilância, preconizadas por Jesus, se estampam com clareza em nosso governo atual...

O segundo *Pinga-Fogo* do ano terminou com um poema intitulado "Brasil". Chico colocou no papel, com os olhos fechados, versos como "Dos sonhos de Tiradentes/ Que se alteiam sempre mais/ Fizeste apóstolos, gênios/ Estadistas, generais". A assinatura: Castro Alves.

A revista *Veja* decifrou o discurso militarista de Chico Xavier como uma estratégia. Com os elogios generalescos, ele se livraria do risco de sofrer censura, como havia acontecido com o umbandista carioca Seu Sete da Lira, atração dos programas Sílvio Santos, Flávio Cavalcanti e Chacrinha naquele ano.

Se foi mesmo uma tática, ela funcionou. A Escola Superior de Guerra convidou Chico a dar uma palestra a seus alunos. Ele aceitou o convite. No final da conferência, os cadetes se perfilaram e, em fila, cantaram para ele o hino de sua escola.

O jornal *Última Hora* criticou a performance do entrevistado:

> *Sorriso por sorriso, o de Sílvio Santos é mais cativante. Simpatia por simpatia, a de Hebe Camargo é mais convincente. O gesto de ajustar os óculos tem mais charme executado pelas mãos de Flávio Cavalcanti. A voz afetada de Norminha, personagem de Jô Soares, é mais espontânea.*

Mas teve de reconhecer: "Nenhum programa de televisão, por melhor que seja, terá os recursos de Chico Xavier. Qualquer problema do espírito, do corpo, deste ou de outro mundo tem dele solução pronta e imediata".

Cópias dos dois *Pinga-Fogo*, devidamente dubladas, chegaram a circular no Japão, onde já era vendida a versão de *Nosso Lar*. Muita gente gravou, em fitas cassetes, o discurso de Chico Xavier. De repente, ele se transformou em ídolo de massas, um *showman*, um *pop star*. Além de ter sido a maior atração da TV brasileira de 1971, foi eleito personalidade do ano pelo jornal *Lavoura e Comércio*, recebeu a Palma de Ouro, não em Cannes, mas no programa *Silveira Lima*, e foi promovido a Servidor Emérito pelo Rotary Clube, de Uberaba. Teria de pagar um imposto sobre tanto sucesso.

No fim do ano, Hamilton Ribeiro, um repórter da revista *Realidade*, desembarcou na Comunhão Espírita Cristã para flagrar o entrevistado mais famoso do país em seu hábitat natural. Na noite de sexta-feira, sessenta carros, de jipes a Mercedes, já estavam estacionados nas ruas recém-asfaltadas da Comunhão Espírita Cristã. Placas de Monte Castelo e Itumbiara se misturavam a outras do Rio e de São Paulo.

Depois do primeiro *Pinga-Fogo*, o movimento tinha dobrado no "Vaticano do Espiritismo". Mil pessoas aguardavam na fila o momento de entrar no salão de cem metros quadrados. Duas filas se estendiam e se misturavam: uma ia até a cabine de passes; outra se dirigia aos auxiliares encarregados de organizar os pedidos de receitas do dr. Bezerra de Menezes. Uma terceira reunia os interessados em autógrafos. O repórter entrou na fila "médica", para fazer uma consulta pelo amigo Pedro Alcântara Rodrigues. Preencheu no papel o endereço do doente — alameda Barão de Limeira, 1327, apto. 82 — e esperou.

No final da sessão, após atender à multidão, Chico se sentou à cabeceira da mesa, colocou a mão sobre os olhos e frases no papel. Quando iniciava a leitura do texto, assinado por Emmanuel, ele parou.

— Tem alguém com gravador aqui — disse à presidente do centro, Dalva.

— Não tem, Chico. Já olhamos.

— Tem sim. Eles estão dizendo.

Ninguém na plateia admitiu a culpa. Dona Dalva descobriu o culpado num dos bancos do fundo: um deputado do Rio. Ele escondia no bolso um minúsculo gravador.

No final da sessão, Hamilton Ribeiro, já ansioso, recebeu a receita para seu amigo: "Junto aos amigos espirituais que lhe prestam auxílio, buscaremos cooperar espiritualmente em seu favor. Jesus nos abençoe".

Havia apenas um detalhe: o nome e o endereço do amigo eram falsos. Hamilton tinha inventado o personagem.

Diante da revelação incômoda, os espíritas repetiram uma explicação dada por Chico várias vezes: quando o nome do consulente é uma invenção, a consulta vale para o "inventor". A dúvida ficou no ar.

Na mesma reportagem, Hamilton Ribeiro divulgou também o resultado de um encefalograma realizado pelo médico Elias Barbosa em Chico Xavier durante o transe. Sem saber de quem se tratava, o neurologista paulista Juvenal Guedes avaliou o gráfico e foi taxativo: o paciente estava longe da normalidade. Ele encontrou no hemisfério esquerdo do cérebro de Chico uma descarga elétrica exagerada, capaz de levar o doente à convulsão epiléptica ou equivalente (alheamento, sensação de ausência, automatismo psicomotor).

O dr. Eunofre Marques, médico-assistente da clínica psiquiátrica do Hospital das Clínicas, após estudar a personalidade dos médiuns em sessões espíritas e umbandistas, tratou de enquadrar a todos em quatro categorias: altamente sugestionáveis, pouco dotados e com sentimentos de inferioridade, psicóticos delirantes e portadores de disritmia cerebral.

Em sua opinião, Chico seria um caso de disritmia cerebral. Os sintomas: crises alucinatórias (tem visões e ouve vozes), perturbações de consciência (como se estivesse sonhando acordado) ou momentos em que tem dificuldades para compreender onde está e o que se passa com ele.

Os espíritas trataram de defender a lucidez de Chico. Definiram seu desequilíbrio em transe como "disritmia sã", sem origem patológica, e sim "psíquica provisória", promovida pela interferência de uma "personalidade intrusa". Tanto que, em estado normal, ele apresentava um encefalograma comum e nunca tinha sido surpreendido por um acesso epilético.

No início de 1972, os líderes da Igreja Católica decidiram reagir contra a estrela dos *Pinga-Fogo*. Chico estava passando dos limites. Já tinha virado verbete até mesmo da enciclopédia *Delta Larousse*. Ali, ele era apresentado como "vulto do espiritismo brasileiro" e sua obra de assistência social era definida como "significativa", em texto de 22 linhas publicado acima de uma caricatura dele feita por Alvarus em 1952.

A ideia da reencarnação começava a ganhar adeptos demais. Com sua voz mansa, suas palavras sob medida, Chico Xavier usava as palavras do próprio Jesus Cristo — "Necessário vos é nascer de novo" — para vender seu peixe. Com frases bíblicas à mão, ele apregoava:

— Sim, nascer de novo todos os dias, todas as semanas, de ano para ano, de etapa para etapa, mas também, de vida em vida, de berço em berço.

O discurso começava a ganhar uma força perigosa.

No dia 26 de janeiro, os dirigentes da Conferência Nacional dos Bispos do Brasil (CNBB) reuniram-se para discutir a ameaça Chico Xavier. Em entrevista coletiva, dom Aloísio Lorscheider, dom Ivo Lorscheiter e dom Avelar Villela Brandão divulgaram seu veredicto:

— É excessiva e maciça a publicidade em torno das atividades mediúnicas, especialmente do fenômeno Chico Xavier. Admitimos o direito de consciência religiosa, que consideramos sagrado. No entanto, o que observamos não é rigorosamente o uso de um direito. Por trás desses programas de divulgação, há perigos evidentes para a formação religiosa do povo brasileiro.

Nenhum dos líderes católicos acusou o espírita de má-fé. Chico, segundo eles, atribuía seus textos aos "espíritos" por ignorar a própria capacidade de colocar no papel informações registradas em seu subconsciente.

A revista *Mensageiro de Santa Rita* publicou uma crítica ao *Pinga-Fogo* intitulada "Deseducação em massa do povo brasileiro". Um dos trechos era um pedido velado de censura oficial: "Deseducação incompreensivelmente permitida pelas autoridades responsáveis".

O arcebispo do Rio de Janeiro, dom Eugênio Sales, avaliou o fenômeno em *A Voz do Pastor*. Após atestar o fascínio do brasileiro pelo extraordinário e pelo suposto sobrenatural, ele garantiu:

> *Com habilidade e inteligência podem-se arrastar multidões. O gesto do mágico, o encanto pelo desconhecido, sempre atraíram, através da história, grandes massas humanas em fugazes tentativas religiosas. Foge-se do verdadeiro e o lugar é ocupado imediatamente pelo falso.*

O cardeal-arcebispo de Porto Alegre, dom Vicente Scherer, também usou *A Voz do Pastor* para dar seu recado. Chico, segundo ele, escrevia livros na falsa e ilusória convicção de estar sob a influência de "agentes invisíveis":

> *A psicografia tem explicação simples e natural, pela ação normal do próprio psiquismo humano. Qualquer pessoa sugestionável, de bons estudos, tem condições de se tornar psicógrafa e, assim, escrever aparentes ditados, imitando o estilo de autores até mesmo vivos.*

Após inocentar Chico Xavier da suspeita de desonestidade, ele lamentou: "Seu engano talvez perturbe e desoriente espíritos ingênuos e desprevenidos".

O padre Oscar Gonzáles Quevedo e sua equipe estudaram o caso do médium mineiro e publicaram o diagnóstico em artigo na *Revista de Parapsicologia*, editada pelo Centro Latino-Americano de Parapsicologia. Um dos parapsicólogos, o psiquiatra Daulas Vidigal, foi matemático. Chico teria lido, nos 45 anos mais úteis de sua vida, a média de um livro por semana, ou seja, 2.340 títulos no total. De cada autor "psicografado" (foram menos de quinhentos), ele poderia ter estudado cinco livros, o suficiente para captar seu estilo.

O próprio Quevedo, autor de *A face oculta da mente*, defendia uma tese mais "científica":

> *Sua psicografia ocorre por um automatismo do subconsciente, o fidelíssimo gravador que retém tudo quanto se passa conosco. Chico se auto-hipnotiza superficialmente, entregando-se ao subconsciente. Este, por sua vez, faz o lápis correr sobre o papel.*

O padre jesuíta fazia questão de definir a psicografia como obra deste mundo. E exibia uma prova: "Já levamos uma pessoa sugestionável a psicografar Carlos Drummond de Andrade. Na época, o poeta estava bem vivo".

Chico Xavier respondia com o silêncio. Alguns espíritas, mais invocados, provocavam. Se Quevedo é tão inteligente assim, se ele leu tanto para chegar a tantas conclusões, por que ele não se auto-hipnotizava e criava um livro bem melhor do que *A face oculta da mente?*

Pouco depois de toda a polêmica, o jornal *Gazeta Mercantil* publicou uma pesquisa sobre os cinco religiosos mais influentes do Brasil. Chico Xavier apareceu num honroso quarto lugar (com 9,52% dos votos), seguido por dom Eugênio Sales (9,17%). Nas primeiras posições apareceram dom Paulo Evaristo Arns (13,06%), dom Hélder Câmara (11,49%) e dom Aloísio Lorscheider (11,39%). No artigo do jornal, o "líder espírita" era definido como "dono de forte magnetismo pessoal", capaz de arrebanhar adeptos com extrema facilidade.

Mais tarde, Chico receberia cartas de apoio de padres. Um dos remetentes foi o padre Milton Santana, já idoso, responsável pelo Centro Social Paroquial Nossa Senhora de Fátima, em Campinas: "Chico, acompanho-o na sua missão de quem se conscientizou que 'servir é o destino das grandes almas'. Bondade assim só consegue quem está em comunhão com Deus pelo serviço ao outro, ao próximo".

Quase vinte anos depois, textos escritos por Chico e assinados por Emmanuel e André Luiz estariam estampados nas contracapas de milhares de cadernos impressos pelas Escolas Profissionais Salesianas, dirigidas por padres. Em "Calma", por exemplo, André Luiz pedia: "Se você está a ponto de estourar mentalmente, silencie alguns instantes para pensar...". Os cadernos só não citavam o nome de Francisco Cândido Xavier.

Bispos, cardeais e espíritas discutiam e Chico era homenageado. No dia 22 de setembro de 1972, ele foi à Assembleia Legislativa do Rio de Janeiro receber o título de Cidadão do Estado da Guanabara. Galerias e plenário ficaram superlotados. Entre os convidados, estava o almirante Silvio Heck. O discurso militarista de Chico Xavier ainda rendia dividendos.

O ex-ministro da Marinha, um dos telespectadores atentos do segundo *Pinga-Fogo*, estava empolgado. Para ele, Chico era uma prova do que Gandhi um dia afirmou: "Se um dia um único homem atingir a mais elevada qualidade de amor, isto será suficiente para neutralizar o ódio de milhões".

Chico Xavier surpreendeu o público com um longo discurso improvisado, repleto de dados históricos precisos e de nomes e sobrenomes das "autoridades presentes", sem recorrer a qualquer texto. Mais uma vez, ele insistiu na humildade. Disse não ter qualidades para receber "semelhantes honrarias" e se definiu como uma parede arruinada, sobre a qual se pregava um cartaz anunciando os ensinamentos de Jesus. Terminou seu discurso, diante de espectadores como Dulce Passarinho, tia do ministro Jarbas Passarinho, pedindo a "bênção generosa, a bênção imperecível de Deus".

Sua peruca tinha crescido e exibia até fios grisalhos. Espíritas estavam perplexos e enviavam cartas ao *pop star* em Uberaba. Seus ternos bem cortados, seu cabelo de mentira, tudo isto era inconcebível. Ele sucumbia à vaidade. Uma das cartas era dura: "Você envelheceu e caducou".

No dia 28 de outubro de 1972, Chico Xavier quebrou o silêncio, esqueceu a postura de engolir desaforos e desabafou ao jornal *Cidade de Santos*. Estava irreconhecível. Aos críticos de sua peruca, ele respondeu:

> *Pus cabelos na cabeça sim. E pus mesmo porque preciso. E isso me honra muito. Eu quero viver. Não quero aparecer como uma ruína humana diante de meus amigos, todos bem-postos, bem tratados. Por que eu vou aparecer como uma pessoa que morreu e que só falta enterrar? Não, não morri, não. Eu quero viver e quero viver muito, se Deus quiser.*

Aos críticos de seus ternos, ele perguntou:

Eu agora vou andar vestido de bandral do século I? Não. Por causa dos livros? Então era melhor não ser médium. Quero andar direitinho, com a roupa limpa e com cabelos na cabeça. Me perdoem, mas eu quero. Pois se a doutrina é a maior alegria de nossa vida, vamos chegar lá imundos, pedindo esmola? Tenho de ir desabando em glórias, uai.

A quem lhe cobrava uma postura de santo, ele gritou: "Nós precisamos humanizar a doutrina. Nem demônio, mas também nem anjos. Somos homens e mulheres da Terra. Agora, o dia em que for promovido a anjo, ninguém sabe, porque a nomeação foi lá por cima".

A quem criticava seu empenho em receber títulos em solenidades, ele desafiou: "A Câmara Municipal vota um título para o espiritismo e diz que a besta chamada Chico Xavier deve ir receber. Posso ofender uma cidade, falando assim: 'Muito obrigado, eu aí não vou pôr meus pés'? Não posso fazer isso".

Estava magoado: "Não tenho tempo nem de cortar a unha. De vez em quando o dedo dói e sangra. Uma unha entrou no outro dedo".

E terminou com uma ironia: "Querem que eu chegue nos lugares e diga: 'Olhe, eu sou espírita. Vocês podiam dar uma esmola pra Comunhão Espírita Cristã?'. Mandavam a gente pra cadeia. Manda para o Carandiru que ele está doido".

Nunca mais Chico faria um desabafo como esse em público.

Na Bienal do Livro daquele ano, a fila até Chico Xavier, no estande da Livraria Modelo, assumiu proporções descomunais. Quase 1.500 pessoas se esforçaram para chegar a ele. Distribuiu autógrafos das duas horas da tarde às sete da manhã seguinte. Descansou apenas meia hora. Os amigos sugeriram o uso de um carimbo com dedicatória-padrão para apressar o movimento. Chico apenas assinaria o próprio nome. Com muito custo, persuadido pelo tamanho da fila, Chico aceitou. Foi pior. Culpado pelo excesso de impessoalidade, ele tratava de escrever, ao lado do carimbo, algumas frases para cada leitor.

Em 1973, Chico foi atração em outra tarde-noite-madrugada de autógrafos. Nos dias 3 e 4 de agosto, no Clube Atlético Ipiranga, em São Paulo, ele deixou sua assinatura em nada menos que 2.243 livros após dezoito horas de maratona.

A quantidade de cartas endereçadas a ele também alcançava números impressionantes. Chico chegou a receber, por dia, trezentas cartas. A média girava em torno de duzentas. Remetentes do Brasil inteiro, além de Espanha, Estados Unidos, Portugal, Argentina e Itália, pediam socorro a Chico Xavier, "o pai dos desesperados", "o irmão dos que choram", "o melhor sobre a Terra". Dos envelopes saíam fotos, pétalas, descrições de tragédias, súplicas. "O senhor escute sua prece. Ore por nós..." "Minha filhinha morreu... Ela está bem?" "Perdi a alegria de viver..."

Chico já era um fenômeno. Passava por cima das críticas, vestia seu terno, penteava a peruca e ia em frente. Em 1973, a Câmara Municipal de São Paulo se transferiu por um dia para o Ginásio do Pacaembu. Iria entregar, em sessão especial, o título de Cidadão Paulistano a Francisco Cândido Xavier. O Ginásio ficou lotado. Após se definir como o "último dos últimos servidores das atividades evangélicas", ele afirmou receber o título na condição de apenas um "zelador" da doutrina e iniciou uma aula sobre a fundação de São Paulo, repleta de minúcias nunca incluídas, sequer, em livros de História. Os espíritas mais atentos não tiveram dúvidas: era Emmanuel quem falava. E falava com a autoridade de quem tinha sido, em outra vida, o padre Manuel da Nóbrega, fundador da cidade.

As homenagens eram incessantes. Em 1973, a estrela do *Pinga-Fogo* ainda recebeu os títulos de cidadão de Araras, Santos, São Caetano do Sul, Franca, Belo Horizonte, Campinas, Araguari, Goiânia, além da Placa de Ouro da Prefeitura do Guarujá e a Medalha Anchieta da Câmara Municipal em São Paulo.

Durante a maratona, ele inventaria mais um *slogan* autodepreciativo:

— Não passo de um cabide, onde dependuram as homenagens ao espiritismo.

Aos que anunciavam sua queda, por ceder ao orgulho e à vaidade, ele gritaria:

— Não vou cair porque nunca me levantei.

Numa tarde, ele caminhava com amigos em peregrinação por um bairro pobre de Uberaba, quando parou de repente e afirmou:

— Às vezes, sinto como se meu corpo estivesse coberto de lama. Mas aqui eu nunca deixei respingar uma gota — e apontou para a própria cabeça.

A felicidade ele sempre definiu como "consciência tranquila".

Em 1973, Chico era um *best-seller* recorde no Brasil. Tinha escrito 116 livros e vendido mais de 4 milhões de exemplares. A renda com direitos autorais atingia a média de 30 mil cruzeiros mensais. Ele doava tudo às editoras espíritas. Sobrevivia com os modestos 386 cruzeiros de sua aposentadoria no Ministério da Agricultura — ou seja, cerca de 1% do quanto rendiam os livros a cada mês.

De todos os títulos, reverteu a venda de treze à Comunhão Espírita Cristã. Apenas um dos livros, lançado um ano antes, *Sinal verde*, já tinha esgotado três edições de 10 mil exemplares cada um.

Catorze anos após a fundação, a Comunhão já ocupava quase o quarteirão inteiro. Ambulatórios médico e dentário funcionavam ao lado da livraria, de um abrigo para idosos, da sala de costuras para confecção de agasalhos, da biblioteca e do salão onde eram distribuídos setecentos a mil pratos de sopa todos os dias.

Tanta prosperidade começou a incomodar o escriturário aposentado.

Numa tarde, Chico chegou ao galpão onde atendia o público e encontrou dois buracos na parede. Seus assistentes queriam lhe fazer uma surpresa: instalar aparelhos de ar-condicionado. O médium foi curto e grosso:

— Eles entram e eu saio. Este é um local de trabalho.

A inscrição colada por ele sobre sua vitrola — "Muito tarde é que se vê que não se amou o bastante" — começou a destoar do ambiente. Parecia simplória demais.

De vez em quando, diante de uma nova parede, de uma nova reforma, Chico diria:

— Em casa que muito cresce o amor desaparece.

As filas diante da Comunhão pareciam intermináveis. Elas se estendiam a cada entrevista na TV, a cada solenidade, a cada noite de autógrafos, a cada distribuição de Natal, a cada carta enviada pelo filho morto à sua mãe, a cada prato de sopa. As cenas de desespero e de idolatria se sucediam.

Uma senhora chega diante de Chico, começa a tremer, empalidece, desmaia. Quinze minutos depois volta, coloca o rosto de Chico entre suas mãos, chora como criança e se afasta, ainda aos prantos, sem dizer uma palavra. Homens e mulheres beijam suas mãos, ele beija de volta. Seus bolsos ficam cheios de cartas. Muita gente implora por notícias de seus mortos.

Para milhares de pessoas, Chico Xavier era a única ponte confiável para o além. As "mensagens particulares" escritas por ele, e já produzidas em série, provocavam comoção. Para a maioria, traziam provas irrefutáveis da sobrevivência dos mortos. Outros levantavam suspeitas. Chico poderia recolher aquelas informações nas cartas enviadas do Brasil inteiro para ele. Mães aflitas enviavam até cópia da carteira de identidade dos filhos na esperança de receber uma mensagem, um sinal de vida. Chico também poderia recorrer à telepatia. Ele não era capaz de ler pensamentos?

Mas como explicar o caso do industrial Wady Abrahão? Em novembro de 1973, ele foi a Uberaba em busca de notícias de seu filho, morto quatro meses antes, aos 17 anos. Era a última tentativa do católico para se livrar do sofrimento. Se ele e a mulher não melhorassem, iriam se suicidar. Já tinham combinado tudo. Wady não se conformava. À noite, saía de casa com a desculpa de voltar para a fábrica e tomava o rumo do cemitério. Depois de driblar o vigia, ele se deitava sobre a lápide superior da sepultura do filho e ficava ali, horas, a sete palmos do corpo. Achava que seu filho tinha medo de dormir sozinho. Em várias ocasiões, traído pela fumaça dos cigarros que ele fumava sem parar, foi surpreendido pela segurança. Uma vez, até a radiopatrulha foi chamada.

Áxima, a filha dele, sugeriu a ida do casal até Chico Xavier. Por que não arriscavam? Wady duvidava do médium e tomou todas as providências para evitar fraudes ou truques. Para começar, proibiu que os parentes fizessem qualquer comentário sobre a morte do filho em Uberaba. Todos deveriam ficar a seu lado para ser fiscalizados. No hotel, o telefone ficou perto de sua cama. Ninguém poderia telefonar. Na primeira noite, eles foram ao Centro e Chico chamou pelo nome:

— Áxima, Áxima...

Como a moça não estava, a mãe dela, Jandira, se aproximou e respondeu:

— Sr. Francisco, Áxima é minha filha. Viemos aqui porque perdi meu filho.

Chico respondeu:

— Não, a senhora não perdeu o filho. Seu filho é um apóstolo de Jesus.

Wady não se convenceu, mas no dia seguinte voltou. Sentaram e esperaram. Ouviram a leitura do Evangelho, viram Chico escrever frases e mais frases sobre o papel. No final, a surpresa: o texto tinha a assinatura de Wady Júnior. Foi o primeiro de uma série. O pai leu com atenção cada frase e, depois de algum tempo, se converteu ao espiritismo e enterrou de vez a ideia do suicídio. A morte era impossível.

Casos como este se espalhavam, eram publicados em livros e tornavam ainda mais célebre o ex-matuto de Pedro Leopoldo. De vez em quando, ele era saudado como "o famoso Chico Xavier" e sentia vontade de sumir, constrangido.

Estava tão popular que virou cordel. Em 1974, o alagoano Enéias Tavares Santos escreveu num livreto, em 208 estrofes, *A verdadeira história de Chico Xavier*. Foi impecável:

> *Hoje Chico é o maior*
> *No setor da mediunidade*
> *Vive lá em Uberaba*
> *Aquela grande cidade,*
> *Com uma obra grandiosa*
> *Praticando a caridade.*
>
> *Assim vai realizando*
> *A sua grande missão:*
> *Lá oitocentas crianças*
> *E adultos também vão*
> *Receber seus alimentos*
> *Nos fundos de um galpão.*
>
> *E se acaso uma pergunta*
> *Ao Chico é formulada,*
> *Concernente a suas obras,*
> *Responde com voz pausada:*
> *Eles são que fazem tudo*
> *Eu é que não faço nada.*

O movimento em torno de Chico, em escala quase industrial, mudou Uberaba. E não foi apenas para melhor. A rodoviária virou um inferno nos fins de semana. Os visitantes mais pobres chegavam em busca de Francisco Cândido Xavier e encontravam, na beira dos ônibus, ao desembarcar, curandeiros de terreiros de macumba, prostitutas e agentes de hotéis e pensões, todos dispostos a faturar. Um mundo nada evangélico pegava carona no fenômeno da Comunhão Espírita Cristã.

Em 1975, Chico Xavier recebeu pelo correio uma notícia incômoda. Uma de suas amigas, Consuelo Calado, de Goiás, comunicava a doação de cem alqueires de terra. Era um presente para ele. Chico pegou o primeiro ônibus e foi até a casa dela "apelar para seu coração humanitário". Queria renunciar ao patrimônio em benefício das obras assistenciais da doutrina. Convenceu a doadora a repassar 50% do dinheiro à Comunhão Espírita Cristã e a aplicar a renda obtida com a venda dos outros 50% na fundação do Lar Fraternidade, em Goiás.

No dia 19 de maio de 1975, Chico Xavier escreveu uma carta, em tom solene, endereçada aos "Srs. Diretores da Comunhão Espírita Cristã". Após anunciar a doação das terras, declarou: "Agradecendo a generosidade que sempre me dispensastes, venho comunicar-vos o meu desligamento das tarefas dessa benemérita instituição a partir desta data".

Em seguida, tratou de listar seus motivos: desgaste orgânico após 65 anos de vida e 48 de atividades mediúnicas, hipotensão "com características inquietantes", dificuldades crescentes na visão, ausências semanais para tratamento de saúde.

Mais uma vez, a enfermidade foi sua "enfermeira". Com a catarata, ele se aposentou por invalidez; com a labirintite, justificou sua mudança para Uberaba; com a sinusite, explicou o uso da peruca. A doença servia como álibi, uma forma de adiar a verdade.

A Comunhão Espírita Cristã tinha crescido demais. Chico já não cabia nela.

Precisava apenas encontrar um novo endereço. Os amigos o ajudaram. Naquele ano, onze companheiros seus, oito de São Paulo, dois do Rio e um de Uberaba, se cotizaram e doaram ao espírita 221 mil cruzeiros, o suficiente para comprar um terreno e concluir a construção. Chico ocupou três lotes ao lado da Comunhão Espírita Cristã e, aos 65 anos, virou outra página de sua história.

Para enfrentar os últimos capítulos de sua vida, ele tratou de organizar uma nova família. Ao seu lado, morariam dois rapazes: Eurípedes Higino dos Reis e Vivaldo Cunha Borges. Desta vez, Chico escolheu os companheiros a dedo. Eurípedes, então com 25 anos, convivia com Chico desde os oito, quando sua mãe, Carmem, começou a trabalhar na Comunhão Espírita Cristã. Vivaldo, ele conhecera cinco anos antes, quando o rapaz trancou a matrícula na Faculdade de Medicina, em Franca, após deparar com um espírito ao lado do cadáver que iria dissecar. Durante cinco anos, deu passes no centro de Chico. Em 1974, o ex-parceiro de Waldo Vieira olhou para o rapaz e disse:

— Acho que a medicina não é para você. Melhor se dedicar ao serviço espírita.

Anos depois, Eurípedes se tornaria o presidente do novo centro de Chico Xavier e controlaria com rigor o acesso a ele. Vivaldo assumiria a responsabilidade pela organização de toda a obra de seu "pai espiritual". Seria o encarregado de datilografar, arquivar e editar todas as mensagens.

Faltava apenas o centro. No dia 8 de julho de 1975 — data do aniversário de 48 anos de atividades mediúnicas de Chico —, o dissidente da Comunhão Espírita Cristã fundou o Grupo Espírita da Prece, a 17ª casa kardecista fundada em Uberaba desde sua chegada na cidade. Em dezoito anos, sob sua influência, o número de centros espíritas na cidade dobrou.

No novo endereço, distante oito quilômetros de sua casa, Chico voltou no tempo em busca da simplicidade perdida. A construção lembrava o Centro Luiz Gonzaga original, em Pedro Leopoldo. Uma sala pequena — um cubículo se comparado com a Comunhão Espírita Cristã —, uma varanda, um quarto modesto para os passes, uma cozinha, com dimensão de quarto de empregada, nos fundos. Só. Sobre a mesa de madeira, diante dos bancos simplórios, ele afixou uma nova inscrição: "Silêncio é prece". Buscava a paz. Tentava escapar da roda-viva em que havia se metido. Precisava se poupar. Em pouco tempo seu peito começaria a doer.

Em setembro de 1976, Chico Xavier recebeu a visita do médium Luiz Antônio Gasparetto, então com 26 anos e recém-formado em Psicologia. O jovem deixava espectadores boquiabertos ao pintar, em minutos, com as mãos e os pés, sempre de olhos fechados, telas assinadas por mestres mortos como Toulouse-Lautrec, Renoir, Manet, Goya, Van Gogh, Matisse e Rembrandt. Na época, ele começava a ser considerado uma espécie de Chico Xavier da pintura.

O encontro dos dois rendeu um espetáculo insólito. A música de Gounod, Donizetti, Beethoven tomou conta do ambiente e, em instantes, Gasparetto abriu a boca e se identificou, com sotaque francês.

— Boa tarde. Sou Toulouse-Lautrec.

Em segundos, seus dedos e as palmas das mãos já estavam lambuzados de tinta. Em menos de cinquenta segundos, um borrão no centro da tela se transformou num contorno de mulher. Chico, compenetrado, assumiu o papel de narrador dos bastidores invisíveis da sessão. Gasparetto usava as duas mãos para pintar uma tela intitulada *Dois esboços* e Chico anunciava a presença de dois espíritos, um em cada braço do rapaz, empenhados em movimentos livres e não sincronizados.

De repente, antes de aparecer na tela a assinatura da pintora, Chico anunciou a presença da pintora brasileira Tarsila do Amaral, já falecida.

— Sinto um impacto ao ver o espírito dessa amiga de pé, manipulando o braço do médium. Tive o privilégio de assistir à evolução espiritual e artística de Tarsila quando, paralítica, presa a um leito, retratava seus personagens invariavelmente com a cabeça pequena.

Na tela, em instantes, apareceu a figura de uma mulher deitada. Era um autorretrato póstumo.

A pintura mais demorada chegou ao fim com uma assinatura ilustre: Van Gogh. Intitulada *Flores*, e repleta de cores berrantes, demorou cinco minutos para aparecer diante dos olhos marejados de Chico Xavier:

— Sempre que vejo certas flores espirituais, o miosótis, por exemplo, sinto as vibrações que emitem e não posso conter as lágrimas.

Para encerrar, Gasparetto decidiu usar os pés. Após espalhar tinta em seus dedos, ele colocou na tela a figura de uma mulher. *Senhora* era o título. Picasso, a assinatura.

Em seguida, Gasparetto, ou melhor, Toulouse-Lautrec, decidiu conversar com o anfitrião:

— *Je vous en prie*, apaguemos as luzes. *Merci, c'est mieux*. Aprendi o português só pro gasto, mas vamos indo. Você está me ouvindo, Chico?

— Sim, perfeitamente.

Após os cumprimentos, Toulouse deu o seu recado:

— Embora haja muita pintura no mundo, nossa missão é alegrar mais a vida comprovando sobretudo que a morte não existe, que nós continuamos, que a vida continua. Combinamos as tintas e o quadro sai. Os incrédulos deveriam ver isso para saber que não morremos. Mas os estúpidos nem vendo creem.

Toulouse, sem papas na língua, fez até uma inconfidência sobre o guia de Chico. Emmanuel estava estudando com ele "teoria da pintura terapêutica de elevação".

Chico não tinha tempo para cursos de pintura.

Após a conversa, Gasparetto voltou à tona. Parecia atordoado. Em poucos instantes, após massagear as pálpebras, ele se recuperou e arranjou forças para um desabafo. A conversa entrou em terreno escorregadio. O jovem estava cansado de tantos pintores invisíveis a seu redor.

— Trabalho em telas a óleo, cinco, seis, sete e até mais horas por dia. Já pintei mais de 3 mil telas. Se deixo, os espíritos querem pintar até nas paredes. Disseram-me que eu não deveria trabalhar profissionalmente, só mediunicamente. Mas, com o tempo que eles me tomam, como é que vou me realizar na prática?

Gasparetto parecia buscar o aval de Chico para vender as telas do outro mundo. O doador de direitos autorais tinha a resposta pronta.

— Você pode disciplinar o trabalho, dando a eles um tempo adequado.

Gasparetto insistiu:

— Digo a eles: "Vocês vivem em outra realidade. Por isto, não me compreendem". Van Gogh, por exemplo, exige tintas importadas da Bélgica, da Holanda, e nós as importamos por 7.500 cruzeiros, uma bateria delas.

Chico Xavier recorreu ao bom humor:

— Seria bom que houvesse uma espécie de INPS dos médiuns.

Depois falou sério:

— Temos que achar um horário compatível.

Chico tinha conhecimento de causa. Até se aposentar, sempre conciliou a psicografia com seus empregos. Ao longo da vida, aprendeu a dormir cada vez menos até chegar à média de três horas e meia a quatro de sono por noite. Com o tempo, ele aprendeu a reservar quarenta minutos de seu dia ao descanso após o almoço. Nesse período, mesmo que não dormisse, ficava imóvel e não aceitava interferências do outro mundo. Já sabia impor limites aos escritores do além. Disciplina era o segredo. Lucrar com a mediunidade era um perigo.

Gasparetto encerrou o desabafo e se despediu.

Oito livros por ano, cerca de três mensagens particulares por sessão, serviços de desobsessão às segundas-feiras, peregrinações por bairros pobres. Chico aproveitava cada minuto. Sem se preocupar com o espaço, ele investia no tempo e se desdobrava, incansável.

No dia 26 de setembro, um domingo, às 15h, ele compareceu a mais uma tarde quilométrica de autógrafos, dessa vez em Ribeirão Preto. Ficou de pé, com a barriga encostada na mesa, curvado em direção à fila quase interminável que marchava devagar. Chegaram até ele 5 mil pessoas com o livro *Somos seis* nas mãos. Chico os recebia, homens, mulheres, crianças, com dois beijos em cada face e com um botão de rosas. Muitos deixavam em suas mãos bilhetes dobrados. Chico os enfiava nos bolsos do paletó. As dedicatórias já estavam escritas nos livros. Ele se limitava a assinar embaixo e a dizer:

— Muito obrigado, Deus te acompanhe...

Às 4h da manhã de segunda-feira, após distribuir 5 mil rosas e 20 mil beijos, e acumular quase seiscentos bilhetes nos bolsos, Chico foi embora. Não parecia cansado.

Era só aparência.

Em novembro de 1976, seu coração deu sinais de estresse. Chico passou a ser maltratado por sucessivas crises de angina — a mesma doença que matou sua mãe. Teria de reduzir seu ritmo para poupar as coronárias. Um motivo, e uma desculpa, mais do que convincente para faltar às homenagens dedicadas a ele. Os títulos de cidadania que esperassem. Já aguardavam a vez de ser entregues ao espírita mais respeitado do país 68 deles.

Diante das fortes dores, recorreu mais uma vez a Emmanuel. E, mais uma vez, ouviu palavras nada consoladoras:

— Afinal, o que querias? Não malbarataste as energias do corpo? As lutas e as caminhadas pelo bem, embora contem com o amparo do Mundo Maior, não excluem as limitações e os desgastes do vaso físico terrestre.

Para evitar as dores no peito, Chico seguia à risca as instruções do dr. Eurípedes Tahan Vieira. Tomava os vasodilatadores nos horários marcados, evitava o café, comia carne magra com moderação. Nunca reclamou.

— Quero ser amigo da doença — dizia ele.

Só lamentava mesmo a necessidade de reduzir o tempo de permanência nas sessões do Grupo Espírita da Prece.

Com muito custo e com muita culpa, Chico deixou de virar noites e passou a restringir sua maratona nas sessões públicas das 16h às 23h no máximo. A angina funcionava para ele como uma "campainha no tórax", o sinal de que era hora de se deitar.

Foi assim, maltratado por dores no peito, que Chico completou, em 8 de julho de 1977, cinquenta anos de mediunidade. Espíritas e leigos comemoraram a data com entusiasmo e devoção. O escritor Pedro Bloch deu um depoimento bem-humorado numa das várias reportagens escritas sobre o aniversariante: "Muita gente o considera um embusteiro. Mas que divino embusteiro não deve ser para viver toda aquela vida de humildade e renúncia".

Mesmo doente, Chico conseguiu entregar às livrarias naquele ano dez novos livros. De 1970 a 1977, tinha escrito nada menos que cinquenta títulos — uma média anual de oito lançamentos. Nos dez anos seguintes, a média subiria para catorze ao ano.

Durante as comemorações do cinquentenário, Chico fazia questão de se definir como alguém em paz, alegre. Não queria passar a impressão de um senhor enfermo, em agonia. Mas estava amargurado. Numa noite, em São Paulo, um desconhecido se aproximou dele e comentou:

— O senhor é um privilegiado.

Foi o suficiente para tirar do sério o adepto da paciência.

— Meu amigo, não sei quais são meus privilégios perante os céus, porque fiquei órfão de mãe aos cinco anos de idade...

E por aí foi. O desabafo passou pelo caso Humberto de Campos, incluiu uma "escandalosa perseguição de 1958" (o escândalo Amauri Pena) e uma "internação para cirurgia de muita gravidade" (hérnia) e terminou no advento da angina.

Diante dos olhos esbugalhados do comerciante, Chico concluiu:

— Se tenho privilégios como o senhor imagina, devo os ter sem saber.

Chico estava cansado. Muitas vezes, precisava colocar um lenço encharcado de álcool entre a camisa e o peito para aliviar a dor da angina e suportar o desfile de casos trágicos no Grupo Espírita da Prece. Ao som de Mozart, Bach, Beethoven, Berlioz, a romaria se arrastava até seis horas seguidas. Doente, sentado num banco de madeira, Chico ouvia dramas dolorosos e sofria com eles. Seu coração levava trancos. Mas ele resistia. Parecia estar amparado por uma legião de assistentes invisíveis.

As consultas eram cada vez mais rápidas.

— Chico, minha filha, de cinco anos, é portadora de mongolismo, mas eu acho que ela está sendo assediada por espíritos.

Chico descartava a hipótese "espiritual" e encaminhava mãe e filha à fila de passes. Elas viravam as costas, e ele confidenciava a um amigo:

— Os espíritos estão me dizendo que essa menina, em vida anterior recente, suicidou-se atirando-se de um lugar muito alto.

Outra mãe se aproximava e reclamava do filho, de cinco anos:

— Ele é perturbado. Fala muito pouco e não memoriza mais que cinco minutos qualquer coisa que nós ensinamos.

Quando os dois já estavam a caminho da sala de passes, Chico confidenciava:

— Na última encarnação, esse menino deu um tiro fatal na própria cabeça.

Numa das noites, uma moça de 26 anos se aproximou e desabafou:

— Minha personalidade muda demais. Às vezes, tenho a impressão de ser outra pessoa. Estou ficando louca?

— Essa mudança é imposta espiritualmente. No caso, você está funcionando como um espelho. Busque se ajudar.

De repente, Chico disparou a pergunta desconcertante:

— Quem é Rosa?

— É minha avó — e ouviu a notícia:

— Ela está aqui e roga que lhe diga que tem procurado ajudá-la, mas você deve exercer certo controle sobre si própria. Busque orar muito. Não se preocupe. Ela está dizendo que vai lhe ajudar.

Em seguida, uma senhora de 45 anos, Therezinha, se aproximou e, sem dizer uma palavra, tirou da bolsa uma foto do filho Cássio e apertou as mãos de Chico. No mesmo instante, o médium fechou os olhos e se agarrou a um lápis. O papel ficou coberto de garranchos: "Querida mãezinha Therezinha e meu querido pai Florentino, abençoem-me. Marlise, nossa irmã, Deus nos proteja a todos".

A carta, longa, pedia otimismo, falava do "vovô Florentino", que, ao lado do remetente, mandava lembranças, e de duas avós convertidas em "mães do coração", Maria Faustina e Maria Caruso.

Cada consulta durava minutos e terminava com uma frase:

— Deus não desampara.

Numa dessas longas noites, Chico se levantou da cadeira, abriu os braços e anunciou:

— Acaba de entrar na sala um lindo raio de sol.

Era a cantora Vanusa. Na fila, atormentada pelo fim do casamento com Antônio Marcos, caiu em crise de choro incontrolável. Ficou muda, aos soluços, com o rosto coberto de lágrimas. Os auxiliares de Chico levaram a cantora a uma sala ao lado e esperaram que se acalmasse. Só mais tarde conversou com Chico. Queria resposta. Sua vida iria melhorar? Ela iria se reconciliar com o ex-marido?

Não ouviu resposta alguma. Chico segurou suas mãos e se limitou a dizer:

— Pense na grande responsabilidade da sua missão. Tudo o que você sabe, pensa, canta e fala num programa de televisão é muito importante, porque você está passando toda essa gama de emoções para essa gente que te ouve e vê.

Foi o suficiente. Vanusa voltou para casa aliviada, com a mesma sensação que tomou conta do estilista Clodovil quando procurou Chico para um desabafo inesperado: sentia-se culpado por cobrar tão caro por seus vestidos. O espírita aliviou a consciência do estilista. Afinal de contas, ele gerava empregos e embelezava o mundo...

Motivada pela ideia de investir em sua "missão", Vanusa começou a mudar. Em vez de sofrer com suas aflições afetivas, passou a olhar mais à volta, e até a medir as palavras para passar "mensagens positivas" em declarações a jornais, revistas e TVs. Logo, estaria casada com um dos devotos mais dedicados de Chico Xavier, Augusto César Vanucci, então todo-poderoso diretor da linha de shows da TV Globo. Em pouco tempo, viveria uma experiência estranha.

Numa noite, ela se levantou da cama, foi até o piano na sala, compôs uma música em minutos, gravou a melodia, voltou para o quarto e tirou da gaveta da mesa de cabeceira um livro de orações. Abriu na página da Prece de Cáritas, se sentou ao piano e conferiu: as frases tinham sido feitas para aqueles acordes.

Na poltrona ao fundo, ela viu um vulto. Só podia ser o Vanucci. Mas não era. De repente, Vanusa ouviu a voz do marido do outro lado da sala. Olhou para trás e a sombra já tinha desaparecido.

Nunca mais conseguiu tocar a música ao piano. Era complexa demais para ela.

Vanusa passou a se dedicar a shows beneficentes e se sentir mais leve.

Nunca se esqueceu de uma previsão feita por Chico Xavier sobre sua própria morte:

— Vou morrer por causa do órgão do qual mais vivi: o coração.

Chico, já arqueado e atormentado por dores, precisava de proteção. Uberaba se encarregou de preservar sua atração turística mais concorrida. Um empresário, dono de uma frota de táxis, colocou à sua disposição um automóvel com motorista. Chico usava o carro para transportar amigos até o hotel e, de vez em quando, saía para buscar sua aposentadoria no banco e as cartas no correio — quase duas centenas todos os dias. Bastava escrever no envelope "Chico Xavier" para a correspondência chegar ao destinatário mais requisitado do país.

Até os guardas de trânsito protegiam o morador ilustre. Ele tinha o hábito de pegar o táxi para ir às livrarias e, muitas vezes, demorava quase uma hora diante das prateleiras com títulos espíritas. Enquanto Chico folheava os livros e conversava com os livreiros, o motorista costumava estacionar em fila dupla. Para se livrar da multa, bastava pronunciar as palavras mágicas:

— Estou com Chico Xavier.

Mas o médium estava longe da tranquilidade. Não podia andar pelas ruas sem ser interrompido por admiradores e por desesperados em geral. Muitos agarravam suas mãos, imploravam conselhos, choravam. Ele sofria. Às vésperas de completar 69 anos, sentia-se frágil, vulnerável. Em 1978, a Polícia Militar da cidade escalou dois PMs para o escoltarem. Eurípedes Tahan e Eurípedes Higino Reis, o médico e o filho adotivo do médium, armaram o cerco. O cordão de isolamento em torno de Chico reforçaria sua figura de mito. A cada ano, ficaria mais inatingível.

Em pouco tempo, Chico abriu mão de seus passeios vespertinos para evitar o assédio da multidão. Acatava as recomendações médicas em nome da doutrina espírita. Precisava poupar forças para escrever os livros. Os textos do além ajudariam os desesperados. Mas os leitores queriam mais do que páginas impressas. Queriam o autor.

A Comunhão Espírita Cristã vivia congestionada. Nas filas, a cada sessão, mais de trezentas pessoas se amontoavam, mesmo sem saber se Chico poderia atendê-las. Ele já não virava noites para conversar com cada visitante. Reduziu o tempo de contato com as tragédias alheias, em 1978, para duas ou três horas às sextas-feiras. Muitas vezes, só conseguia conversar com as setenta primeiras pessoas da fila. Eram raras as noites em que repetia as antigas performances madrugada adentro.

Quem quisesse se aproximar dele poderia arriscar, aos sábados, uma visita à Vila dos Pássaros Pretos, um bairro da periferia de Uberaba. Ao ar livre, embaixo de um abacateiro, ele e outros companheiros espíritas liam e debatiam o Evangelho. As filas repletas de gente pobre se formavam ao redor. Chico dava um pão para cada um, colocava em suas mãos dinheiro com valor simbólico (duas notas de um cruzeiro e uma de cinco), um quilo de açúcar, outro de feijão. Os donativos, em geral, vinham dos visitantes beneficiados pelas mensagens dos parentes mortos.

A distribuição quase sempre era tumultuada. Os assistentes, liderados por Eurípedes Higino, apressavam os visitantes para que Chico descansasse logo.

— Vamos embora, olha o serviço — costumavam gritar a quem tentasse conversar com o espírita.

A maioria mal conseguia tocar em sua mão.

As reclamações se acumulavam. Muita gente se queixava da arrogância do "filho adotivo" de Chico e da truculência de seus seguranças.

A paulista Hened Lurdes Amarado foi além e desabafou com um repórter do jornal *Última Hora*: "Fiquei decepcionada. Vi um homem gratificar um guarda para falar com Chico. Não fui atendida, mas dinheiro eu não dei".

O título da reportagem traduziu uma sensação geral na época: "Chico é um santo. Pena que seja mal assessorado".

De vez em quando, alguém conseguia romper o cerco e chegar até Chico fora das sessões no Grupo Espírita da Prece. Mas o espírita já não era mais um modelo de paciência e resignação irrestritas. Mesmo à sombra do abacateiro, em clima bucólico, ele saía do sério e falava em tom seco, como Emmanuel. Numa tarde, uma mulher pobre avançou sobre ele com uma lista de pedidos na mão.

Chico parou e, com a fisionomia circunspecta, ouviu o discurso:

— Anteontem, enterrei meu velho. O enterro ficou muito caro e nós não temos dinheiro algum. Por isso, seu Chico...

Ele interrompeu:

— Isto aqui não é lugar para listas pedindo dinheiro. Não faça isso, por favor. Se vocês começarem a fazer isso aqui, não voltarei mais a este lugar. A reunião é de amor.

Mais calmo, ele perguntou:

— Quanto custou o enterro?

— Quinze mil.

Ele ficou perplexo:

— Como foram permitir um funeral tão caro? A gente não pode bancar o bobo, mesmo nessas horas, senão se aproveitam de nós. A senhora devia ter feito um enterro mais simples.

Em seguida, ordenou:

— Guarde essa lista. Nós veremos o que podemos fazer.

O enterro foi pago.

Para combater a doença, Chico Xavier seguia a receita de Emmanuel: caridade. Em 1978, fiel à máxima "aliviai e sereis aliviado", ele foi buscar forças na Penitenciária de São Paulo. A diretoria do presídio pediu aos presos interessados em ouvir a prece do espírita que se inscrevessem. Resultado: 542 detentos se apresentaram. Na época, muitos deles liam o livro 165 de Chico, *Falou e disse*.

Durante a palestra, um dos presidiários reclamou de ser tratado como um número. Chico tratou de buscar um consolo:

— Meu filho, quem de nós não é tratado por número? É número de telefone, de carro, de casa, de CEO, de CIC. Nós estamos com mais números que você. Só que agora estamos na cela ambulante e vocês estão na fixa.

Após a palestra, Chico surpreendeu o diretor do presídio com uma notícia:

— Quero sair daqui, mas, antes, desejo abraçar e beijar a todos.

O diretor arregalou os olhos e quase se benzeu:

— Deus me livre. Não, senhor. Você não vai abraçar nem beijar ninguém.

Chico insistiu:

— Não senhor, doutor. Eu não viria aqui fazer prece para depois me distanciar dos nossos irmãos. Não está certo.

O diretor foi dramático:

— Neste salão, outro dia, mataram um guarda de 23 anos. Afiaram a colher até ela virar punhal. Aqui há criminosos com sentenças de duzentos a trezentos anos. Eles podem te matar.

— Pouco importa, vim aqui para o encontro e o senhor não me permite abraçar?

O diretor se conformou com a ideia, mas tratou de organizar uma estratégia de guerra. Não podia correr o risco de virar notícia de jornal como um dos responsáveis pela morte de um dos líderes religiosos mais requisitados do país. Chico ouviu as instruções: teria de ficar atrás da mesa, cada encontro deveria ser rápido, dezoito baionetas estariam apontadas para o grupo.

Para desespero do diretor, o espírita ficou na frente da mesa. Ele abraçava e beijava cada preso. Muitos contavam segredos ou diziam algumas palavras. Tudo ia muito bem até a chegada de um senhor de quase cinquenta anos. Ele se aproximou e ficou estático diante do médium. Não estendeu a mão, não aproximou o rosto para o beijo, não abriu a boca.

Chico perguntou:

— O senhor permite que eu o abrace?

— Perfeitamente.

Após abraçar o corpo rígido, ele arriscou:

— O senhor deixa que eu o beije?

— Pode beijar.

Chico o beijou de um lado, do outro, duas vezes cada face. Lágrimas escorreram dos olhos do preso. Antes de virar as costas, o detento agradeceu:

— Muito obrigado.

No final do ano, Chico encontrou energia para quebrar o jejum televisivo. Voltou à TV Tupi, não como entrevistado, mas como ator da novela *O Profeta*. Fazia um favor a sua amiga Ivani Ribeiro, a novelista, e agradecia à emissora responsável pela divulgação do espiritismo no início daquela década. Seu papel na trama: Chico Xavier. A cena foi rápida.

O pai do profeta do título pediu socorro ao médium, pois estava preocupado com as atitudes do filho, Daniel. Ele usava os poderes espirituais para ganhar dinheiro.

Chico aconselhou de improviso:

— Deixe que a própria natureza se encarregue de mostrar a ele o caminho certo. Ninguém tem o direito de usar a mediunidade como meio de exploração comercial. O tempo se encarregará de amadurecer nele essa convicção.

Também naquele ano, Chico se envolveu numa "novela" bastante real e bem mais trágica.

Ele fechou os olhos e colocou no papel uma carta assinada por Maurício Garcez Henriques, de 16 anos. Sua tragédia tinha sido notícia de jornal dois anos antes. Maurício fora assassinado pelo melhor amigo, José Divino Nunes, então com 18 anos. Os dois eram inseparáveis. José Divino foi preso e defendeu a própria inocência: o tiro tinha sido acidental. Para piorar sua situação, perdeu o pai e a mãe num desastre de automóvel, logo após ser detido.

A família de Maurício, inconformada, exigia a punição do assassino. Em meio à investigação, atormentada pela dor da perda, ela cumpriu o roteiro seguido por milhares de pessoas de todo o país. Apesar de serem católicos, o pai e a mãe da vítima foram para Uberaba em busca de Chico Xavier. No primeiro contato, Chico repetiu a velha frase:

— O telefone só toca de lá pra cá.

De dois em dois meses, a família voltava a Uberaba. Recebia sempre pequenos recados como resposta aos pedidos que deixavam sobre a mesa. Os enfermeiros do além avisavam:

— Nosso caro amigo está sob a assistência de abnegados amigos espirituais.

— O querido filho está presente e beija-lhe o coração materno.

— O filho querido agradece as preces e as lembranças.

A primeira carta veio em 1978. O morto pedia "resignação e coragem" e garantia:

> *O José Divino nem ninguém teve culpa em meu caso. Brincávamos a respeito da possibilidade de ferir alguém pela imagem no espelho. Sem que o momento fosse para qualquer movimento meu, o tiro me alcançou, sem que a culpa fosse do amigo ou minha mesmo. O resultado foi aquele. Se alguém deve pedir perdão sou eu, porque não devia ter admitido brincar em vez de estudar. Estou vivo e com muita vontade de melhorar.*

Os pais de Maurício ficaram impressionados. A assinatura da carta escrita por Chico era quase idêntica à da carteira de identidade do rapaz e o texto estava repleto de referências a parentes e assuntos pouco conhecidos da família. Mas o pai ainda queria ver José Divino atrás das grades.

No dia 12 de maio de 1979, véspera do Dia das Mães, Chico escreveu outra carta assinada por Maurício: "Peça a meu pai que, no íntimo, aceite a versão que forneci do acontecimento que me suprimiu o corpo físico. Não se procure culpa em ninguém".

O recado foi estampado em folhetos pelo casal, acompanhado de fac--símiles das assinaturas da carteira de identidade e das cartas. O material foi anexado pela defesa ao processo na justiça.

A tese do advogado esclarecia:

> *A vítima Maurício Garcez Henrique, desencarnada, envia mensagem de tolerância e magnitude espiritual, inocentando seu amigo José Divino e dizendo que ninguém teve culpa em seu caso, tudo através do renomado médium Francisco Cândido Xavier.*

A sentença do juiz Orimar de Bastos, em 16 de julho de 1979, causou alvoroço:

> *Temos que dar credibilidade à mensagem [de Chico Xavier], apesar de a Justiça ainda não ter merecido nada igual, em que a própria vítima, após sua morte, vem revelar e fornecer dados ao julgador para sentenciar. Ela isenta de culpa o acusado, fala da brincadeira com o revólver e o disparo da arma. Coaduna este relato com as declarações prestadas pelo acusado.*

Veredicto: "Julgamos improcedente a denúncia para absolver, como absolvido temos, a pessoa de José Divino Nunes".

O caso, inédito, repercutiu até mesmo no exterior. Os jornais *National Enquire* e *Physic News*, dos Estados Unidos, abriram espaço para o escândalo. O *National* definiu a saga jurídico-espiritual brasileira como "um dos mais bizarros processos na história do Direito". O juiz virou até entrevistado de Flávio Cavalcanti. Após se declarar católico, Orimar de Bastos definiu a carta do outro mundo como "um pequeno subsídio" capaz de reforçar a tese que ele já defendia de acordo com as provas dos autos. Chico Xavier também deu seu depoimento e defendeu o uso de declarações do outro mundo nos tribunais da Terra.

— Como cristão acredito que, se a mensagem de alguém que se transferiu para a Vida Espiritual demonstrar elementos de autenticidade capazes de interessar uma autoridade humana, essa mensagem é válida para qualquer julgamento.

Na década seguinte, dois mortos se tornariam testemunhas de defesa dos responsáveis por suas mortes, graças a Francisco Cândido Xavier. O ex-réu do processo Humberto de Campos ganhava status de escrivão do além nos tribunais.

No dia 2 de abril de 1980, Chico completou 70 anos. Não quis festa nem homenagens. Preferiu ficar em casa. Jornais e revistas estamparam seu currículo: 183 livros, 8 milhões de exemplares vendidos em quinze idiomas, 10 mil "cartas" de mortos a suas famílias, 360 mil autógrafos, 2 mil instituições de assistência fundadas, ajudadas ou mantidas com os direitos autorais ou com as campanhas beneficentes promovidas por ele. O censo daquele ano revelou a presença de 1,5 milhão de espíritas no país — ou seja, desde o primeiro *Pinga-Fogo* o número de kardecistas confessos tinha triplicado.

Três dias após seu aniversário, no Sábado de Aleluia, Chico rompeu o retiro e reapareceu embaixo do abacateiro, na Vila dos Pássaros Pretos. Amigos do Rio, liderados por Augusto César Vanucci, ofereceram-lhe um presente: a candidatura ao Prêmio Nobel da Paz. Chico sorriu, desconversou e continuou a distribuir alimentos, remédios e roupas aos pobres da periferia.

Na semana seguinte, Vanucci convidou o maior fenômeno espírita do país a participar de um programa em homenagem ao médium baiano Divaldo Franco, considerado o mais importante orador da doutrina. Chico teria de gravar um depoimento no Teatro Globo, no Rio. Ele aceitou o convite, reverteu o cachê de 50 mil cruzeiros à Fundação Marieta Caio e apareceu no teatro na hora combinada. Uma das artistas convidadas, Glória Menezes, teve uma crise de choro ao deparar com aquele senhor sorridente, amparado por auxiliares.

Vanucci tinha mentido. Chico iria participar de um programa dedicado a si mesmo, *Um Homem Chamado Amor*. Era o lançamento de sua campanha para o Prêmio Nobel da Paz. No roteiro, poemas e mensagens de Chico declamados por artistas como Lima Duarte, Tony Ramos e Paulo Figueiredo, depoimentos de amigos como Roberto Carlos e muita música. Roberto cantou "Ave Maria" e "Força estranha", Vanusa apresentou sua "Prece de Cáritas", Joyce interpretou "Clareana" e Elis Regina "No céu da vibração".

Com uma camisa xadrez amarrotada sob o terno branco, diante de um retrato a óleo de Emmanuel, Chico Xavier falou sobre a infância, defendeu a inseminação artificial e desempenhou o papel de garoto--propaganda do papa João Paulo II, então prestes a desembarcar no Brasil: "Devemos recebê-lo com todas as atenções de que ele é digno e de que tanto fez por merecer, conduzindo a Cristandade com tanta abnegação e com tanto tato para evitar que a discórdia se alastre no mundo".

O discurso cristão assentava bem na emissora mais poderosa do país, presidida por um amigo de dom Eugênio Sales.

Após gravar seu depoimento, Chico encarou Vanucci, o diretor do programa, e afirmou com um meio sorriso.

— Tudo pela doutrina.

Ele sabia quem era o verdadeiro homenageado e aceitou a candidatura.

Os velhos críticos de sua vaidade voltaram à tona. Chico reagiu com as antigas explicações. Reverteu a homenagem ao espiritismo, definiu como ingratidão imperdoável a recusa de "tamanha honraria" e aproveitou a badalação em torno de seu nome para divulgar as lições de Kardec. Diante das câmeras e das canetas dos repórteres, ele repetiu uma frase muito pouco bombástica:

— Amai-vos uns aos outros como eu vos amei.

Este *slogan* cristão resumia, para ele, a filosofia correta de vida. Chico se agarrava à frase atribuída a Jesus e aconselhava com sua voz cada vez mais desafinada:

— Amar sem esperar ser amado e sem aguardar recompensa alguma. Amar sempre.

Como candidato ao Nobel, Chico voltava a ser notícia. E, dez anos depois do *Pinga-Fogo* da TV Tupi, surpreendia o público com revelações estapafúrdias. Do alto de seus setenta anos e sob o peso de sucessivas crises coronarianas, ele exibia a coragem de quem sente a morte cada vez mais próxima. Já não pensava tanto antes de confessar sua crença em discos-voadores ou antes de contabilizar a "população flutuante desencarnada" da Terra: 20 bilhões de espíritos espalhados por diversas áreas invisíveis em torno da crosta terrestre, à espera de voltar ao planeta e resgatar as dívidas de existências anteriores.

Os repórteres aproveitavam a disposição do líder espírita para falar e buscavam a polêmica. Quando o papa chegou ao Brasil, foi recebido com pompa e majestade, como um rei. Aquela ostentação toda era justa num país tão pobre? Chico Xavier repetiu a mesma resposta a quem quisesse saber sua opinião. Um país que gastava fortunas com campeonatos de futebol e com desfiles de Carnaval não deveria economizar para reverenciar o Sumo Pontifíce, um "homem extraordinário, que tem beijado o chão de tantas terras".

— Por que ele deveria aparecer no Brasil pedindo esmolas? — perguntava. E arrebanhava católicos.

A sala de Augusto César Vanucci na Globo ganhou um apelido: Central do Espiritismo. Sua mesa ficou coberta de cartas de apoio a Chico Xavier enviadas do Brasil e do exterior. A Universal Temple Spiritualist Church, da África do Sul, prestou solidariedade e conseguiu coletar 10 mil assinaturas. A Saint Francis Catholic Church, de San Francisco, entrou no coro e outros 26 países aderiram. Os quase 5 mil centros kardecistas do país distribuíram listas de adesão e 190 câmaras municipais enviaram ofícios e requerimentos.

Uma Comissão Pró-Indicação de Francisco Cândido Xavier ao Prêmio Nobel da Paz de 1981 foi formada para organizar o movimento. Entre os integrantes estavam, além de Vanucci, o deputado Freitas Nobre, sua mulher, Marlene Rossi Severino Nobre, e Divaldo Franco.

Eles trataram de divulgar um texto: "Por que Chico Xavier?".

A primeira frase dava o tom: "Em 53 anos de vida pública, dedicada à paz entre as criaturas, ele atendeu a mais de 1 milhão de pessoas, uma a uma".

Um clima de "já-ganhou" começou a tomar conta do país. Afinal de contas, a indicação de madre Teresa de Calcutá, no ano anterior, tinha como base apenas 28 entidades de assistência surgidas e mantidas pelo trabalho dela. A indicação de Chico chegaria à mesa do Comitê Nobel em Oslo, Noruega, respaldada por 2 mil obras sociais, fundadas ou mantidas graças ao apoio dele.

Vanucci estava certo da vitória. E não se deixou abalar nem quando entraram no páreo como concorrentes de Chico Xavier o próprio papa João Paulo II e o líder sindical polonês Lech Walesa: "A atuação de Walesa não vai tão de encontro ao sentido da paz, como determina o Nobel, e a luta pela paz é uma tarefa intrínseca à função de um papa. Chico faz uma revolução social e moral no país".

Até o representante brasileiro nesse processo se empolgou. Numa de suas entrevistas, o candidato ao Nobel da Paz saiu da posição de quem se sacrificava em nome da doutrina e da gratidão aos amigos e afirmou:

— Sinto-me como se estivesse sonhando.

O deputado federal Paulo Alberto, ou melhor, Artur da Távola, então titular de uma coluna sobre TV em *O Globo*, aderiu à campanha e assinou um artigo pró-Chico Xavier da primeira à última linha. O texto, intitulado "A figura de comunicação de Francisco Cândido Xavier", foi anexado à documentação enviada para Oslo:

> *Além da aura de paz e pacificação que parte dele, há um outro elemento poderoso a explicar o fascínio e a durabilidade da impressionante figura de comunicação de Chico Xavier, a grande seriedade pessoal do médium, a dedicação integral de sua vida aos que sofrem e o desinteresse material absoluto.*

Maltratado pelas crises de angina e atordoado por quedas súbitas de pressão, o candidato ao Nobel anunciava a morte próxima.

— Já estou com o passaporte para o além.

Amigos imaginavam os capítulos seguintes: ele receberia o prêmio na Noruega e morreria, então, consagrado como um santo. Talvez fosse até canonizado com a bênção do "rival" João Paulo II.

"Se eu tivesse algum poder, mandaria pintar na fachada de todas as casas: 'Amai-vos uns aos outros como eu vos amei'."

Chico Xavier

DIANTE DA MORTE

Chico Xavier encarava a perspectiva da morte com calma e apreensão ao mesmo tempo. O ato de morrer, em si, não o apavorava. Os seus amigos invisíveis o tranquilizavam. Na maioria das vezes, as pessoas nem chegavam a perceber a passagem para o outro mundo. Afinal de contas, ao longo da vida, todos exercitavam a morte através do sono e a ressurreição ao abrir os olhos pela manhã.

Mas, e depois? Emmanuel se recusava a adiantar qualquer detalhe sobre o destino do protegido no outro mundo. Muito menos revelava o dia de sua partida. Sem nenhuma informação privilegiada sobre si mesmo, Chico escrevia, fazia caridade e achava pouco. Precisava trabalhar muito antes de sair desta para melhor (ou pior?). Rezava para ter tempo de resgatar dívidas anteriores e agradecia à misericórdia divina a bênção de cada doença concedida a ele.

Numa noite, Chico já se preparava para dormir quando foi surpreendido pela visita de uma assombração com bafo de quem estava alguns goles acima do normal. O visitante se apresentou como um auxiliar dos benfeitores espirituais. Sua missão: arrancar do túmulo os espíritos mais resistentes à ideia da morte e encaminhá-los ao outro lado. Para cumprir tarefa tão estressante, ele precisava de uns tragos encorajadores. Chico abriu um sorriso para o recém-chegado e avisou:

— Você vai ter que beber muito para me tirar do caixão.

O protegido de Emmanuel se agarrava à Terra com obstinação. Queria escrever até o fim, servir muito, sofrer mais ainda, para merecer um pouco de paz na próxima temporada neste mundo. Queria renascer numa aldeia onde ninguém soubesse ler, onde todos vivessem de forma simples e, de preferência, onde ele não fosse médium.

Seus devotos mais fiéis apostavam em outra tese. Ele não voltaria à Terra. Não tinha mais dívidas a pagar. Ele iria direto para o céu e ficaria por lá. Chico reagia com bom humor:

— Vou mesmo para o CEU — o Centro Espírita Umbralino.

Em 15 de novembro, o candidato ao Prêmio Nobel da Paz virou nome de praça em Pedro Leopoldo. O filho mais estranho de João Cândido

Xavier vestiu seu melhor terno e, acompanhado de amigos ricos de São Paulo e Uberaba, participou da solenidade em sua homenagem, 22 anos depois de sua mudança. No discurso de agradecimento à cidade, ele afirmou com a voz embargada para a plateia que incluía ex-adversários como o padre Sinfrônio:

— Eu lhes devo tanto e tenho tão pouco para lhes dar. Estou acanhado em vos dizer, inclusive, muito obrigado. Entretanto, peço a Deus que abençoe sempre esta cidade e esta praça dedicada ao amor.

Dez anos depois, a praça, bem ao lado da Prefeitura, estaria em estado de abandono total.

As listas de apoio a Chico Xavier passavam de mão em mão pelo Brasil e o candidato ao Nobel da Paz lutava contra as dores no coração para participar das sessões no Grupo Espírita da Prece. A peruca negra e farta sobre a cabeça destoava cada vez mais das rugas no rosto e da fragilidade do corpo franzino, sempre arqueado, como se estivesse a um passo de se espatifar no chão.

Chico se sentia cada vez mais vulnerável. Seu peito parecia arrebentar sob o impacto de desabafos, como o da mulher desesperada vinda do interior de São Paulo:

— Chico, matei meu próprio filho, para não sermos, eu e meu marido, mortos por ele. Ajude-me pelo amor de Deus.

Com os olhos marejados, ele se limitava a dizer:

— Vamos orar, minha irmã. Vamos pedir a Deus forças para continuar vivendo.

Só após muita insistência do dr. Eurípedes Tahan, ele concordou em reduzir ainda mais a quantidade de contatos pessoais com os visitantes. Um novo médico, sobrinho de Chico, o cardiologista José Geraldo, reforçou o cordão de isolamento em torno do paciente mais requisitado do país.

Começaram a aparecer no Grupo Espírita da Prece as "filas dos sessenta", também conhecidas como "filas dos suplicantes". Só os primeiros a chegar, somados a alguns eleitos por Eurípedes Higino dos Reis, conseguiam uma audiência com Chico Xavier. Os outros poderiam assistir à sessão, mas só com muita sorte trocariam algumas palavras com o anfitrião, sempre cercado de auxiliares. As reclamações se acumulavam. Quais os critérios usados para selecionar quem poderia conversar com Chico? Alguns falavam em dinheiro.

As suspeitas davam lugar a surpresa diante de cartas vindas do além e escritas, ainda em velocidade, por um Chico com mãos trêmulas. Numa delas, no mínimo pitoresca, o filho morto se referia à própria mãe como "minha Cica". Ninguém entendeu o apelido. Nem o pai dele. A mãe demorou um pouco a decifrar a mensagem e, só com algum custo, se lembrou da mania irritante do filho de tratá-la como "minha elefantinha". Numa de suas últimas conversas, ela pediu para ser poupada do apelido. Depois de morto, ele atendeu ao pedido e encontrou um substituto para o nome: Cica, a marca do elefantinho.

As sessões se seguiam, Chico era procurado pelos repórteres interessados em declarações do primeiro candidato brasileiro ao Nobel da Paz, mas ele se recusava a fazer qualquer previsão sobre o resultado da campanha. Como sempre, evitava se arriscar como profeta ou vidente.

No dia 1º de fevereiro de 1981, o deputado Freitas Nobre entregou ao diretor-presidente do Instituto Nobel, Karl Swerderup, 110 quilos de documentação. Nove pastas guardavam um resumo da trajetória de Chico Xavier: 64 obras assistenciais ajudadas por ele serviam como amostragem das quase 2 mil que giravam em torno da renda gerada por seus 183 títulos e por suas campanhas beneficentes. Um livro com o resumo das obras psicografadas por Chico, em quatro idiomas (português, norueguês, inglês e francês), reforçou o calhamaço.

Freitas Nobre explicou aos organizadores do prêmio que tinha deixado no Brasil, por dificuldades de transporte, as listas de apoio com 2 milhões de assinaturas. Se quisessem, ele mandaria providenciar o material. Ninguém quis.

Swerderup ficou impressionado. Só em Fortaleza, a renda obtida com a venda dos livros de Chico Xavier permitiu o parto grátis de 100 mil mulheres.

— Isso representa quase um quarto da população da Noruega — comparou ele.

A petição oficial da indicação de Francisco Cândido Xavier exibia as assinaturas do ex-presidente Jânio Quadros, do senador Tancredo Neves e do presidente do Partido do Movimento Democrático Brasileiro, Ulysses Guimarães.

Após a audiência, os visitantes brasileiros percorreram, em companhia do diretor do Instituto Nobel, o prédio da entidade e conheceram o auditório onde se realizaria a sessão solene de entrega do prêmio. Muitos rezaram diante do palco onde seriam anunciados os vencedores, mentalizaram em favor de Chico e saíram convencidos da vitória. Até o dia da divulgação do resultado, quase 10 milhões de pessoas deixaram suas assinaturas em listas de apoio à indicação de Chico Xavier (a maioria sem saber que o dia da inscrição já tinha passado).

Em 14 de outubro, foi divulgado o resultado. Nem Walesa nem João Paulo II venceram. Muito menos Chico Xavier. O prêmio daquele ano ficou para um azarão. O Escritório do Alto Comissariado da ONU — Organização das Nações Unidas para os Refugiados, responsável pela assistência a refugiados no mundo todo, inclusive do Afeganistão, Etiópia e Vietnã, foi premiado pela segunda vez.

Chico Xavier deu uma opinião sob medida no dia seguinte à derrota:

Estamos muito felizes sabendo que um prêmio dessa ordem coube a uma instituição que já atendeu a mais de 18 milhões de refugiados. Nós todos deveríamos instituir recursos para uma organização como essa, em que tantas criaturas encontram apoio, refúgio, amparo e bênção.

Só dez anos depois, ele diria:
— Não merecia o Prêmio Nobel da Paz porque sou um homem do povo.

Os espíritas não ficaram tão comovidos nem conformados assim. Eduardo Araia, editor da revista *Planeta*, levantou uma hipótese para explicar a derrota de Chico Xavier: "O critério de seleção que já premiou belicistas como Menahem Begin, Anuar Sadat, Le Duc Tho ou Henry Kissinger talvez não possa, por uma questão de coerência, escolher uma personalidade como Chico Xavier".

A campanha serviu para divulgar a doutrina espírita. Naquele ano, foram vendidos 700 mil livros com o nome de Francisco Cândido Xavier estampado na capa. O número era confirmado pelos impostos recolhidos e pelos direitos autorais. Os títulos rendiam a média de 2 milhões de cruzeiros mensais. Chico nem via a cor do dinheiro. Vivia com os 98 mil cruzeiros de sua aposentadoria (ou seja, menos de 5% do total arrecadado com os livros). E, é claro, contava com a ajuda incessante dos amigos e dos admiradores. Frutas, cobertores, remédios, ternos — os presentes chegavam pelo correio ou desembarcavam em sua porta. Chico não pedia nada, recebia muito e se desfazia de quase tudo.

— Graças a Deus aprendi a viver apenas com o necessário.

O vozeirão de Emmanuel ainda soava em seus ouvidos:

— Não há mérito algum em passar adiante o que você recebeu. Quem ganha e distribui não passa de um estafeta. O importante é perdoar e se doar, sem esperar nada em troca.

Chico não deu tempo para Vanucci lamentar o fracasso da campanha pelo Prêmio Nobel da Paz. O trabalho era a melhor receita para curar ressacas. O diretor da Globo tinha conversado com o espírita, três anos antes, sobre o projeto de montar uma peça a partir de textos psicografados por ele e por Divaldo Franco. Ele colocaria em cena esquetes sobre o suicídio, o aborto, as drogas, tudo de acordo com a cartilha da reencarnação.

Falava, falava, Chico aprovava a ideia, mas nada. Logo após a campanha pelo Nobel, o candidato derrotado foi incisivo e bem-humorado:

— Vanucci, daqui a pouco a gente está lá no Mundo Maior e você vai me falar desse teu projeto. Tá na hora de colocar no palco.

Vanucci tomou fôlego e, com a ajuda do ator Paulo Figueiredo e de Hilton Gomes, adaptou os textos para o teatro. A moral de cada história: na roda-viva das reencarnações, os crimes não compensavam. Os espíritos sofriam, e muito, pelos erros de cada vida.

Os ensaios começaram com a adesão de atores espíritas como Felipe Carone e Lúcio Mauro.

Numa noite, Vanucci pensou em desistir: tinha medo do fracasso. Aquela sucessão de mensagens moralistas poderia acabar mal. Ele já podia ver os teatros vazios. Chico encarou o amigo e garantiu, convicto:

— A casa estará sempre cheia. Nem que seja só de espíritos.

Vanucci montou a peça para Chico Xavier no quintal do Grupo Espírita da Prece, entre árvores, ao ar livre. O protegido de Emmanuel se sentou atrás da mesa de madeira, na varanda, e ficou atento a cada esquete. De vez em quando ria, mesmo sem motivo aparente. Ninguém sabia, mas ele acompanhava também um espetáculo paralelo, montado por personagens tão invisíveis como bem-humoradas.

Chico Xavier não teve dúvidas:

— Vai ser um sucesso. Nós vamos morrer e a peça vai continuar.

Um iluminador ficou apavorado. Não queria morrer tão cedo e abandonou o espetáculo antes da estreia. Azar dele. Durante oito meses, o Teatro Vanucci (com 420 lugares) teve a lotação esgotada. A peça se transformou em fenômeno de bilheteria. Encenada pela primeira vez em janeiro de 1982, seria vista em onze anos por 2 milhões de espectadores de carne e osso, fora os invisíveis. Desde a primeira apresentação, metade da bilheteria foi revertida para instituições de caridade.

Mesmo com dores no peito, e apesar dos protestos de seus médicos, Chico Xavier mantinha o ritmo acelerado. O trabalho, para ele, era um santo remédio. E a caridade era quase milagrosa. No Dia das Mães, Chico buscava força em visitas aos presos em Uberaba. Distribuía sorrisos, cumprimentos, algum dinheiro (de valor simbólico) e ia embora. Nunca leu uma frase do Evangelho:

— Não poderia aproveitar que eles estão atrás das grades para dar sermão.

Quando lhe perguntavam se havia muitos obsessores na cadeia, ele afirmava:

— Eles já fizeram o que queriam.

Chico Xavier se sentia bem perto dos presidiários. Parecia ganhar fôlego novo e, em muitas ocasiões, chegava a imaginar a hipótese de "passar umas férias na cadeia, com aqueles espíritos brilhantes, maravilhosos...".

No mês de dezembro, além de promover as concorridas e tumultuadas distribuições de Natal, Chico Xavier passou a visitar a Colônia Santa Marta, em Goiânia, especializada no tratamento de hansenianos. Ele era recebido com flores e com bebês para abençoar e saía com os bolsos repletos de pedidos de preces. Numa de suas visitas, uma das mães se aproximou da cama onde o filho dormia e agonizava, e chamou:

— Acorda, é Chico Xavier.

O rapaz, já em fase terminal, abriu os olhos com dificuldade e sorriu. A mulher, eufórica, comemorou:

— Não disse que um dia nos encontraríamos com ele?

Juntou as mãos como quem agradece a Deus e disse entre um soluço e outro:

— Louvado seja porque somos leprosos, meu filho.

Chico, também aos prantos, se debruçou sobre a cama, beijou as duas faces do jovem e seguiu adiante sem dizer uma palavra.

Numa de suas visitas à Colônia, ele interrompeu a caminhada diante do portão de entrada e começou a chorar. Preocupada, a anfitriã perguntou qual era o problema. E ouviu a resposta:

— Está tudo bem. É que o patrono da Colônia veio nos dar boas-vindas. Ele está dizendo que hoje abraçará e beijará todos os companheiros internados nesta casa.

O patrono espiritual da Colônia era São Francisco de Assis.

Chico entrou com sua comitiva e, além de cumprimentar cada um dos leprosos, distribuiu presentes: dinheiro para os adultos e brinquedos para as crianças.

Com o tempo, Chico ganhou admiradores devotados na Colônia. Anos mais tarde, quando já não conseguia andar sem ajuda, ele se sentou em uma cadeira para trocar beijos e abraços com os doentes. De repente, uma senhora bem-vestida, em visita a um parente internado, aproximou-se de Chico e, sem dizer uma palavra, se ajoelhou diante dele e beijou seus pés.

Chico chorou. Se estivesse saudável, teria impedido aquele gesto. Ele não era santo, a idolatria o incomodava.

E a romaria continuava no Grupo Espírita da Prece.

As cenas de fanatismo eram constantes. Numa das distribuições natalinas, um homem ajoelhou-se diante de Chico e se arrastou com as mãos unidas em prece:

— Diante do senhor eu tenho que passar é de joelhos.

Em 1982, Chico Xavier se envolveu em mais um crime. Desta vez, a vítima era o deputado federal Heitor Alencar Furtado, de 26 anos, filho de Alencar Furtado, ex-líder do MDB cassado pelo AI-5. Ele foi assassinado logo após um comício da campanha para deputado estadual pelo PMDB. Depois de viajar 140 quilômetros, estacionou no acostamento para dormir um pouco, próximo à entrada de um posto de gasolina, na cidade de Nova América de Colina. Mal teve tempo de se acomodar no banco e esticar as pernas.

Um tiro atingiu seu peito em cheio. A bala saiu da carabina do policial José Aparecido Branco, o Branquinho. Um primo da vítima, Fábio Alencar, assistiu à cena. Ele viajava num carro logo atrás e chegou no momento do disparo. Seu grito veio tarde demais:

— Não atirem, quem está no carro é o deputado Alencar Furtado.

O estampido ecoou no país inteiro. O Brasil ainda enfrentava a tal abertura lenta e gradual. O crime poderia ter motivos políticos. Muitos tentavam adivinhar o nome do mandante do assassinato. Branquinho insistia na tese do tiro acidental.

O deputado Ulysses Guimarães, presidente nacional do PMDB, pediu justiça ao ministro Ibrahim Abi Ackel. O presidente Figueiredo manifestou revolta. O ministro da Marinha, almirante Maximiano da Fonseca, censurou o clima de violência generalizada. Tancredo Neves, candidato do PMDB ao governo de Minas, pediu um minuto de silêncio.

O jornal *O Estado de S. Paulo* imprimiu a manchete: "Arma que matou Heitor não disparou por acidente".

Após descrever as perfeitas condições de uso da carabina, o jornal arriscou: "O policial agora pode ser condenado a trinta anos de prisão por assassinato por motivo fútil, caracterizando homicídio doloso".

O réu insistia em sua inocência, mas, como todo pobre acusado por poderosos, admitia para si mesmo a hipótese de passar o resto da vida na prisão.

As cartas já estavam marcadas, quando uma testemunha de última hora entrou no jogo: Heitor Alencar Furtado, o morto. Em texto escrito por Chico Xavier e assinado pela vítima, veio a frase curta e grossa: "O disparo foi acidental".

O pai do candidato a deputado conversou com Chico, leu e releu a carta, recebeu do além outros textos atribuídos a Heitor e deu o veredicto:

— As declarações são mesmo de meu filho.

Em 1984, o Tribunal do Júri de Mandaguari bateu o martelo após 33 horas de julgamento: a morte foi mesmo provocada por um tiro acidental. O juiz desclassificou o crime de homicídio qualificado para homicídio simples, resultante de negligência, e a pena foi abrandada para oito anos e vinte dias.

Mais sorte teve o bancário Francisco João de Deus. Em 1985, ele estava prestes a ir para a cadeia por ter assassinado com um tiro no pescoço sua mulher, Gleide Dutra de Deus, ex-Miss Campo Grande. As circunstâncias da morte apontavam para mais um crime passional sem muita imaginação. O casal voltava de uma festa. Gleide era linda, Francisco era ciumento e vivia armado. Pronto. Homicídio.

O assassino insistia: o tiro tinha sido acidental. Poucos acreditavam. Sete meses após o crime, ainda em 1980, ele recorreu a Chico Xavier. Precisava de conforto e conseguiu muito mais. Um depoimento foi decisivo no tribunal. A testemunha-chave: Gleide. Ela voltou à tona, em carta escrita por Chico, para garantir ter sido vítima mesmo de um tiro acidental, disparado quando seu marido tirava a arma da cintura. O "testemunho" coincidiu com o de duas enfermeiras que atenderam a vítima, já em agonia no hospital. Pouco antes de morrer, ela defendeu a inocência do marido.

Resultado: Francisco foi absolvido por sete votos a zero.

A influência de Chico nos tribunais começou a incomodar. O presidente da Ordem dos Advogados do Brasil, Hermann Assis Baeta, pediu a seus colegas de Mato Grosso do Sul cópias do processo. O presidente da OAB regional do estado, Hélvio Freitas Pissurno, reagiu à intromissão:

— No Tribunal do Júri, onde vale a vontade dos jurados, não se pode impedir esses procedimentos.

Mas admitiu que, num julgamento estritamente jurídico, a psicografia não teria validade.

O criminalista Evaristo de Moraes Filho também protestou:

— Enquanto não provarem cientificamente que a alma existe, esse tipo de prova não deveria ser aceito pelos juízes.

Casos como esse causavam polêmica e levavam multidões ao Grupo Espírita da Prece. Os vivos precisavam de notícias de seus mortos e Chico Xavier ainda era o médium mais confiável do país. Mas havia um problema: ele estava também cada vez mais inalcançável. Vivia enfurnado em seu quarto para escrever os livros, faltava às sessões de desobsessão privativas realizadas às segundas-feiras, viajava a São Paulo de quinze em quinze dias para tratar dos problemas circulatórios com acupuntura.

Ele se cuidava. Nas sessões públicas, usava dois artifícios para combater o sono provocado pelo coquetel de vasodilatadores e analgésicos: bebericava xícaras de chá e reforçava a trilha sonora durante a psicografia com músicas mais modernas. De *Feelings*, de Morris Albert, até sinfonias de Bach, Beethoven e companhia. Mesmo assim, de vez em quando, sonolento, ele se distraía e errava.

Numa noite, colocou no papel mais uma carta de um filho morto para uma mãe inconsolável. A mulher acreditou em cada palavra, mas, com delicadeza, corrigiu três nomes. Chico nem piscou. Apagou o errado, substituiu pelo correto e se limitou a dizer:

— A borracha é como a reencarnação. Apaga o que está errado para escrever o certo...

Sua voz estava cada vez mais distante. E só era ouvida por todos no salão graças a um microfone e aos alto-falantes.

Quando seu estado de saúde melhorava, ele prolongava a noitada. Numa delas, escreveu quatro cartas. Ficou exausto e, após pingar o ponto-final na quadragésima página, desabafou:

— Estou no fim.

Os auxiliares cercavam o espírita e mantinham o desespero alheio à distância. O número de pessoas frustradas crescia. Muitos voltavam para casa a centenas, ou até milhares de quilômetros, decepcionados com Chico Xavier. Um dos desesperados decidiu insistir. Em julho de 1983, um senhor de meia-idade, bem-vestido, saltou sobre o muro da casa de Chico e começou a gritar como um louco. Os PMs não estavam a postos como de costume. Eurípedes Higino dos Reis também estava fora.

E o inconformado berrava. Vizinhos tentavam convencê-lo a desistir do encontro naquela tarde. Chico estava doente, precisava descansar. Nenhum argumento funcionou.

O homem não podia esperar pela sessão no Grupo Espírita da Prece, não podia correr o risco de ficar fora do grupo selecionado para uma conversa com o médium. Estava apoplético. E gritava. Uma hora se passou, duas, três.

— Não saio daqui enquanto não falar com você.

Os berros atingiam Chico no quarto dos fundos. Encolhido sob o cobertor, no escuro, ele rezava. O coração era sacudido pelos gritos do intruso. O peito doía.

Chico se antecipou ao infarto e tomou uma decisão também desesperada: se arrastou até a beira do muro e, aos pés do homem, de joelhos sobre o cimento, implorou com um resto de voz:

— Por favor, eu lhe rogo, me deixe. Preciso mais agora do seu silêncio que o senhor do meu auxílio. Volte na semana que vem que o atenderei.

O homem foi embora, penalizado.

Nem todos sentiam pena do médium. Muitos começaram a ter raiva. Os rumores ganhavam força. Chico recebia ricos, famosos e poderosos selecionados por seu "filho adotivo" Eurípedes. Sua casa estava sempre aberta para cantores, deputados, senadores. E os outros? Eram esquecidos em favor de visitantes como Wanderléa. A cantora foi recebida no mesmo dia no Grupo Espírita da Prece. Estava arrasada. Seu filho, Leonardo, de dois anos, tinha morrido afogado na piscina de sua casa. Chico apertou sua mão e deu a notícia. O menino voltaria em outra gravidez. Ela respirou fundo e acreditou. No ano seguinte, nasceu uma menina.

Em 1985, dona Risoleta, viúva de Tancredo Neves, também bateu à porta do espírita e foi recebida de braços abertos. Quatro meses após a morte do quase presidente da República, ela pedia uma "mensagem" do marido. Saiu de mãos abanando: ainda não era hora de ele entrar em contato. Talvez não fosse nem sensato.

Os visitantes ilustres se sucediam e os barrados na porta protestavam. Um deles chegou perto de Chico e comunicou, com uma faca na mão:

— Vim aqui te matar, mas não tenho coragem.

Chico se limitou a dizer:

— Deus é quem sabe, meu filho.

Um outro acusou:

— Você tem amigos na penúria, mas só vai a São Paulo em carrão de gente rica.

Chico respondeu:

— Só meus amigos ricos têm carro e, como vou sempre da noite para o dia fazer acupuntura, aproveito a oferta deles.

Com o máximo de discrição, acompanhado de poucos amigos, Chico fazia questão de percorrer os barracos para visitar doentes pobres nos bairros da periferia na noite de 24 para 25 de dezembro. Todo Natal, ele liderava uma comitiva formada por vários carros, repletos de cestas com alimentos, brinquedos e doces. O Papai Noel franzino, com sua peruca bem penteada e o sorriso sempre aberto, entrava nas casas e era recebido com aplausos pelos adultos. Algumas crianças cantavam "Noite feliz" e outras músicas natalinas.

Chico já era velho conhecido de muitos deles. Entre seus anfitriões, estava sempre um rapaz, vítima de hidrocefalia, que mendigava pelas ruas de Uberaba a bordo de um carrinho de rolimã. Ele cantava canções de amor, pedia cigarros, Chico providenciava maços com amigos e continuava a peregrinação.

Sempre parava na casa de Terezinha, entrevada numa cama havia 52 anos. No último encontro, ela chorou ao ver Chico entrar. O visitante, amparado por amigos, se lembrou de ter prometido a ela um lenço vermelho no ano anterior. Não tinha nenhum à mão, mas logo as auxiliares providenciaram um. Terezinha, muda, sorriu como uma criança.

— É, você foi uma grande bailarina espanhola, não foi mesmo?

A caminhada, marcada por distribuição de presentes para até mil pessoas, costumava começar às 8h da noite e se arrastar até as quatro da manhã.

Aos sábados, Chico Xavier estava lá, firme e forte, embaixo do abacateiro. Ele descia do Opala de Eurípedes e era recebido com aplausos pela multidão. Em silêncio, as pessoas ouviam seu discurso, após a leitura de trechos do *Evangelho segundo o espiritismo* e *O livro dos espíritos*. As *lições* eram passadas com bom humor.

— Por que acumular tanto? Existem pessoas que possuem 35 pares de sapatos. Onde vão arrumar setenta pés?

— É preciso perdoar não sete vezes, mas setenta vezes sete, matematicamente, 490 vezes. Lá pela centésima vez em que estivermos perdoando, falaremos: "Você já está perdoado para sempre. Não vou ter o trabalho de perdoá-lo mais".

As frases se seguiam e eram anotadas por um dos espíritos mais atuantes de Uberaba, o cirurgião-dentista Carlos Bacelli, dirigente da Aliança Municipal Espírita de Uberaba, parceiro de Chico em dez livros e autor de quatro publicações sobre o espiritismo.

Naquelas reuniões ao ar livre, Chico aproveitava para se desculpar pela ausência cada vez mais frequente. A cada dia recebia menos companheiros em casa. Muitos deles começavam a ser barrados na porta da casa de Chico por Eurípedes e nunca mais voltavam.

Chico usava metáforas médicas para explicar suas "faltas":

— Eu sempre dispus de um companheiro que me auxiliou nos momentos difíceis da vida. Mas esse amigo mudou bastante. Se quero sentar, ele quer a cama, se eu me levanto, ele quer sentar, se quero ir a algum lugar, ele tem dificuldades em me acompanhar. Ele quer a cadeira de balanço. E eu lutando com esse amigo. Esse amigo. Esse amigo alterado é meu corpo.

Numa tarde, um jornalista fez o favor de comentar, diante de seu corpo já encarquilhado:

— Eu o estou procurando há quinze dias e somente agora te achei. Mas achei uma ruína humana.

Chico retribuiu a gentileza:

— Graças a Deus, porque o senhor me coloca no meu lugar.

Chico buscava fôlego em campanhas beneficentes e nos encontros ao ar livre e gastava sua energia no Grupo Espírita da Prece. As histórias surpreendentes, e consoladoras, se acumulavam. Da ponta de seu lápis saíam, por exemplo, mensagens como a enviada por uma filha a sua mãe. Ela, o marido e suas duas filhas tinham morrido quando o carro em que viajavam bateu de frente com um caminhão de refrigerantes. A tragédia era arrematada por um detalhe ainda mais assustador: a autora da carta, Maria das Graças Gregh, estava grávida de nove meses quando morreu.

Na carta de Maria das Graças escrita por Chico, vinham notícias de Gregh Júnior, ele mesmo, o feto enterrado em sua barriga. Já era um garoto no outro mundo:

> *Foi um sono indescritível, porque me vi, como num pesadelo, arrastada para fora de um turbilhão de destroços e acomodada em grande maca, na ideia de que continuava em meu corpo físico, a caminho de um hospital.*
>
> *Por mais estranho que possa parecer, o meu pesadelo-realidade era feito de impressões e de dores condicionadas de um parto prematuro. Achava-me dopada por medicamentos ou forças que até hoje não sei explicar e senti perfeitamente que uma cesariana se processava... a criança repousava junto de mim.*

Textos como esses viravam coletâneas, chegavam às livrarias e se tornavam até temas para pesquisas. Marlene R. S. Nobre, mulher do deputado Freitas Nobre, diretora do jornal *Folha Espírita*, se juntou a outros três pesquisadores e estudou cem mensagens particulares escritas por Chico Xavier. Após entrevistarem os destinatários de cada carta do além, eles chegaram a conclusões curiosas. Por exemplo: 58% das pessoas brindadas com cartas de seus mortos eram católicas (contra 37% de espíritas), o pai recebia mais notícias do que a própria mãe (45% contra 38%), 25% das pessoas beneficiadas com as mensagens particulares nunca tinham se encontrado com Chico Xavier antes (65% o visitaram mais de uma vez). Em 95% dos casos, Chico não conhecia o morto. Nenhum dos consultados encontrou um erro nas mensagens.

Em algumas longas noites, quando seu coração deixava, Chico chegava a pôr no papel oito cartas do outro mundo. Saía esgotado. Em 1985, diante da romaria de sofredores até a cadeira onde ele estava sentado, desabafou:

— A dor de tanta gente me penetra em toda a alma.

Ele se sentia impotente. Por que a multidão ainda precisava tanto dele? Por que não colocava em prática as lições publicadas em seus quase trezentos livros? Por que não se consolava com os textos ditados pelos mortos?

Para se proteger do desânimo, ele recorria ao bom humor recomendado por Eça de Queiroz. E se permitia trocadilhos típicos de Emmanuel.

Numa tarde, passou de carro por um ônibus apinhado de fiéis, todos interessados em conversar com ele, e acenou com a mão. Um amigo, a seu lado, sugeriu que parassem:

— O senhor poderia dizer a eles algumas palavras de paz...

Chico sorriu:

— Tire o Z e bota o pessoal para trabalhar. Essa gente precisa de pá, além de paz.

Para Chico, como para Emmanuel, o melhor remédio era mesmo o trabalho.

Em 1985, ele escreveu quinze novos livros. A média anual de lançamentos crescia e a simplicidade dos textos também. Nada de romances históricos, ensaios científicos, tratados filosóficos ou poemas elaborados. Coletâneas de entrevistas e de "mensagens particulares" se misturavam a publicações leves como *Humorismo e Vida*, recheado de trovas singelas. Augusto dos Anjos dava passagem a poetas como Manoel Serrador:

Não te queixes nem reclames
Sorriso é paz no caminho
Quem se alegra segue em grupos
Quem chora fica sozinho.

Um certo Leandro Gomes de Barros assinava outras rimas:

O comboio para o além
passa por todo lugar
mas a morte não avisa
o dia em que vai chegar.

André Luiz ainda mandava notícias. Mas nem parecia o autor do intrincado *Mecanismos da mediunidade*. Em *Apostilas da vida*, ele esbanjava singeleza. Frases curtas, letras garrafais, tudo sob medida para leitores acostumados à linguagem televisiva e para um escritor doente, atormentado por dores no peito. Chico Xavier colocava no papel sentenças como "Seja comunicativo", "Sorria à criança", "Cumprimente o velhinho", "Converse com o doente".

Nem vestígio da linguagem densa de *Evolução em dois mundos*, uma das parcerias de Chico com Waldo Vieira.

Os críticos torciam o nariz para a "decadência" do autor do *Parnaso de além-túmulo*. Mesmo alguns amigos se perguntavam por que Chico não se aposentava de uma vez. Os fãs mais devotados fechavam os olhos para suas deficiências e se agarravam a ele, desmaiavam a seus pés e lhe enchiam de presentes. Ainda em 1985, Chico recebeu um donativo de 22 milhões de cruzeiros, enviado por uma admiradora de Nanuque (MG), Maria Auxiliadora Franco Rodrigues. Nem pensou duas vezes: reverteu todo o dinheiro para o Lar da Caridade, ex-Hospital do Pênfigo, com quase quinhentos doentes internados.

Em junho de 1986, rumores sobre a morte de Chico Xavier ganharam força e viraram boato. Os jornalistas tentaram checar as informações mas não conseguiram. Alguns auxiliares diziam que Chico estava em Pedro Leopoldo. A família dele negava a informação. Eurípedes garantia que ele estava em casa descansando. Um casal de paulistas, com hora marcada para conversar com o médium, esperava a vez sem nenhum sinal de confirmação. Nem o comandante da Polícia Militar de Uberaba, amigo do possível morto, oferecia dados seguros.

Resultado: as centrais de PBX das emissoras de rádio e TV, e também de jornais do Rio e de São Paulo, ficaram congestionadas. No departamento de jornalismo da TV Globo, as quarenta linhas da central não pararam desde as 18h30 do dia 5.

Os rumores não passaram de boatos. Mas eram um bom aperitivo para o próximo capítulo da vida de Chico.

Aquele não seria um bom ano para ele. Um escândalo tomou conta de Uberaba no mês seguinte. O editor do jornal local *Vox*, Sebastião Breguez, publicou um texto intitulado "Há algo mais que espíritos em torno de Chico Xavier". O "algo mais": cobrança de consultas. Muita gente, para falar com Chico, desembolsaria cerca de 2.500 cruzeiros por uma ficha (cerca de 0,1% do donativo recusado no ano anterior) e entregaria o dinheiro a motoristas de táxi conhecidos como Pedrinho e Eurípedes. A verba era rateada com os dois PMs encarregados da segurança do médium e da distribuição de vinte fichas aos visitantes, todas as sextas-feiras.

Um senhor de São Paulo desabafou, na época, a um repórter do jornal *Correio Braziliense*:

— Me ofereceram a oportunidade de ser consultado ainda esta manhã, mas eu teria que pagar para receber uma ficha de prioridade. Não aceitei porque acho isso uma indecência...

Nunca ninguém conseguiu comprovar que Chico soubesse da movimentação suja em torno dele. Eurípedes, o filho adotivo, sempre negou qualquer envolvimento. Dois anos depois, seria promovido a presidente do Grupo Espírita da Prece.

Em 1987, Chico completou sessenta anos de mediunidade. Repórteres avançaram sobre ele, para desespero seu. Estava cansado de entrevistas. A um dos jornalistas, ele se limitou a dizer:

— Não tenho nenhuma importância. Olhe, pegue o papel e escreva zero. Sim, escreva zero e assine embaixo: Chico.

A enciclopédia *Larousse Cultural Brasil A/Z* gastou bastante tinta para definir esse "zero". Em 48 linhas — treze a mais do que o número dedicado a Juscelino Kubitscheck e três além do espaço reservado a dom Hélder Câmara —, o texto dispensava as aspas ao definir Chico como um dos maiores psicógrafos do mundo. No verbete, Emmanuel existia mesmo e era o mentor espiritual de "uma das mais famosas personalidades do país".

Ao completar sessenta anos de trabalho, Chico foi surpreendido por uma pneumonia. Seu estado de saúde, já delicado, ficou quase insustentável. Atacado também por uma infecção renal, o aniversariante não teve escapatória: cama durante quase quarenta dias. Desapareceu do Centro Luiz Gonzaga, evitou os visitantes e se lançou como um desesperado sobre as páginas em branco. Precisava trabalhar, cumprir sua missão, resgatar dívidas. Naquele ano, com o coração, o pulmão e os rins em frangalhos, ele pingou o ponto-final em nada menos do que vinte títulos.

Em carta ao amigo Carlos Bacelli, comemorou a nova doença como uma bênção: "Louvado seja o senhor que me permite resgatar o passado e desejar melhorar-me pelos processos ocultos do corpo".

E garantiu: "Sou possuído de muita alegria, como o devedor que consegue liquidar algum dos próprios débitos...".

Chico Xavier estava cada vez mais recluso. As doenças funcionavam como álibi para evitar as visitas e se debruçar sobre o papel. Amigos e jornalistas eram barrados por Eurípedes. O autor do *Parnaso* se exilava em seu quarto e ficava sozinho, ou melhor, acompanhado por seus fantasmas. De vez em quando admitia:

— Tenho amigos espíritas e amigos espíritos. A esses últimos não posso enganar ou largar, como faço com os outros.

Chico dispensava os companheiros de carne e osso e dava prioridade aos invisíveis. Entre um contato e outro com os quase 2 mil autores espirituais de suas obras, ele se agarrava aos cães e gatos de estimação. Tanta devoção aos bichos tinha um motivo estratégico. Era uma forma de manter o elo com este mundo e evitar uma viagem sem volta para o além. Se não fossem os cachorros, como Brinquinho, seu "melhor amigo", já com doze anos e cego, ele talvez vivesse em transe, livre do próprio corpo, cada vez mais destroçado.

Numa das reuniões à sombra do abacateiro, Chico confessou:

— O que é que me interessa na Terra, além da tarefa mediúnica? Mais nada. Então, eu procuro me interessar pelos meus gatos e meus cachorros. Se eu não me ligar em alguma coisa, eu deixo vocês...

Para manter vínculos com a realidade, ele se acostumou a ler os principais jornais do país. O mundo cão também entrava em sua casa, pelas páginas do *Notícias Populares*, o jornal com maior índice de "desencarnação" por centímetro quadrado.

Chico sumia do Grupo Espírita da Prece e os visitantes buscavam outras saídas mágicas em Uberaba. Os centros espíritas do dentista Carlos Bacelli e do ourives Celso de Almeida Afonso começaram a abrigar os "órfãos" de Chico Xavier. A sucessão do espírita mais importante do país entrou em pauta. Mas os "sucessores" mais cotados se recusaram a entrar no páreo.

Celso colocava no papel cartas de mortos a suas famílias, emocionava as mães com mensagens surpreendentes e rendia homenagens a Chico, seu amigo e seu mestre, com uma batelada de metáforas.

— Ele é o rio Amazonas. Nós somos só afluentes. Ele é construção. Nós somos só tijolinhos.

Bacelli mudava de assunto:

— Não existe sucessão em espiritismo.

Chico Xavier evitava o tema, com modéstia:

— Morre um capim, nasce outro.

Os hotéis sentiam sua falta. Em muitos deles, começavam a sobrar quartos demais. Os turistas escasseavam.

Muitos previam para breve a morte de Chico Xavier, quando ele ressuscitou firme e forte nas páginas de jornais e revistas. Em outubro de 1989, virou notícia ao quebrar o próprio protocolo e apoiar pela primeira vez um candidato à Presidência da República. Não Lula. O representante dos trabalhadores ficou de fora.

Chico foi um dos 35 milhões de eleitores de Fernando Collor de Mello. Durante um encontro de vinte minutos, em sua própria casa, o morador mais ilustre de Uberaba saudou o "caçador de marajás" com um exemplar autografado do livro *Brasil, coração do mundo, pátria do evangelho*, escrito por ele e assinado por Humberto de Campos havia cinquenta anos. A dedicatória, escrita com letras trêmulas, profetizava:

O Marechal Deodoro da Fonseca proclamou a República, o senhor a consolidará.
Francisco Cândido Xavier

Nessa visita, o senador Itamar Franco, candidato a vice-presidente, ganhou um livro com título sugestivo: *Sinal verde*.

Já como presidente, no ano seguinte, Collor voltou a Uberaba para participar da abertura da Exposição de Gado Zebu. Retribuiu a profecia de Chico Xavier com uma visita ao vidente. Dessa vez, estava acompanhado por Rosane. O anfitrião adorou o casal e sofreu quando, meses depois, Collor tirou a aliança do dedo, virou o rosto para a mulher em público e expôs ao Brasil as próprias mazelas conjugais. Chico estava prestes a mandar uma mensagem ao parceiro de PC — com o pedido de que ele deixasse de ser "tão bravo com a Rosane" —, quando soube da reconciliação do casal pelos jornais.

Em maio de 1991, Chico, já maltratado por outra pneumonia, foi surpreendido por mais uma visita de Collor. Sem marcar hora, ele chegou de surpresa, acompanhado da mulher, após despistar seguranças, jornalistas, políticos e curiosos. Chico estava de cama, no quarto, e fez o presidente esperar na antessala quase vinte minutos. Como sempre, o marido de Rosane estava impaciente. Sem assunto, passou a mão no cabelo e desabafou para os poucos auxiliares do médium.

— Há um ano, quando estive aqui, não tinha cabelos brancos.

Precisava continuar a viagem até Araxá. Tinha pressa. De repente, com suas tradicionais passadas largas, alcançou a porta do quarto de Chico e girou a maçaneta enquanto avisava:

— Eu sou de casa. Vou entrar.

Eurípedes Higino dos Reis liberou a passagem e Collor surpreendeu aquele senhor doente, ainda tentando se vestir. Chico desistiu do esforço de colocar o terno, voltou para a cama e, embrulhado em lençóis, conversou pouco mais de cinco minutos com o visitante. Foi o último encontro dos dois.

Logo após o *impeachment*, quando estouraram as denúncias de Pedro Collor sobre sexo e drogas na Casa da Dinda, Chico enviou um telegrama de apoio ao ex-presidente. Desejava fé, força e paz a ele. Na época, confidenciou aos companheiros mais próximos o medo de que o escândalo em Brasília terminasse em tiro.

Uma semana antes de Collor ter os direitos políticos cassados por oito anos, Chico arriscou mais uma previsão. Otimista, garantiu a volta por cima de seu "amigo".

Fez bem em ter mantido distância da política ao longo de sua vida.

Uma versão do outro mundo para a tragédia pessoal de Fernando Collor de Mello começou a circular entre os espíritas. A história podia ser lida nas entrelinhas daquela dedicatória escrita por Chico antes das eleições. Collor seria a reencarnação do Marechal Deodoro da Fonseca e teria voltado à Terra para resgatar uma dívida do mandato anterior. Como primeiro presidente do país, ele renunciou ao cargo, desiludiu a população, abandonou o Brasil. Nesta temporada, o ex-Deodoro da Fonseca (e atual Collor) recebia o troco.

Chico nunca confirmou esta tese. E sempre mudava de assunto quando alguém ameaçava sondá-lo sobre suas próprias vidas anteriores. Mesmo assim, as especulações animavam conversas reservadas entre os espíritas. Os amigos aprenderam a arriscar, às escondidas, palpites sobre a última encarnação de Chico na Terra. Entre os nomes mais cotados, sempre esteve o de José de Anchieta, parceiro de Manuel da Nóbrega (o Emmanuel).

Mas outro nome ganhou força no meio: Allan Kardec, o responsável pela publicação das bíblias do espiritismo no século passado.

Estava escrito. No livro *Obras póstumas*, assinado pelo francês com a ajuda de vários parceiros invisíveis, um espírito chamado Z anunciou a Kardec: "Terás que retornar reencarnado noutro corpo para completar a tua obra, que não pôdes concluir nesta existência".

Chico teria voltado ao planeta para pôr em prática as ideias defendidas nos livros escritos por ele como Kardec. Algumas coincidências reforçaram a tese defendida pela maioria dos amigos do autor do *Parnaso*.

Chico nasceu em 2 de abril, mesmo dia da morte de Kardec. Em *Obras póstumas*, Kardec previa a própria volta para o fim do século passado ou início deste. Chico nasceu em 1910.

Outro profeta invisível, autodenominado Espírito da Verdade, deu mais uma pista a Kardec: "Não suponhas que basta publicar um livro, dois livros, dez livros, para em seguida ficares tranquilamente em casa. Tens que expor a sua pessoa".

Chico Xavier se superexpôs até ficar exaurido.

A tese virou livro: *Kardec prossegue*. Escrito por um dos amigos mais respeitados de Chico, Adelino da Silveira, ele exibia na capa, lado a lado, as imagens de um Chico Xavier risonho e de um Allan Kardec sisudo.

Chico não só leu a obra, como presenteou sua amiga Silvia Barsante, de Araxá, com um exemplar autografado.

De vez em quando, de cama, ele perguntava aos amigos mais íntimos:

— Onde estão as mensagens de Kardec? Onde estão?

E ria, misterioso.

Sob o peso dos oitenta anos, Chico foi persuadido por seu médico e sobrinho José Geraldo a se afastar do Grupo Espírita da Prece. A angina e as pneumonias o convenceram a participar das sessões apenas se seu estado de saúde fosse estável. Após exames semanais, receberia ou não autorização para atender os desesperados. No início dos anos 1990, muita gente começou a se acostumar com a ausência de Chico e a se conformar com sua fragilidade.

Muitos fiéis se satisfaziam em parar na porta de sua casa para "captar energias positivas" e ir embora. Ônibus estacionavam diante do portão e os passageiros rezavam. Numa destas paradas, Eurípedes entrou no veículo e pediu que a moça com nome de flor o acompanhasse. Rosa seguiu-o, entrou em sua casa e conversou com Chico Xavier. Muita gente tinha esperança de ser abençoado por uma conversa com o santo de Uberaba.

Alguns desesperados não se conformavam com a falta de contato e insistiam.

Um deles esmurrou o portão de ferro da casa de Chico Xavier até perder as forças. Entre um soco e outro, berrava:

— Você está se escondendo. Preciso falar com você. É urgente.

Já estava ficando rouco de tanto gritar quando Chico, amparado por amigos, caminhou até a varanda e desabafou, quase sem fôlego, com a voz estridente:

— Os muros não existem contra o senhor ou contra qualquer outro, mas contra mim mesmo. Se eu desfrutasse a liberdade, sairia por aí afora, arranjando confusões. Estou aprisionado.

Numa noite, ao acompanhar um amigo até o portão de sua casa, ele pediu:

— Feche a porta do meu cárcere.

Mas, numa madrugada, tudo mudou. Chico se levantou da cama e, de pijamas, atravessou Uberaba a pé, em minutos. Com o coração leve e os pulmões livres, flutuou sobre as ruas da cidade, a meio palmo do chão. A seu lado estava o dr. Inácio Ferreira, um dos seus amigos do outro mundo. Foi o médico quem convenceu o médium a abandonar o próprio corpo no quarto e a segui-lo noite adentro. Dr. Inácio precisava de ajuda para resolver uma questão doméstica.

Chico deveria convencer a ex-mulher do companheiro a não se desfazer dos livros dele. Afinal, ele precisava de sua biblioteca para continuar o trabalho no sanatório em outra dimensão. Chico persuadiu a viúva com frases sopradas pelo velho conhecido.

Após a longa noite, voltou para casa. E, com alguma resistência, quase nojo, deitou-se sobre a massa gelatinosa espalhada no lençol.

Estava preso de novo.

Com o corpo despedaçado e a cabeça a mil, tratava de lançar palavras no papel. Cansado, já se permitia desabafos mais frequentes e dizia:

— Sinto-me como se fosse arrastado, não posso resistir. Vai ser assim até quando Deus quiser.

Um médico amigo diagnosticou seu caso, em tom paternal:

— Para mim, você é maldito.

Numa noite, após mais uma peregrinação pelos bairros pobres de Uberaba, Chico fez uma inconfidência: seu mentor, Emmanuel, voltaria à Terra no fim deste milênio e ele "subiria". Ou seja: trocariam de posição. Após o aviso, lançou a dúvida, com um sorriso nos lábios:

— Quero ver se ele vai aguentar o tranco.

E desabafou, mais uma vez:

— Às vezes, me pergunto se era preciso tudo isso, embora ache que isto tudo seja o certo.

Como alguém tão bom como Chico sofria tanto? Onde estava Deus, o misericordioso? O estado precário do porta-voz dos mortos intrigava muita gente. Uma de suas amigas mais íntimas e constantes, Neuza Arantes, às vezes perdia a paciência e perguntava:

— Chico, cadê o dr. Bezerra de Menezes? Ele não te ajuda não?

O paciente, que mal conseguia andar ou falar, respondia, sem graça:

— Ajuda muito. Toda tarde ele vem me visitar.

Para justificar a própria agonia, Chico gostava de contar a história de Teresa de Ávila. Filha de pais ricos, na Espanha poderosa do século XVI, ela abandonou a ostentação, entrou para o Convento Carmelita da Encarnação e iniciou uma série de viagens pelo país para fundar abrigos para todos os órfãos e viúvas miseráveis cujos pais e maridos foram mortos nas intermináveis batalhas expansionistas. A pé, montada em mulas, enfrentou pântanos, montanhas e florestas, atormentada por crises de angina e febres intermitentes. Numa de suas maratonas, ela tentava atravessar um rio quando um temporal desabou e a correnteza a engoliu. Já estava prestes a se afogar quando foi salva por Jesus. Após agradecer, comovida, ouviu as palavras pouco animadoras do Salvador:

— Está vendo, Teresa? É assim, em meio aos perigos da estrada, que eu trato os meus discípulos e os meus amigos queridos.

Teresa não resistiu e apelou para o senso de humor.

— Oh, compreendo, Senhor. É por isto que os tendes tão poucos.

Chico se divertia com a história.

Neuza Arantes também. De vez em quando, ela encarava o amigo, cada vez mais fraco, e dizia:

— Por isto os tendes tão poucos...

Chico sorria.

Em julho de 1992, um jovem do Paraná pulou o muro de sua casa e, com o revólver na mão, anunciou o motivo de sua visita: matar o mito. Foi desarmado a tempo pelo PM Aparecido Evaristo Rosa. Terminou o dia na prisão. Mas foi solto e encaminhado de volta à família na tarde seguinte, a pedido da ex-futura vítima. O próprio Chico pagou sua passagem de ônibus. Para ele, a culpa pelo atentado não era do paranaense, mas dos obsessores interessados em assassiná-lo. Ele estava durando demais.

Eurípedes Higino dos Reis protegia o médium com fidelidade canina. E rosnava para os intrusos mais persistentes. Mães inconformadas com a morte dos filhos imploravam por um encontro com Chico e ouviam dele "nãos" implacáveis. O guardião do porta-voz dos mortos estava cansado. Já tinha ouvido muito desaforo. De vez em quando, alguém olhava para ele, de alto a baixo, e ordenava:

— Vai chamar seu patrão.

Choro não o comovia. Quem quisesse que esperasse pela aparição de Chico no Grupo Espírita da Prece. Mas o médium raramente saía da cama. Muitos não suportavam a ansiedade.

A garagem de sua casa virou abrigo para os mais desesperados. As paredes encardidas foram cobertas por um amontoado de pedidos de socorro escritos a caneta ou riscados com pedra: "Chico, por favor, mande a paz para minha casa. Chico, vim de tão longe na esperança de ter uma mensagem da minha irmã. Chico, reze por mim".

Recados de quem percorreu quilômetros e quilômetros para ver Chico Xavier e terminou a viagem a poucos metros do alvo, diante do portão de ferro mais esmurrado do país.

Na calçada, eles dividiam uns com os outros suas tragédias e suas esperanças. Pais que perderam os filhos, gente atormentada por vozes e visões, curiosos, fanáticos, prepotentes.

Em julho de 1993, um Opala preto com placa de Brasília estacionou em frente à casa de Chico. Uma senhora loura, ao lado do motorista, baixou a janela e ordenou, autoritária, ao PM Aparecido:

— Diga a Eurípedes que a chefe de gabinete do dr. Ademar de Barros Filho esteve aqui. Ele foi muito bem atendido lá na Câmara. Só passei para mandar um abraço.

O carro foi embora e o policial sacudiu a cabeça:

— Não entendi nada.

As sereias cantavam...

Uma das que batiam o pé e resmungavam em frente à casa de Chico explicava por que estava irritada. Diretora de um colégio em São Paulo, ela vivia muito bem e dormia melhor ainda até ser visitada por aparições noturnas de um fantasma com barbas brancas. O marido, delegado, começou a desconfiar de sua sanidade.

Numa tarde, ela recebeu a visita de uma senhora de carne e osso. Era uma médium de um centro espírita distante e levava um recado: o tal velho inconveniente se chamava Bezerra de Menezes, era médico e precisava de sua ajuda para promover curas. A foto do morto coincidia com a imagem que ela via, sem querer, diante de sua cama todas as noites.

Resultado: em poucos meses, para se livrar da assombração, a diretora do colégio deu férias para o próprio ceticismo e construiu um centro num terreno próximo a sua casa. À noite, sem saber como nem por que, cercada de espíritas e envolvida pela leitura do *Evangelho segundo o espiritismo*, ela caía em sono profundo. Quando acordava, ouvia relatórios extensos sobre os milagres realizados, por suas mãos, através do dr. Bezerra.

Pois bem. Seu corpo era invadido contra sua vontade, ela estava ali, na calçada, plantada à espera de Chico Xavier, e nada. O parceiro do dr. Bezerra não a atendia. Eurípedes nem lhe dava ouvidos.

— Por que ele atende o Gugu Liberato e não me recebe?

Sua vida tinha virado de cabeça para baixo, seu irmão tinha morrido num acidente de avião, e ninguém lhe dava satisfação alguma.

— Onde está o dr. Bezerra? Por que ele não pede pro Chico me receber?

Com os olhos fitos na casa de Chico Xavier e com um sorriso irônico nos lábios, ela imaginava, diante dos quase dois metros do PM e do mau humor de Eurípedes:

— Será que eu vou terminar assim? Escondida no fundo de casa, cercada por todos os lados?

Nem tudo era trabalho, solidão e agonia nos últimos anos de Chico Xavier. Aos domingos, estimulado por Neuza Arantes, ele descobria o videocassete. No aparelho quase obsoleto de Vivaldo da Cunha Borges, ele acompanhou, comovido, a aventura de *E.T.* e o drama do além *Ghost, do outro lado da vida*. E se chateou com as gracinhas de Whoopi Goldberg em *Mudança de hábito*.

Ficava contrariado com ironias sobre qualquer religião, inclusive a católica. Em sua luta para se manter o mais saudável possível, aprendia a gostar de água de coco e de banhos de sol matutinos no quintal. Precisava se cuidar para suportar a rotina durante a semana. Todas as noites, de segunda a sexta-feira, das 20h até 1h da manhã, ele se sentava na mesa da sala, ao lado de Neuza e de dois auxiliares, para preparar caixas com cerca de cinquenta mensagens destinadas a no mínimo vinte eleitos por dia.

Ele mesmo fazia questão de anotar o nome e o endereço do destinatário no embrulho. Quase sempre, sabia os dados de cor. No Dia das Mães, em 1993, conseguiu presentear mais de 3 mil amigos com sua seleção de conselhos do outro mundo ditados por Emmanuel e alguns de seus quase 2 mil colaboradores do além.

Chico se dedicava aos pacotes com a mesma obstinação com que cuidava de sua correspondência. Toda sexta ou sábado, Eurípedes ia até o Correio buscar as cerca de cinquenta cartas e pacotes enviados ao líder espírita a cada semana. Tudo era entregue em mãos ao destinatário mais requisitado do país. Chico guardava os embrulhos até segunda-feira, quando os abria e os separava por assunto. Alguns dos pedidos de socorro ele deixava sobre a mesa para que pudessem ser examinados por seus auxiliares invisíveis. Muitos dos presentes — café, chá, agasalhos, livros, remédios e roupas — doava aos mais pobres. Sete anos antes, ele mesmo fazia questão de ir ao Correio depois do almoço e voltava feliz da vida com sua média de 250 cartas diárias.

Nunca teve coragem de jogar a papelada fora. Alguns amigos faziam, às escondidas, a triagem do material e vasculhavam as caixas de papelão onde os envelopes se acumulavam, para alegria das traças. Aos sábados, quando tinha forças, participava das sessões no Grupo Espírita da Prece ou recebia visitantes, selecionados por Eurípedes, em sua casa.

As tragédias de personagens ilustres continuavam batendo à sua porta. Em 27 de fevereiro de 1993, quase três meses após o assassinato da atriz Daniela Perez, ele atendeu a mãe dela, Glória Perez. A novelista queria notícias de sua filha. Ela estava bem? Como tudo aconteceu?

Chico segurou suas mãos e pediu calma:

— Daniela está passando por um período de descanso.

Em seguida, prometeu notícias da vítima no momento adequado, quando seu espírito atingisse outros estágios.

Glória saiu de lá mais tranquila.

Um dos personagens mais decisivos e pavorosos de 1993 também buscou consolo em Uberaba. O economista José Carlos Alves dos Santos, parceiro do deputado João Alves em falcatruas no orçamento da União, apareceu no Grupo Espírita da Prece com uma dúvida suspeita:

— Vão encontrar os sequestradores de minha mulher, a Ana Elizabeth?

Chico encarou o recém-chegado e respondeu, sério:

— Não se preocupe porque destino de sequestrador é um só: cadeia.

O corrupto que detonou a CPI do orçamento, ao denunciar o esquema de desvio de verbas federais no Congresso Nacional, desabou em crise de choro.

Quando saiu, Chico confidenciou a uma amiga ao seu lado:

— O caso dele é parecido com o de sua filha.

A moça tinha sido assassinada pelo próprio marido.

No final do ano, a verdade sobre José Carlos e Ana Elizabeth era estampada nas primeiras páginas dos jornais. Ele tinha planejado, e participado, do assassinato da mulher, morta com golpes de picareta após um jantar romântico.

As tragédias atingiam Chico em cheio, mas não o derrubavam. Ao completar 83 anos, em 2 de abril de 1993, ele avaliou:

— Minha missão está no fim. Mas estou feliz por tê-la cumprido da melhor forma possível.

E se divertiu:

— Se eu tivesse nascido em 1º de abril, diriam que eu era uma grande mentira.

Na noite de 31 de julho de 1993, sob um frio de treze graus, Chico Xavier contrariou todas as expectativas e, com o aval de seu médico, se levantou da cama, colocou um paletó bege sobre um casaco de lã e fez o que gostaria de fazer sempre, todos os sábados: foi ao Grupo Espírita da Prece. Cerca de trezentas pessoas quase se ajoelharam diante da visão cada vez mais rara. Os fiéis se aboletaram nos muros, nas janelas, nos bancos de madeira. Queriam ver Chico Xavier, tocar nele, ouvir sua voz.

Na cabeceira da mesa, ao lado de Eurípedes e abaixo da inscrição presa na parede "Silêncio é prece", ele acompanhou, sorridente, a leitura de trechos do *Evangelho segundo o espiritismo*, ao som de música clássica. Em seguida, fechou os olhos, segurou uma das dezenas de lápis à sua frente e deixou a mão trêmula deslizar sobre o papel. A velocidade já não era vertiginosa.

O silêncio só era quebrado por um ou outro riso de criança, pelos *flashes* das máquinas fotográficas — sempre seguidos de caretas reprovadoras de Eurípedes —, pelo ruído longínquo das câmeras de vídeo, por suspiros, rezas. De pé, no meio da multidão, a dois metros da mesa, uma freira, enfiada em um hábito marrom, acompanhava de olhos vidrados cada movimento do espírita mais importante do país. A irmã Natalina dos Anjos, de 66 anos, da Ordem Terceira Franciscana, veio da paulista

Ribeirão Preto, onde fundara o Lar Assistencial Cavaleiro de Cristo, só para conhecer o médium. Teve sorte. E saiu fascinada.
— Chico Xavier é divino. Primeiro e único no mundo.
Se ela acredita em reencarnação?
— É claro.
Do lápis daquele senhor destroçado, saiu uma quadra jovial com a assinatura de Cornélio Pires. Ele mesmo leu, com sua voz combalida ampliada pelos alto-falantes, os versos quase adolescentes:

> *O beijo mais cativante*
> *segundo conceito sábio*
> *é um sonho maravilhoso*
> *que deve ficar no lábio.*

Logo depois, tomou fôlego, pigarreou, bebeu um gole de água. A bacia azul sobre a mesa guardava quase cem pedidos de mensagens de mortos queridos. Chico iria ler uma delas. Alguns soluços tomaram conta da sala. O porta-voz dos espíritos repetiu o velho ritual. Chamou pelo nome os destinatários da carta até a mesa. De pé, diante do público, Vanilda e Archimedes ouviram o recado de sua filha, Tânia Mazeo, morta aos 24 anos, quando se preparava para o casamento, em 1980.

Vanilda não conteve as lágrimas nem as lembranças de treze anos antes, quando, desesperada, procurou Chico Xavier numa noite de autógrafos em São Paulo. Só à 1h da madrugada ela conseguiu se aproximar dele para desabar:
— Minha filha morreu.
— Como?
— Dormindo.
Chico sorriu emocionado:
— Que beleza!
Poucos meses depois, colocou no papel a primeira de uma série de quinze mensagens assinadas por Tânia.

Mais uma vez, após quatro anos de silêncio, ela deu notícias a seus pais e falou de suas atividades numa espécie de colônia espiritual onde ajudava os pobres, os doentes, os desesperados.

No final da sessão, Chico se levantou, amparado pelos amigos e, com um sorriso tímido, quase envergonhado, tomou o rumo da porta dos fundos, arrastado pelo PM Aparecido. Algumas mulheres mandaram beijos para ele, outras avançaram sobre seu corpo arqueado em busca de autógrafos. Sem êxito. Ele precisava ir embora. Os dez metros até o portão pareciam quilômetros. Para alcançar a rua e chegar ao carro, atravessou mais uma vez o beco dos aflitos, um corredor estreito entre uma das paredes da casa e o muro do vizinho. A multidão se aglomerou ali para tocar no santo, para enfiar bilhetes em seus bolsos, para gritar:

— Chico, olha pra mim.

Ele olhava.

— Chico, você é maravilhoso.

Ele acenava.

— Chico, você é lindo.

Ele sorria.

Muitos devotos choravam.

Ele seguiu, devagar e em silêncio, quase se arrastando, com as calças frouxas, o terno amarrotado. Parecia esgotado.

Era só aparência. Em casa, dez minutos depois, já estava sentado à mesa de madeira da sala de jantar. Pendurada na parede repleta de rachaduras, uma tapeçaria com a imagem da Santa Ceia ilustrava o segundo *round* da noite: as visitas. Como nos bons tempos, Chico abriu as portas de sua casa aos visitantes, muitos deles desconhecidos. No portão de ferro, Eurípedes fazia a seleção dos privilegiados e dava uma instrução básica antes de abrir caminho:

— Não chore.

O desespero alheio arrasava Chico. Ele precisava ser poupado.

A noite se prolongou até quase 3h da manhã. Chico recebia cada forasteiro com um sorriso e com um pedido de perdão:

— Desculpe a minha pobreza.

E contava os "causos" de sua vida. Naquela noite estava inspirado. Chegou até a imitar os relinchos de felicidade de um burro da Fazenda Modelo no dia da aposentadoria de seu condutor, um *expert* em chibatadas. As histórias divertidas se misturavam também a lembranças emocionadas de sua madrasta, Cidália:

— Se eu precisar de ajuda na hora do meu "desencarne", tenho certeza de que ela vai me auxiliar.

De vez em quando, interrompia a conversa para escrever dedicatórias aos "prezados irmãos pelo coração". Nos bilhetes, com votos de paz e felicidade, sempre se definia como "seu servidor muito grato". Uma das beneficiadas, Cássia Flora Grandizoli, saiu de lá com um cartão e com uma cisma. Por que a água sobre a mesa ficou leitosa? De onde vinham aquelas ondas de perfume de rosas?

No dia seguinte, Chico voltou à solidão habitual, povoada por fantasmas. Precisava escrever para cumprir sua missão. Até 23 de junho de 1993, 367 livros estampavam seu nome na capa, 65 deles tinham sido traduzidos em língua estrangeira (entre elas, o grego, o tcheco e o japonês), 86 chegavam aos cegos em braile e oito circulavam mundo afora em esperanto. Um mês depois, os números seriam atropelados.

No dia 22 de julho, doze novos títulos já estavam no prelo, três descansavam na cabeceira de Chico à espera de um prefácio (sempre assinado por Emmanuel) e outro já estava a caminho da editora Ideal. O homem que teve a vida desapropriada pelos espíritos parecia querer compensar a queda de produção dos três anos anteriores. Em 1991, só conseguiu lançar quatro títulos. Em 1992, foram oito.

Em fevereiro de 1994, o mundo de Chico movimentava números impressionantes. Livros publicados: 375. Exemplares vendidos: cerca de 20 milhões (1 milhão só de *Nosso Lar*). "Autores espirituais": quase 2 mil. Renda média anual com direitos autorais: 650 mil dólares. Quanto, desse total, Chico guardava para si mesmo: zero. Nenhum tostão.

Vivia de sua aposentadoria como escriturário nível 8 do Ministério da Fazenda — cerca de 150 dólares — e da ajuda de amigos e admiradores. Sete milhões de espíritas assumidos prestavam reverências a ele. Só na década de 1980, meio milhão de católicos se converteram ao espiritismo.

Entre um livro e outro, o principal responsável pela transformação do Brasil no maior país espírita do mundo se preparava para morrer.

Tomou todas as precauções. Para começar, doou a Eurípedes, Vivaldo e José Geraldo o seu único bem — a casa simples. Em seguida, atestou, em documento, o desejo de ser enterrado em Uberaba e não em Pedro Leopoldo. Queria evitar que sua sepultura na cidade natal, tão provinciana, se transformasse em polo de romaria após sua morte. Para arrematar, pediu a Vivaldo que queimasse os originais de todas as mensagens publicadas. Temia que os garranchos do além fossem comercializados quando ele já estivesse longe.

Numa noite, pouco antes de dormir, encarou os amigos e, bem-humorado, fez um último pedido:

— Quando vocês olharem para mim na cama e eu estiver sorrindo, em silêncio, virem o rosto, porque eu vou embora.

EPÍLOGO

Uberaba. Fevereiro de 2003. Oito meses já se passaram desde a morte de Chico Xavier e até agora nada. Nenhuma palavra, nenhuma mensagem do líder espírita.

O "correio espiritual" mais concorrido do planeta não manda notícias do além. Não usa um médium como ele para contar como vai a vida depois da morte ou como foi a passagem deste mundo para o outro.

Um silêncio incômodo — quase constrangedor — toma conta do circuito espírita da cidade.

No Grupo Espírita da Prece, o centro fundado por Chico Xavier em Uberaba há 28 anos, o filho adotivo Eurípedes Higino dos Reis lidera as reuniões de sábado à noite.

Sobra lugar na sala de piso de cimento onde a velha placa avisa: "Aqui, com o nome de Grupo Espírita da Prece, funciona o Culto de Evangelho do Lar do Irmão Francisco Cândido Xavier em casa de sua propriedade".

Uma novidade — só admitida depois da morte de Chico — se destaca na parede ao lado: dois pôsteres gigantescos do líder espírita que se constrangia com a idolatria em torno dele e fazia questão de se menosprezar ao máximo.

Hoje no centro de Chico Xavier ninguém põe no papel mensagens ditadas por mortos a seus "entes queridos" na Terra. A programação semanal inclui oração, leitura do Evangelho e uma breve sessão de passes regada a água "fluidificada", energizada pelos espíritos.

A sessão na noite de 21 de fevereiro foi acompanhada por 42 pessoas — algumas com a esperança de assistir ao momento histórico em que Chico enviaria uma mensagem aos companheiros de Uberaba. Mas nada.

Na mesa de doze lugares, ocupada pelos colaboradores do Grupo Espírita da Prece — Eurípedes à cabeceira —, uma das oradoras conversa, em voz alta, com Chico Xavier:

— Nós gostaríamos que você, Chico, tivesse permanecido mais tempo conosco, mas Deus sentiu saudade de você.

Por que tanto silêncio?

Carlos Bacelli e Celso de Almeida Afonso — os médiuns de Uberaba mais procurados hoje por quem busca mensagens do além — têm a mesma explicação: "Chico quer evitar confusão".

Uma mensagem sua, publicada em jornais e revistas, funcionaria como um holofote sobre o médium escolhido para colocá-la no papel. O eleito para a missão não teria paz.

— Prefiro não receber esta mensagem — Celso se esquiva enquanto passeia com seu *poodle* branco pelas ruas de Uberaba num domingo de sol. — Sou preguiçoso demais.

A casa simples e confortável onde Chico Xavier passou os últimos anos de sua vida se transformou em museu administrado por Eurípedes. As portas estão abertas para quem quiser entrar e uma urna está à disposição na cozinha para doações voluntárias.

Uma livraria, logo na entrada, vende os títulos psicografados por Chico Xavier ao longo da vida e expõe objetos de todo tipo com a imagem dele estampada: camisetas, cadernos, agendas, pratos, calendários. A imagem de Chico se multiplica.

Uma câmera de vídeo instalada no corredor de acesso à porta dos fundos hoje está desligada — uma lembrança dos tempos em que era preciso zelar pela segurança de Chico e registrar, com cuidado, a entrada e saída de desconhecidos na casa aos sábados à noite.

A voz de Chico ecoa por todo canto durante a visita ao Museu. Um CD com mensagens lidas por ele, embalado por música clássica, serve como trilha sonora para a revelação da intimidade do homem que lutou, em vão, para preservar um mínimo de privacidade.

Faixas em verde e amarelo — como as dos museus públicos — impedem os curiosos de entrar no quarto onde Chico morreu e onde passou boa parte dos últimos anos de sua vida.

Os outros cômodos estão abertos à visitação: as duas salas onde Chico recebeu amigos e admiradores, almoçou e jantou (sopas e mingaus nos últimos anos) e bebericou café (seu único vício), enquanto se equilibrava entre os dois mundos: o dos vivos e o dos mortos.

Na porta do seu quarto, está pendurado um dos bilhetes escritos por ele para os espíritos. Um pedido de desculpas por um transtorno imprevisível: ele teria que dormir no quarto ao lado, uma noite, por causa de um conserto na caixa de água, mas estaria à disposição dos "amigos espirituais".

Hoje, no quarto ao lado, penduradas nas paredes, deparamos com as boinas usadas por Chico para cobrir sua calvície.

Nas paredes de toda a casa, está exposto aos visitantes tudo o que Chico evitou exibir ao longo da vida: títulos de cidadão honorário, medalhas, troféus, comendas.

No cemitério, um mausoléu de mármore branco foi construído para homenagear o morto mais ilustre e visitado da cidade. O movimento em Uberaba desabou com a morte dele, os hotéis já não lotam com as caravanas de espíritas e não espíritas vindas de todo o Brasil. Mas os admiradores continuam a chegar, aos poucos, e fazem questão de visitar o túmulo de Chico para pedir paz e socorro.

Uma frase assinada por Chico enfeita uma das paredes do mausoléu, sob uma escultura que mostra a mão dele segurando um lápis, pronta para receber uma mensagem:

"A minha vida dediquei à minha mediunidade, à minha família, aos meus amigos. Ao povo. A minha morte me pertence. Meu corpo deve voltar para a mãe Terra e não deve ser tocado".

Chico pede paz.

AGRADECIMENTOS

Rose, minha mãe, pelo apoio de sempre. Ronan, meu pai. Arturo, o psicanalista. Paulo Roberto Pires, Mauro Ventura, Olavo Drummond, Sônia, Sylvia e Cássio Barsante, Neusa Arantes, Eurípedes Tahan, Elias Barbosa, Lula Branco Martins, Daniela Kresh, Leonardo Ferreira, Francisco Ferreira de Queiroz, Ricardo Land e Marcos Aurélio Santos Coelho, do Proauto (Projeto Automação do *Jornal do Brasil*), Geraldo Leão, Biblioteca Nacional. A todos, enfim, que tornaram este livro possível.

BIBLIOGRAFIA

BACELLI, Carlos A. *Chico Xavier, mediunidade e coração*. São Paulo, Instituto Divulgação Editora André Luiz, 1985.

_____ *Chico Xavier, à sombra do abacateiro*. São Paulo, Instituto Divulgação Editora André Luiz, 1986.

_____ *Chico Xavier, mediunidade e vida*. São Paulo, Instituto Divulgação Editora André Luiz, 1987.

_____ *Chico Xavier, mediunidade e luz*. São Paulo, Instituto Divulgação Editora André Luiz, 1989.

_____ *Chico Xavier, mediunidade e ação*. São Paulo, Instituto Divulgação Editora André Luiz, 1990.

BARBOSA, Elias. *Presença de Chico Xavier*. 1. ed. São Paulo, Editora Calvário, 1970. 4. ed. São Paulo, Araras, Instituto de Difusão Espírita, 1988.

_____ *No mundo de Chico Xavier*. 7. ed. São Paulo, Araras, Instituto de Difusão Espírita, 1988.

BUENO, Isabel. *Uma vida de amor e caridade*. Belo Horizonte, Fonte Viva, 1992.

GAMA, Ramiro. *Lindos casos de Chico Xavier*, vol. 2. São Paulo, NG-Lake, 1986.

GERMINHASI, Rubens Silvio & XAVIER, Francisco Cândido. *Amor & Luz*. São Paulo, Instituto Divulgação André Luiz, 1987.

JACINTHO, Roque. *40 anos no mundo da mediunidade*. São Paulo, Departamento Editorial Luz no Lar, 1991.

KARDEC, Allan. *A gênese*. 3. ed. São Paulo, Araras, Instituto de Difusão Espírita, 1992.

_____ *O livro dos espíritos*. 77. ed. São Paulo, Araras, Instituto de Difusão Espírita, 1992.

_____ *O livro dos médiuns*. 26. ed. São Paulo, Araras, Instituto de Difusão Espírita, 1992.

_____ *O evangelho segundo o espiritismo*. 158. ed. São Paulo, Araras, Instituto de Difusão Espírita, 1993.

_____ *O céu e o inferno*. 3. ed. São Paulo, Araras, Instituto de Difusão Espírita, 1993.

MACHADO, Ubiratan. *Chico Xavier, uma vida de amor*. São Paulo, Araras, Instituto de Difusão Espírita, 1992.

NAPOLEÃO, Luciano. *Nosso amigo Chico Xavier*. Minas Gerais, Uberaba, Editora Napoleão Ltda., 1987.

RANIERI, R. A. *Chico Xavier, o santo de nossos dias*. Rio de Janeiro, Editora Eco, 1988.

_____ *Recordações de Chico Xavier*. São Paulo, Guaratinguetá, Editora da Fraternidade, 1988.

_____ *Materializações luminosas*. São Paulo, Edições FEESP, 1989.

SCHUBERT, Suely Caldas. *Testemunhos de Chico Xavier*. Brasília, Federação Espírita Brasileira, 1986.

SILVEIRA, Adelino da. *Chico, de Francisco*. São Paulo, Cultura Espírita União, 1987.

SOUZA, Cezar Carneiro de. *Encontros com Chico Xavier*. Minas Gerais, Uberaba, Editora e Livraria do Centro Espírita Aurélio Agostinho, 1989.

TAVARES, Clóvis. *Trinta anos com Chico Xavier*. 4. ed. São Paulo, Araras, Instituto de Difusão Espírita, 1987.

TIMPONI, Miguel. *A psicografia ante os tribunais*. Rio de Janeiro, Federação Espírita Brasileira, 1959.

UNIÃO ESPÍRITA MINEIRA. *Chico Xavier, mandato de amor*. Minas Gerais, Belo Horizonte, União Espírita Mineira, 1992.

VARANDA, Jarbas Leone. *Bases do espiritismo (I parte)*. Minas Gerais, Belo Horizonte, União Espírita Mineira, 1991.

VIEIRA, Waldo. *Projeções da consciência – Diário de experiências fora do corpo físico*. Rio de Janeiro, Instituto Internacional de Projeciologia, 1992.

_____ *Miniglossário de conscienciologia*. Rio de Janeiro, Instituto Internacional de Projeciologia, 1992.

WORM, Fernando & XAVIER, Francisco Cândido. *Janela para a vida*. São Paulo, Livraria Allan Kardec Editora, 1989.

XAVIER, Francisco Cândido. *Parnaso de além-túmulo*. Rio de Janeiro, Federação Espírita Brasileira, 1932.

_____ *Palavras do infinito (Humberto de Campos, espírito)*. São Paulo, Livraria Allan Kardec Editora, 1936.

_____ *Crônicas de além-túmulo (Humberto de Campos, espírito)*. Rio de Janeiro, Federação Espírita Brasileira, 1937.

_____ *Emmanuel*. Rio de Janeiro, Federação Espírita Brasileira, 1938.

_____ *O consolador*. Rio de Janeiro, Federação Espírita Brasileira, 1941.

_____ *Nosso Lar*. Rio de Janeiro, Federação Espírita Brasileira, 1944.

_____ *Mecanismos da mediunidade* (em parceria com Waldo Vieira). Rio de Janeiro, Federação Espírita Brasileira, 1960.

_____ *Antologia dos imortais* (em parceria com Waldo Vieira). Rio de Janeiro, Federação Espírita Brasileira, 1963.

_____ *Entre irmãos de outras terras* (em parceria com Waldo Vieira). Rio de Janeiro, Federação Espírita Brasileira, 1966.

_____ *Encontro marcado*. Rio de Janeiro, Federação Espírita Brasileira, 1967.

_____ *Vida e sexo*. Rio de Janeiro, Federação Espírita Brasileira, 1970.

_____ *Entrevistas*. São Paulo, Araras, Instituto de Difusão Espírita, 1971.

_____ *Sinal verde*. Minas Gerais, Uberaba, Comunhão Espírita Cristã, 1971.

_____ *Chico Xavier pede licença: um aparte do além nos diálogos da terra por Francisco C. Xavier, J. Herculano Pires e espíritos diversos*. São Paulo, São Bernardo do Campo, Grupo Espírita Emmanuel Editora, 1980.

_____ *Quem são*. São Paulo, Araras, Instituto de Difusão Espírita, 1982.

_____ *Entender conversando*. São Paulo, Araras, Instituto de Difusão Espírita, 1984.

_____ *Chico Xavier no Pinga-Fogo*. São Paulo, EDICEL (Editora Cultural Espírita Ltda.), 1987.

_____ *Lealdade*. São Paulo, Araras, Instituto de Difusão Espírita, 1987.

_____ *Apostilas da vida*. São Paulo, Araras, Instituto de Difusão Espírita, 1991.

LEIA TAMBÉM, DE MARCEL SOUTO MAIOR

MARCEL SOUTO MAIOR

AS LIÇÕES DE CHICO XAVIER

Para quem acredita e para quem quer voltar a acreditar

Planeta

MARCEL SOUTO MAIOR

POR TRÁS DO VÉU DE ÍSIS

LIVRO QUE INSPIROU O FILME
As mães de
CHICO XAVIER

Academia

**Acreditamos
nos livros**

Este livro foi composto em Adobe Caslon Pro, Ogg
e Brandon Grotesque e impresso pela Geográfica
para a Editora Planeta do Brasil em abril de 2022.